Professoras na cozinha

Pra você que não tem
tempo nem muita experiência

Dados Internacionais de Catalogação na Publicação (CIP)
(Câmara Brasileira do Livro, SP, Brasil)

Chaui, Laura de Souza
    Professoras na cozinha : pra você que não tem tempo nem
muita experiência / Laura de Souza Chaui, Marilena de Souza
Chaui. — São Paulo : Editora SENAC São Paulo, 2001.

    Bibliografia.
    ISBN 85-7359-175-7

    1. Cardápios 2. Conselhos práticos, fórmulas, truques etc.
3. Culinária 4. Economia doméstica I. Chaui, Marilena de
Souza. II. Título.

00-5068   CDD-641.5

Índices para catálogo sistemático:
1. Arte culinária : Economia doméstica 641.5
2. Culinária : Economia doméstica   641.5

Laura de Souza Chaui

Marilena de Souza Chaui

Professoras na cozinha

Pra você que não tem

tempo nem muita experiência

Colaboradoras:

Heloísa Bicudo

Juracy Martins Mil Homens

Marita Prado

Valkiria Roza Vicentini

EDITORA
senac
SÃO PAULO

ADMINISTRAÇÃO REGIONAL DO SENAC NO ESTADO DE SÃO PAULO

Presidente do Conselho Regional: Abram Szajman
Diretor do Departamento Regional: Luiz Francisco de Assis Salgado
Superintendente de Operações: Darcio Sayad Maia

EDITORA SENAC SÃO PAULO

Conselho Editorial: Luiz Francisco de Assis Salgado
                Clairton Martins
                Luiz Carlos Dourado
                Darcio Sayad Maia
                A. P. Quartim de Moraes

Editor: A. P. Quartim de Moraes (quartim@sp.senac.br)

Coordenação de Prospecção Editorial: Isabel M. M. Alexandre (ialexand@sp.senac.br)
Coordenação de Produção Editorial: Antonio Roberto Bertelli (abertell@sp.senac.br)

Preparação de Texto: Kátia Miaciro
                Regina Di Stasi
Revisão de Texto: Luciana Campos de Carvalho Abud
                Lucila Barreiros Facchini
Capa: Moema Cavalcanti
Ilustrações: Fabiana Fernandes
Fotos: Renato Silveira Chaui
Projeto Gráfico: Lato Senso – Bureau de Editoração

Gerência Comercial: Marcus Vinicius Barili Alves (vinicius@sp.senac.br)
Vendas: José Carlos de Souza Jr. (jjr@sp.senac.br)
Administração: Rubens Gonçalves Folha (rfolha@sp.senac.br)

ESTA OBRA FOI COMPOSTA PELA LATO SENSO – BUREAU DE EDITORAÇÃO EM
GARAMOND E IMPRESSA PELA LIS GRÁFICA E EDITORA LTDA. EM OFFSET SOBRE
PAPEL PRINTMAX 90 G/M² DA VOTORANTIM – CELULOSE E PAPEL EM JULHO DE 2001.

Todos os direitos desta edição reservados à
Editora SENAC São Paulo
Rua Rui Barbosa, 377 – 1º andar – Bela Vista – CEP 01326-010
Caixa Postal 3595 – CEP 01060-970 – São Paulo – SP
Tel. (11) 284-4322 – Fax (11) 289-9634
E-mail: eds@sp.senac.br
Home page: http://www.sp.senac.br

Sumário

Nota do Editor

Laura de Souza Chaui e sua filha Marilena unem esforços e sabedoria neste livro que por diversas qualidades há de alcançar a acolhida do grande público. Uma dessas, que se revela de imediato e se mantém ao longo de todas as páginas, refere-se ao entusiasmo e à competência das autoras aplicados a cada detalhe, na explicação de termos da gastronomia, na formulação de receitas e na oportuna intenção de fornecer informações sempre com admirável clareza.

Bem-humorado – "Não dá para cortar cebola sem chorar, mas pode-se chorar pouco" –, elegante na escrita e atento ao sentido cultural do assunto sem nunca perder de vista o propósito primordial de ser útil e prático, *Professoras na cozinha* põe em evidência o talento de Souza Chaui, mãe, ao mesmo tempo que demonstra sob novos ângulos o de Souza Chaui, filha.

Esta é mais uma importante contribuição do SENAC de São Paulo, que em seus hotéis-escola de Águas de São Pedro e Campos do Jordão forma profissionais da gastronomia e por sua Editora faz livros da especialidade, para o enriquecimento desse tema.

Aos leitores

Este pequeno livro é dedicado às pessoas que não têm muito tempo ou que não têm muita experiência na cozinha.

Pensamos naquelas e naqueles que trabalham fora um ou dois períodos, nos que trabalham fora e estudam e que fazem as compras de alimentos e preparam suas próprias refeições sem ter muito tempo para isso nem muita experiência.

Pensamos também nas pessoas que encarregam alguém de comprar os alimentos e prepará-los, e precisam dar informações e instruções a uma outra pessoa que talvez não tenha muita experiência.

Por isso oferecemos informações básicas e sugestões para a compra e conservação de alimentos, para o preparo de pratos simples e rápidos e dicas para escapar dos pequenos desastres culinários. Oferecemos também informações para ajudar a compreender e seguir receitas. E como falta de experiência se corrige ganhando experiência, achamos que vale a pena oferecer sugestões para pequenas e grandes recepções.

Este livro deseja não só facilitar o cotidiano, mas também torná-lo agradável, elegante e prazeroso.

As autoras

Os ovos estalam na frigideira, e mergulhada no sonho preparo o café da manhã. Sem nenhum senso da realidade, grito pelas crianças que brotam de várias camas, arrastam cadeira e comem, e o trabalho do dia amanhecido começa, gritado e rido e comido, clara e gema, alegria entre brigas, dia que é nosso sal e nós somos o sal do dia (...) viver faz rir.

Clarice Lispector, "Atualidade do ovo e da galinha", em *A descoberta do mundo*

1

O que é
O que é
A linguagem da cozinha

Dobra trabalho, dobra canseira.
Fogo flameja. Ferve, caldeira.
Shakespeare, Canto das feiticeiras, *Macbeth*

Você já escutou sua mãe, suas tias ou suas avós conversando sobre cozinha? Não parece reunião de feiticeiras falando uma língua que só elas entendem? "Uma pitada de sal", diz uma. "Precisa dar ponto", responde a outra. "É, mas você não refogou direito", completa a terceira. E por aí vai.

Já ouviu seu pai e os amigos discutindo uma carne que só um deles acha que sabe fazer? "Precisa enfarinhar, senão fica difícil de corar", explica um. "Qual nada, se você lardear e chamuscar fica bom", intervém o outro. "É, mas desse jeito não pega o gosto quando puser o buquê garni", diz mais um. E haja cerveja para regar o papo!

Uma arte

Esse palavreado estranho tem sua razão de ser porque cozinhar é uma arte.

Que significa arte?

Essa palavra vem do latim *ars* e traduz a palavra grega *téknē*. Uma arte é uma técnica e toda técnica possui três características principais:

- pode ser ensinada e aprendida;
- possui instrumentos próprios para ser realizada;
- possui uma linguagem própria.

A pessoa que aprende uma técnica ou uma arte conhece os instrumentos com os quais ela opera e a linguagem que ela fala. Esse aprendizado permitirá, depois, que a pessoa crie e invente porque domina as operações de sua técnica. Um artista é aquele que aprendeu a ter esse domínio e que tem talento para criar e inventar por conta própria.

Por isso: mãos à obra!

Você vai agora saber quais os instrumentos de que precisa na cozinha, vai conhecer a linguagem dos cozinheiros e as manhas dessa arte.

Os instrumentos da arte

Você não vai querer ir para a cozinha sem saber quais são os instrumentos indispensáveis para "entrar em ação", não é mesmo? E também não vai querer bobear só por não ter os utensílios necessários, hein?

Por isso, vamos começar com uma pequena lista do que você precisa ter em sua cozinha para não se afobar na hora do "vamos ver".

O mínimo indispensável

Para que dificultar quando se pode facilitar?

Quando se quer cozinhar, tudo fica muito fácil se os utensílios certos estão à mão. Não precisa sofisticar (só se você quiser) nem gastar muito. Basta comprar os objetos necessários que lhe garantirão sossego e rapidez.

É claro que, se você puder ter liquidificador, batedeira, centrífuga, processador, espremedor elétrico de sucos, sua vida ficará ainda mais fácil. Porém, mesmo que você tenha esses eletrodomésticos, é recomendável ter os bons e pequenos utensílios manuais, que são mais apropriados quando a gente vai fazer alguma coisa em pouca quantidade ou quando a receita pedir que você faça várias coisas manualmente.

É claro, também, que você pode comprar muita coisa já preparada, como alho e cebola batidos (em vidros), temperos completos (em copos de plástico e em vidros), pacotes de purê de batatas, de polenta e de congelados (batata palha, mandioca, ervilha, cenoura, brócolis, etc.), arroz e feijão semiprontos, pacotes de massas semiprontas para bolo, torta e pizza, etc. Mas é bom lembrar que mesmo os semiprontos exigem alguma elaboração.

Além disso, algumas vezes em que estiver com mais tempo ou querendo descansar a cabeça usando a criatividade na cozinha, você vai preferir preparar tudo com as próprias mãos para ficar mais fresquinho e saboroso. E, para isso, é importante ter uma cozinha prática com os instrumentos de que irá precisar.

B, A, BA; B, E, BE.
O que é indispensável numa cozinha prática

Em primeiro lugar: onde cozinhar

É bom que você tenha, no mínimo:
- panelas (1 grande, 1 média e 1 pequena);
- panela de pressão (1);
- caldeirão (1);
- frigideira (1 grande, 1 média e 1 pequena);
- leiteira (1);
- chaleira (1);
- canecas (1 grande, 1 média, 1 pequena);
- assadeira retangular (1 grande e 1 pequena);
- assadeira redonda (1 grande e 1 média);
- fôrma redonda para bolo e pudim em anel (1 grande e 1 média).

 Se suas panelas, frigideiras e assadeiras são do tipo teflon, os instrumentos de trabalho devem ser de madeira ou de plástico, pois os de metal irão riscar e esfolar o teflon, prejudicando a sua saúde e estragando os recipientes.

Só com as mãos não tem jeito, não. Com o que cozinhar

É necessário que você tenha, no mínimo:
- jogo de facas (1);
- concha (1);
- escumadeira (1);
- colheres grandes (2);
- pá de fritura (1);
- garfo grande para fritura (1);
- espátula (1).

Não dá para ficar sem eles

Seu trabalho vai ser facilitado se você tiver:

- abridor de latas;
- saca-rolhas;
- pegador de panela (é bom ter pelo menos 2, um deles do tipo luva, que cobre parte de seu braço e não deixa você se queimar quando for pegar coisas no forno);
- escorredor de macarrão;
- lavador de arroz e feijão;
- ralador de queijo e legumes;
- espremedor de limão;
- espremedor de alho;
- espremedor de batata;
- tábua de cortar legumes, carnes, verduras e temperos;
- coador (de preferência, com tela metálica porque a de plástico não agüenta alimentos muito quentes);
- peneira (de preferência com tela metálica porque a de plástico não agüenta alimentos muito quentes; se quiser, pode ter também uma peneira com tela plástica para alimentos que não estejam muito quentes);
- batedor de ovos;
- medidor graduado para gramas e litros;
- bacias (de plástico ou de inox; 1 grande, 1 média e 1 pequena; são boas para lavar verduras, frutas, legumes; para deixar carnes, peixes e aves na vinha-d'alho; para bater ovos; para misturar massas);
- raspador (ou "raspa-tudo", também conhecido como "pão-duro" porque limpa tudo, não deixando sobrar nenhum resto);
- martelinho de bater carne;
- caneca própria para guardar óleo usado (quando você faz frituras, sempre sobra muito óleo ou gordura que poderão ser usados novamente);
- furador para lardear carnes (já, já nós vamos lhe contar o que é lardear, não se aflija);
- rolo de abrir massas.

Se você gosta muito de ir à cozinha inventar pratos e experimentar receitas, ou se, por algum motivo, precisa passar longo tempo cozinhando, vale a pena ter muitos outros pequenos utensílios e objetos divertidos.

Mas vamos deixar por conta de sua imaginação procurá-los e encontrá-los nas lojas especializadas ou nos supermercados. Tem coisa que não acaba mais (secador de folhas de salada, cortador de ovos, tirador de semente e de caroços de frutas, moedor de temperos, tábuas de cortar com divisões e lugar para escorrer água, peladores de legumes e frutas, colheres e garfos de muitos formatos e tamanhos para mil e uma especialidades, raladores de todos os tamanhos e formatos, etc.).

Os ingredientes da arte

A pequena despensa

Você se lembra de uma "pegadinha" que os adultos idosos costumavam fazer com as crianças, a da "sopa de pedra"?

Era assim: pega-se um caldeirão cheio d'água e coloca-se no fogo. Quando a água ferver, passa-se pela borda do caldeirão uma pedra. Está pronta a sopa.

Ou seja, a sopa de pedra não é sopa de coisa nenhuma.

Para que você não se veja fazendo sopa de pedra, convém que tenha os ingredientes mínimos para exercer a arte da cozinha. E para isso é indispensável uma pequena despensa.

Aqui vai nossa sugestão para a sua despensa prática.

Tenha sempre à disposição:

Mantimentos

- arroz;
- açúcar;
- feijão (de sua preferência: rosado, preto ou branco);
- lentilha;
- batatas;
- sal refinado.

Massas

Onde
- na geladeira ou no freezer: massa(s) fresca(s);
- no armário: massa(s) seca(s).

Quanto
- para sopa, 1 pacote;
- para macarronada, 1 pacote (talharim ou espaguete ou *fusilli*);
- ravióli ou capelete, 1 pacote.

Farináceos e amidos

(duram bastante tempo, se guardados em recipientes bem fechados e sem umidade):
- farinha de trigo, 1 pacote;
- farinha de rosca, 1 pacote;
- fubá ou flocos de milho cozido, 1 pacote;
- maisena, 1 caixa pequena;
- farinha de mandioca, 1 pacote.

Lataria e conservas

- óleo comestível (de milho, de soja, de arroz, de amendoim ou de girassol, segundo a sua preferência), 1 lata ou 1 frasco;
- azeite de oliva, 1 lata;
- ervilhas, 1 lata ou 1 pacote no congelador (ou no freezer);
- milho verde, 1 lata ou 1 pacote no congelador (ou no freezer);
- batata para fritar, 1 pacote no congelador (ou no freezer);
- palmito, 1 lata;
- azeitona, 1 vidro;
- molho de tomate ou tomate pelado, 1 lata ou 1 pacote;
- *catchup*, 1 frasco;
- mostarda, 1 frasco;
- creme de leite, 1 lata ou 1 caixinha ou 1 frasco na geladeira;
- leite condensado, 1 lata.

Matinais e lanches

- leite em pó (caso você prefira leite fresco, tenha sempre uma lata de leite em pó em casa para uma emergência ou para alguma receita em que precise usá-lo);
- café solúvel, 1 vidro;
- pó de café, 1 pacote;
- chás;
- chocolate em pó e/ou achocolatados;
- mel, 1 vidro pequeno (como o mel tende a açucarar, não compre em grande quantidade).

Compre a seu gosto chás, achocolatados, geléias, biscoitos e bolachas.

Temperos

Os temperos secos vêm em vidros e em pacotinhos. Compre os que são mais de seu gosto. Os temperos frescos (ervas) devem ser comprados uma vez por semana porque, mesmo na geladeira, envelhecem.

- cebola fresca ou em vidro, já preparada;
- alho fresco ou em vidro, já preparado;
- vinagre (de vinho ou de maçã; o vinagre balsâmico é o mais gostoso e o mais leve);
- tempero completo, 1 copinho;
- caldo de carne, 1 caixa;
- caldo de galinha, 1 caixa;
- *catchup*, 1 frasco;
- mostarda em pasta, 1 frasco;
- maionese, 1 vidro.

 Existem vidros de temperos completos para carnes e aves. Pode comprá-los porque numa emergência, ou se estiver com muita pressa, você pode usá-los, em vez de preparar todo o tempero. Mas lá nos Capítulos 3 e 4 vamos ensinar-lhe a preparar molhos e caldos que podem ficar guardados e ser usados quando necessário.

Produtos auxiliares

- papel laminado, 1 rolo;
- plástico para embalagem, 1 rolo;
- guardanapos de papel, 1 pacote;
- papel-toalha, 1 pacote;
- palitos, 1 caixinha;
- sacos plásticos para guardar alimentos em geladeira ou freezer;
- sacos plásticos para lixo.

Na geladeira

Tenha sempre: leite fresco, manteiga e margarina, creme de leite fresco, ovos, algum frio de sua preferência (presunto, salame, pastrami, lombinho, etc.), ricota, queijo fresco, queijo parmesão ralado (em pacote ou comprado solto na rotisseria de sua preferência), uma geléia de sua preferência e iogurte. Verduras, frutas e legumes de sua preferência (compre-os semanalmente, pois estragam depressa). E algumas carnes, aves ou peixes.

Se você tiver um freezer, pode comprar os alimentos secos e frescos em maior quantidade e guardá-los por mais tempo, além, é claro, de poder comprar diretamente alimentos congelados crus, semipreparados e prontos.

Uma adeguinha

A adeguinha é opcional, evidentemente, e as sugestões que fazemos aqui são apenas indicativas para que você componha uma inteiramente de seu gosto. É bom ter uma garrafa de:

- conhaque;
- rum;
- vinho do Porto;
- licor;
- vodca;
- gim;
- uísque;
- vinho tinto;
- vinho branco seco.

Tenha na geladeira: algumas latas de refrigerante e de cerveja e um ou dois tipos de suco.

Com essa despensa você não terá dor de cabeça para enfrentar o dia-a-dia nem visitas inesperadas, fins de semana prolongados ou a vontade de comer algo especial na madrugada. Essa despensa tem o essencial, e nós lhe faremos sugestões (mais para a frente) de como improvisar criativamente com esse material.

É claro que, se você gosta de inventar pratos e improvisar refeições gostosas e rápidas, pode acrescentar alguns itens mais exóticos e especiais na sua despensa. Por exemplo: um vidro de cogumelos, um vidro de corações de alcachofra, um vidro ou uma lata de aspargos, tomates secos, semolina de cuscuz árabe, trigo grosso, um pacote de risoto italiano, endívias, queijo *camembert* ou *brie* ou *emmenthal*, brioches, *croissants*, *petit-fours*, pão sueco, picles, chás variados, pó para café *capuccino*, mostardas francesas, *curry* hindu, páprica, etc.

Para refeições mais elaboradas, o melhor é escolher antes o cardápio e, depois, ir comprar o que for necessário.

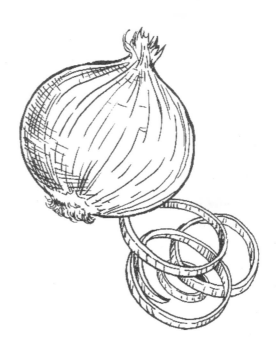

Dicas para sua despensa

- **Sal úmido**: lembre-se de que o sal não gosta de umidade e por isso tenha um saleiro bem fechadinho. Um pacote dura mais do que um mês e, por isso, se o sal ficar úmido e muito grosso, não se aflija: coloque-o numa frigideira, vá mexendo com uma colher – a umidade evaporará e você terá um sal fino muito bom –; passe na peneira e coloque de volta no saleiro.

- **Palmito**: prefira em vidro para poder ver o estado do palmito; um palmito bom é aquele cujos pedaços estão boiando na água e não estão encostados no fundo do vidro.

- **Café**: se você não toma muito café, tenha sempre um pacote pequeno em casa para uma visita ou para preparar alguma receita que peça café coado na hora. Para conservar o café pouco usado, guarde o pacote bem fechado na geladeira.

- **Frutas e legumes**: compre os da estação porque são mais baratos e mais saborosos.

- **Temperos**: lembre-se de que os temperos são sempre muito delicados e voláteis, perdendo cheiro e sabor se não estiverem guardados em recipientes bem vedados.

- **Pães**: se você não tem tempo para comprar todos os dias, guarde os pães embrulhados em plástico (ou dentro de um saco plástico) no congelador da geladeira ou no freezer. Basta esquentá-los no forno na hora de comer, pois ficam como novos e fresquinhos. Evite esquentar o pão no microondas porque, se você não comê-lo imediatamente, ficará duro como pedra.

- **Latarias, conservas, laticínios**: na hora de comprar, não se esqueça de olhar a data de validade do produto.

- **Mel**: o mel tende a açucarar e endurecer. Se for o caso, antes de usá-lo, faça o seguinte: coloque água numa frigideira ou numa panelinha; ponha o vidro de mel sobre a água; leve ao fogo. Deixe nesse banho-maria até o mel derreter. Se a água começar a secar, acrescente mais e aos poucos (se você acrescentar muita água fria de uma só vez, pode quebrar o vidro).

A linguagem da arte

Bruxaria?
Abracadabra!

Aqui vão as palavras misteriosas que feiticeiras e bruxos da cozinha dizem a toda hora e que não são mistério nenhum:

Cozinhar

Quando se diz cozinhar, isso significa: o alimento vai ser preparado diretamente no fogo e seu preparo levará água ou algum líquido. Pode-se colocar água fria no alimento e levá-lo ao fogo para ferver ou colocar o alimento na água fervente. Cozinha-se um alimento até que fique macio ou até que fique *al dente*. Em certos casos, cozinhar significa que o alimento usará o líquido para cozer e ficará seco (arroz, por exemplo). Em outros, o alimento estará pronto quando ficar macio e com caldo (como o feijão ou uma carne de panela). Em outros, enfim, o alimento usa o líquido para cozer, mas não se mistura com ele num caldo nem se deve esperar que o líquido seque: o alimento e o líquido deverão ser entornados num escorredor para que o alimento fique seco (é o caso das massas, como macarrão, ravióli, nhoque, do milho cozido, do grão-de-bico, etc.).

Assar

Quando se diz assar, isso significa: o alimento vai ser preparado no forno com gordura, manteiga, margarina, azeite ou óleo; se houver líquidos, estes serão acrescentados aos poucos, durante o processo (é o que se chama: regar ou molhar). Assa-se o alimento até que fique macio (toca-se nele com um garfo para ver a consistência). No caso de pães, bolos e tortas, a receita dirá por quanto tempo deverão ficar no forno. Uma dica para bolos: pegue um palito de dentes e espete no bolo (dentro do forno, é claro); se o palito sair limpinho, o bolo está assado. Uma dica para pães: se o pão estiver corado ou dourado, dê uma sacudidela na assadeira (dentro do forno, claro); se o pão se soltar e sair do lugar, está pronto.

Fritar

Quando se diz fritar, isso significa: o alimento vai ser mergulhado num recipiente (em geral frigideira) com gordura, manteiga, azeite ou óleo bem quentes. Muitas vezes a receita indica que se frite o alimento antes de cozinhá-lo. Isso significa que você vai untar o recipiente (neste caso, será uma panela ou um caldeirão), vai fritar rapidamente o exterior do alimento e, a seguir, irá juntar o líquido (que poderá ser água, uma vinha-d'alho, um molho já preparado, etc.). Se o que você vai fazer é uma fritura mesmo (isto é, não irá cozinhar o alimento), deve pôr bastante gordura, manteiga, óleo ou azeite para que o alimento (bolinho, croquete, batata, mandioca, peixe) mergulhe e frite por igual. Há, porém, alguns casos em que a gordura, o óleo ou o azeite devem ser mínimos: é o caso do bife e de legumes cozidos (mais adiante, diremos a você como prepará-los).

Forno brando

Em geral, as receitas de assados dizem: assar em forno brando, assar em forno moderado, assar em forno quente. Como saber se a temperatura do forno está branda, moderada ou forte? Se o seu fogão é todo incrementado, certamente o seu forno terá um termostato que indica as temperaturas branda, moderada, quente e muito quente. Se o seu fogão não tiver termostato, você poderá saber a temperatura fazendo assim:

- acenda o forno e espere 10 minutos;
- pegue uma folha de papel branco (de um caderno, de papel de carta, de uma nota de supermercado, qualquer papel branco serve) e coloque no forno;
- se, depois de 2 minutos, o papel ficar marrom, o forno está brando;
- se, depois de 1 minuto e meio, o papel ficar marrom, o forno está moderado;
- se, depois de 1 minuto, o papel ficar marrom, o forno está quente;
- se, depois de meio minuto, o papel ficar marrom, o forno está muito quente.

Vamos lá!
Diga logo: "Abre-te, Sésamo!"

Quando magas e magos dizem... Eles querem dizer

A

Abrir a massa	estender a massa com o rolo de abrir massas ou estender com a mão na fôrma, assadeira ou pirex.
Açúcar de confeiteiro	açúcar finíssimo usado para fazer bolos e docinhos, e para cobri-los e confeitá-los.
Aferventar (ou ferventar)	dar uma fervida rápida sem deixar cozinhar.
Al dente	nome dado pelos italianos para indicar que a massa, o arroz, a carne estão cozidos e macios, mas não moles, e que devem ser comidos nesse ponto.
Amassar	misturar fortemente a massa com as mãos até ficar uniforme e pronta para abrir.
Aromatizar	perfumar temperos com aroma mais forte; em doces, colocar essências (de baunilha, de amêndoa, etc.).
Au gratin (ou gratinado)	cobertura cremosa polvilhada com queijo ralado ou farinha de rosca que se coloca sobre um alimento, levando ao forno para dourar ou gratinar. (*Au gratin* é uma expressão francesa; diga "ô gratan".)
À juliana	legumes cortados em tirinhas finas.
À macedônia (ou *macedoise* ou à jardineira)	misturar frutas num mesmo prato; misturar legumes num mesmo prato; misturar frutas e legumes num mesmo prato. Tanto as frutas quanto os legumes devem ser cortados com a mesma forma e, de preferência, em pedaços bem pequenos. (*Macedoise* é uma palavra francesa e se pronuncia "maceduase".)

À milanesa	passar carnes ou legumes em farinha de rosca, a seguir, em ovo batido e, na hora de fritar, passar mais uma vez na farinha de rosca.
Apurar (dar o ponto)	cozer ou assar alguma coisa até que fique com a consistência e a cor esperadas. No caso de carnes, aves e peixes, o "ponto" é dado pela maciez (espete um garfo e veja se está bem mole); no caso de cremes e pudins, o ponto é dado pela dureza (balance a fôrma ou o pirex e veja se não se move nem desmancha); no caso de doces em pasta e balas, o ponto aparece quando você mexe a pasta e vê o fundo da panela. Em geral, as receitas lhe dirão quanto tempo você deve cozinhar ou assar alguma coisa para que esteja apurada.

B

Banho-maria	cozinhar ou assar colocando a fôrma, a assadeira ou o pirex dentro duma vasilha maior com água fervendo e ali deixar até completar o cozimento. A água da vasilha maior não deve penetrar na fôrma, na assadeira ou no pirex, para isso coloque uma quantidade de água que chegue até a metade da parede da fôrma, da assadeira ou do pirex. Pode ser feito no forno ou na chama do fogão.
Bater	misturar com batidas rápidas e fortes (com um garfo, uma colher ou um batedor).
Blanquette	carne, ave ou peixe ensopados com molho branco. (*Blanquette* é palavra francesa que vem de *blanc*, que quer dizer branco.)
Borbulhar	fervura não muito forte em que se formam borbulhas na superfície do líquido ou caldo.
Borrifar	respingar (água, calda, molho, azeite) sobre um alimento.
Branquear (ou escaldar)	mergulhar o alimento em água fervente por alguns minutos antes de cozinhar; ou colocá-lo no fogo, na água fervente, e dar uma rápida fervida, apenas para amolecer, sem cozinhar. (Faz-se isso para tirar peles de tomates, amêndoas, carnes e aves; também para tirar o excesso de gordura em aves.)
Buquê ou buquê garni (*ou bouquet garni*)	pequenos embrulhos ou pacotinhos com várias ervas aromáticas (louro, salsa, manjericão, aipo, tomilho) colocados na panela onde o alimento está sendo preparado. (Você pode encontrar o pacotinho já pronto em algumas lojas, mas também pode fazê-lo colocando as ervas num guardanapo pequeno e fino e amarrando as pontas como se fosse um ramalhete de flores – em francês, *bouquet*, diga "buquê". E *garni* quer dizer guarnecido.)

C

Canapé	rodela ou quadradinho de pão torrado, ou frito ou ao natural que se enfeita com maionese ou queijo branco mole e se cobre com caviar, salmão, pedacinhos de tomate, pepino, cenoura, etc. Também pode-se cobrir com patês ou pastas de presunto, de fígado de galinha, ou de queijo, etc.
Caramelar	queimar açúcar para formar uma calda escura e grossa. Se você estiver fazendo um creme ou pudim e a receita disser para caramelar a fôrma, coloque o açúcar na fôrma, leve ao fogo, deixe derreter e queimar até ficar bem liso e uniforme; tire do fogo e rapidamente espalhe a calda pelas paredes da fôrma com a colher ou uma faca e despeje o pudim ou creme em cima, antes de levar para cozinhar. A calda de açúcar queimado ajuda a soltar o doce na hora de tirar da fôrma e dá um gostinho especial.
Chamuscar	passar rápida e diretamente o alimento por uma chama viva e forte.
Claras em neve	claras de ovo bem batidas até que fiquem firmes e brancas como algodão. (Você saberá que a clara chegou ao ponto de neve se levantar o batedor e o que ficar preso nele não cair de volta na vasilha; as claras em neve ficam fofas como algodão ou como uma espuma grossa.)
Clarear (ou clarificar)	deixar um molho ficar limpo, claro e leve. Quando o molho que você está preparando estiver fervendo, despeje uma clara em neve na panela e abaixe o fogo para deixar uma fervura suave. Não mexa nem misture, mas deixe a clara em neve ficar boiando na superfície do molho. Espere de 3 a 5 minutos e tire a clara com uma escumadeira. As impurezas do molho virão junto.
Compota	frutas cozidas com açúcar, cravo, canela e um pouco de água, que ficam em calda.
Condimentos	temperos, aromatizantes, especiarias.
Corar ou dourar	dar uma cor dourada, tostando no fogo ou assando no forno. Colocar manteiga ou um pouquinho de azeite porque ajudam a corar ou dourar o que vai ao forno. Se o alimento que está sendo cozido ou assado estiver com muito líquido, jogue com uma colher esse líquido, de vez em quando, sobre o alimento para que, à medida que a parte líquida for secando, vá corando ou dourando o cozido ou o assado, que, assim, ganha sabor.
Cortar em dados, cortar em cubos	cortar frutas, legumes ou carnes em pequenos pedaços, na forma de quadrados.

D

Decantar	deixar um líquido em repouso (por horas ou dias) para que as misturas grossas se depositem no fundo e possam ser retiradas. Às vezes, você vai usar só o líquido; outras vezes, você vai usar só o que ficou no fundo e, em certos casos, você vai usar ambos, mas em partes diferentes do alimento (tudo depende da receita que você estiver preparando).
Desengordurar	retirar o excesso de gordura de carnes, aves, caldos e molhos. Em geral, o melhor procedimento, no caso de carnes e aves, é aferventar e cortar as gorduras com a faca. No caso dos caldos e molhos, deixar esfriar (de preferência, na geladeira) e, com uma colher, retirar a gordura que ficou na superfície.
Desfiar	com as pontas dos dedos, desmanchar carnes, aves ou peixes de maneira que fiquem em fiapos.
Desossar	retirar os ossos de aves e peixes deixando que conservem a forma, como se ainda estivessem com os ossos.

E

Embeber	ensopar ou impregnar com um líquido.
Empanar (ou *à doré*)	passar o alimento em ovo batido e farinha de rosca ou de trigo antes de fritar ou de assar (usa-se para bifes, croquetes, bolinhos de carne, croquete de banana, etc.). A diferença entre empanar (ou *à doré*) e à milanesa está em que, nesta última, passa-se a carne ou o legume na farinha de rosca, primeiro, depois, passa-se no ovo batido e, por fim, passa-se outra vez na farinha de rosca.
Enfarinhar (ou polvilhar)	espalhar farinha sobre o lugar em que se vai abrir uma massa ou sobre a própria massa quando vai ser aberta.
Engrossar	deixar caldos, molhos, cremes e sopas mais grossos acrescentando farinha ou maisena. (Você deve desmanchar a farinha ou a maisena em água ou leite frio antes de colocar naquilo que vai ser engrossado, pois, se não desmanchar, vai encaroçar ou ficar cheio de pelotas.)
Ensopar (ensopado)	cortar carnes, aves, peixes ou legumes em pedaços não muito grandes, refogar, acrescentar água e deixar cozinhar até que fique mole e reste um caldo.

Entrada	o prato servido no início da refeição.
Escabeche	molho vermelho, bem temperado e avinagrado; muito bom para deixar em conserva peixes fritos e carnes.
Estufar	cozinhar em panela fechada.
Escaldar	veja *branquear*.
Escalope	fatias finas de carne, em forma arredondada ou oval (em geral, carne de vitela e de peixe).
Esfarinhar	transformar em pó ou em migalhas muito pequenas um alimento sólido, esmigalhando-o com as mãos ou com o rolo de abrir massas, ou passando no liquidificador, ou embrulhando-o num guardanapo e batendo com um martelinho.
Esfolar	tirar a pele de um animal.

F

Farinha de rosca	é a farinha obtida de pão velho (ou, como dizem alguns, amanhecido). Você pode comprar o pacote já pronto em padarias, mas também pode fazê-la em casa: torre o pão, esfarinhe com as mãos e passe pela peneira; ou pegue o pão torrado, ponha no liquidificador e, depois de moído, passe por uma peneira.
Flambar	recobrir o prato doce ou salgado com bebida de alto teor alcoólico (em geral, conhaque ou rum) e atear fogo (vem do francês *flamber*, que quer dizer lançar fogo).
Fondant	é uma palavra francesa (diga "fondan") para uma pasta feita com a mistura bem batida e bem amassada de açúcar de confeiteiro (é um açúcar mais fininho que você encontra nos supermercados e lojas de festas) e essências (de baunilha, de amêndoa, que você também encontra nos supermercados e lojas de festas). Fica cremosa e usa-se para cobrir bolos e docinhos.

G

Galantina (ou *galantine*)	gelatina branca salgada para misturar em carnes desfiadas, peixes picados e legumes cozidos picados; leva-se à geladeira numa fôrma ou num pirex,

desenformando depois como se fosse um bolo. É um prato frio, geralmente servido como entrada ou em mesas de frios num coquetel. Você também pode fazer galantina com a *macedoise*, desde que não coloque frutas que soltem água (como laranja, abacaxi, melão ou melancia).

Glacê (ou glaçar)	pasta de açúcar de confeiteiro com limão ou laranja usada para cobrir bolos, tortas e docinhos. A palavra é francesa, *glacé*, e significa com aspecto gelado ou como gelo, pois a pasta parece uma cobertura de gelo ou de neve transparente e lisa (em francês, gelo se diz *glace*, e gelado se diz *glacé*).
Guarnições	os acompanhamentos de um prato, servindo também para enfeitá-lo (farofas, fios de ovos, cerejas, abacaxi em calda, cogumelos, ameixas pretas, uva passa, batatas *dorées*, legumes, etc.). Nas receitas, você lerá: "guarnecer com..." e isso significa "acompanhar e enfeitar com...". Se em alguma receita você ler a palavra *champignon*, não se afobe, pois quer dizer cogumelo, em francês (diga "champinhon").

H

Hors-d'œuvres	são os aperitivos servidos antes de refeições, incluindo os canapés. (A expressão é francesa e significa fora da obra, isto é, antes de comer a obra principal feita pelo cozinheiro; pronuncia-se "órs dévre".)

I

Infusão	deixar o alimento sólido num recipiente com água fria ou quente para que solte o sabor ou o aroma; usa-se o líquido saboroso e aromático para o preparo do prato. Também é o que se faz com ervas e com o café. Por isso, muitos confundem chá e infusão. No chá, as ervas são fervidas junto com a água; na infusão, coloca-se água fervendo nas ervas ou nos pós.

L

Lardear	fazer furos em carnes, aves e peixes para que o tempero da vinha-d'alho penetre bem; fazer furos em carnes e aves para introduzir finas fatias de toucinho defumado (esse toucinho se chama em inglês *bacon*; em francês, *lard*, e por isso lardear).

M

Macerar (ou maceração)	infusão deixada em repouso por vários dias (ou até meses) para que o alimento solte o sabor ou o aroma, colocando-se no líquido ingredientes especiais. (Para cada tipo de alimento que vai ser macerado, a receita lhe dirá que ingredientes colocar no líquido.)
Marinada	veja *vinha-d'alho*.
Molhar	acrescentar água ou algum líquido numa comida que está sendo cozida.

P

Pelar	tirar a pele de amendoim, amêndoa, castanha-do-pará, ferventando-os. No caso do amendoim, pode-se torrar e tirar a pele passando-o por uma peneira ou mesmo esfregando-o com as mãos.
Pincelar	com um pincel ou um chumaço de algodão, espalhar gordura derretida, manteiga derretida ou gema de ovo sobre alimentos (tortas, pães, biscoitos, aves e carnes) que irão ao forno. Deixa o assado com dourado ou corado brilhante.
Polvilhar	espalhar levemente com as pontas dos dedos, açúcar, farinha, canela, erva-doce, cominho, sementes peladas e esfarinhadas (amendoim, amêndoa, castanhas) sobre massas, carnes, aves, peixes, pães, biscoitos, ou sobre o lugar onde se colocará o alimento (fôrmas, assadeiras, pratos) ou onde se abrirá a massa.
Postas	fatias grossas de peixes.

R

Reduzir	para apurar o sabor de um molho ou de uma calda. Depois de prontos o molho ou a calda, deixar ferver em fogo brando para ir secando até ficar na consistência que você deseja.

Refogar	levar uma panela ou frigideira alta ao fogo com um pouco de gordura, manteiga ou óleo; quando estiver bem quente, juntar alho amassado ou picado e cebola picada ou ralada, deixando fritar um pouco; a seguir, colocar tomate e outros temperos e deixar fritar mais um pouco até secar a água que a cebola e o tomate soltaram; a seguir, colocar o alimento que vai ser cozido (carnes, aves, peixes, legumes) e deixar fritar um pouco, virando-o de todos os lados. Colocar água e tampar a panela ou frigideira quando começar a ferver.
Roux	pasta de farinha de trigo e gordura ou manteiga derretidas para engrossar caldos, sopas e molhos (a palavra *roux* é francesa e significa ruivo; diga "ru").

S

Sapecar	o mesmo que chamuscar, girando o alimento sobre a chama do fogo.
Salmoura	água e sal. Usa-se para conservar alimentos.
Sauté	um alimento já cozido é passado rapidamente em óleo ou manteiga não muito quentes, no fogo brando, sem se mexer com garfo ou colher, apenas agitando a frigideira e fazendo "saltar" o alimento, sem deixar fritar (*sauté* é uma palavra francesa e significa saltado; diga "sotê").
Sovar	preparar massas (de pão, torta, pastel) com as mãos, misturando os ingredientes, fazendo uma grande bola e colocando-a num local polvilhado com farinha de trigo. Esse lugar pode ser a própria vasilha onde se fez a mistura, ou uma tábua, ou uma pedra de mármore, ou mesmo uma mesa. Sova-se a massa assim: com as mãos, amassar fortemente a bola de massa, virando-a de um lado para o outro e jogando-a com força sobre a tábua, pedra ou mesa. Se a massa grudar nas mãos é sinal de que não está pronta e deve-se polvilhar farinha sobre ela para que vá desgrudando e ficando lisa. Continuar sovando até que a massa fique bem lisa, consistente e não grude nas mãos.

U

Untar	espalhar manteiga, gordura, margarina ou óleo numa assadeira ou numa fôrma; unta-se o recipiente para que a comida não grude e saia com facilidade depois de pronta; também se unta uma panela quando se vai preparar algum prato que não leva quase gordura nenhuma, para que o alimento não grude e possa ser virado e revirado com o garfo ou a colher.

V

Velouté	molho branco cremoso (há várias receitas para fazê-lo) que dá um aspecto aveludado à comida (*velouté* é uma palavra francesa que significa aveludado; diga "velutê").
Vinha-d'alho	deixar carnes, aves ou peixes mergulhados por várias horas numa mistura de sal, pimenta-do-reino, cebola, alho e vinagre. No Capítulo 3 vamos lhe dar uma receita de vinha-d'alho, mas você poderá inventar a sua. A função da vinha-d'alho ou marinada é garantir que a carne, ave ou peixe "pegue" bem o tempero antes de ir ao fogo ou ao forno.

X

Xarope	calda grossa feita com açúcar, água e/ou sucos (de limão, laranja, maracujá, abacaxi, tangerina, etc.) e essências aromáticas (baunilha, amêndoa, etc.).

Uma pitada de sal a gosto? Um punhado de cheiro-verde?

Pois é. Você tomou coragem e resolveu fazer uma comidinha parecida com a da tia Dedé. Pegou a receita e lá veio a "coisa": coloque duas pitadas de sal e um punhado de salsinha, manda a receita da titia.

E você logo pensa: quer fazer o favor de me dizer quanto é uma "pitada" e quanto é um "punhado"?

Não se aflija. Veja como é simples.

Uma *pitada* quer dizer pegar um pouquinho do ingrediente na ponta dos dedos juntando o polegar e o indicador; o que ficar entre os dois dedos é a pitada. Ponha a pitada no que você está preparando. Aí, experimente. Se achar que está bom, é isso mesmo. Se achar que falta sal, agora sim!, ponha mais uma pitada, pois é uma pitada a gosto! Isto é, com o sabor de que você gosta.

Um *punhado* quer dizer encher a mão com o ingrediente que vai ser usado e fechá-la; o que ficar na sua mão é o punhado. Viu só como é fácil?

Mas é claro que tudo ficará mais fácil se as receitas não disserem uma pitada, um punhado, um pouco disso, um pouquinho daquilo. A receita fácil de seguir é aquela que traz medidas mais objetivas, por exemplo, uma colher de sopa, uma xícara, um copo.

Porém, você há de perguntar: uma colher, qual? Um copo, de que tamanho?

Por isso aqui vai a "tradução":

A receita diz... Ela quer dizer

Cálice	um cálice de vinho para aperitivo.
Xícara	uma xícara de chá (se não for isso, a receita especificará dizendo que é uma xícara de café).
Colher	uma colher de sopa (se não for isso, a receita especificará dizendo que é colher de café ou colher de sobremesa).
Copo	um copo do tamanho de um copo grande de geléia.
Copo pequeno	um copo do tamanho de um copo pequeno de geléia.
Xícara rasa, colher rasa	a quantidade que fica até a borda quando se mergulha a xícara ou a colher no pó ou no líquido.
Xícara cheia, colher cheia	a quantidade que fica para cima da borda quando se mergulha a xícara ou a colher no pó ou na manteiga, margarina ou banha.

Às vezes, a receita diz "uma xícara ou um copo pequeno". Esse "ou" significa que as medidas caseiras podem ser comparadas:

1 copo pequeno (de geléia) = 1 xícara

1 copo grande (de geléia) = 1 xícara e meia

1 xícara = 16 colheres de sopa rasas

1 colher de sopa rasa = 4 colheres de chá

1 garrafa = 3 xícaras

Só que, às vezes, a receita é mais sofisticada e, em vez da medida caseira, diz "10 gramas", "meio litro". E aí? Como é que fica?

Fica assim:

Medidas caseiras = Medidas em gramas e litros

6 copos pequenos = 1 litro de líquido	1 xícara rasa de polvilho ou araruta = 100 g
4 copos grandes = 1 litro de líquido	1 xícara rasa de farinha de trigo = 100 g
1 xícara cheia de açúcar = 200 g	1 xícara rasa de chocolate em pó = 100 g
1 xícara rasa de açúcar = 150 g	1 xícara de maisena = 100 g
1 xícara rasa de açúcar cristal = 200 g	1 colher rasa de açúcar = 20 g
1 xícara rasa de semolina = 115 g	1 colher cheia de açúcar = 40 g
1 xícara rasa de arroz = 140 g	1 colher cheia de farinha de trigo = 30 g
1 xícara rasa de feijão = 150 g	1 colher rasa de farinha de trigo = 15 g
1 xícara rasa de manteiga ou margarina = 140 g	1 colher cheia de margarina ou manteiga = 40 g
1 xícara rasa de coco ralado = 115 g	1 xícara de banha = 160 g
1 xícara rasa de fubá = 130 g	

O grande momento da arte: tempera, meu bem, tempera

Alecrim, alecrim dourado,
Que nasceu no prado
Sem ser semeado...
Cantiga infantil brasileira

Um dos momentos mais importantes da arte de cozinhar encontra-se no saber temperar. Quem sabe temperar já tem quase todo o caminho andado.

Não é o luxo ou a sofisticação que fazem um prato ficar delicioso. Muitas vezes, você pode fazer um prato bem simples e, no entanto, muito saboroso, porque soube temperá-lo.

O tempero pode ir no alimento de várias maneiras e em diferentes momentos: há temperos que você coloca no alimento cru, antes de cozê-lo, assá-lo ou fritá-lo. Outros temperos, você espalha sobre o alimento durante o preparo no fogo ou no forno. E outros, enfim, você usa para fazer molhos que irão sobre o alimento na hora de servi-lo.

Nós lhe daremos sugestões para lidar com essas diferentes maneiras de temperar e você também as verá em receitas que deseja experimentar.

Para isso, é preciso começar do começo, como em toda arte. No caso, comecemos com a lista dos principais temperos e dos principais usos que deles são feitos, lembrando que, em toda a cozinha brasileira, não podem faltar sal, alho, cebola, pimenta-do-reino, cravo e canela.

Qual é o tempero (ervas, folhas e especiarias)... Em que pratos usá-los

A

Açafrão (do árabe *az-za'farân*, que quer dizer amarelo)	em frutos do mar, peixes, risotos, arroz especial e massas (é muito forte e deve ser usado em pequena quantidade para evitar sabor desagradável).
Alcaparra (do árabe *al-kabbara*)	em peixes, molhos e muitas comidas italianas.
Alecrim (do árabe *al-iklil*)	com batatas, carnes e aves assadas, sopas, legumes, molhos, ensopados ou cozidos de legumes com carnes.
Alho	em todas as carnes e aves, em alguns peixes; no feijão; em vários molhos; na marinada (ou vinha-d'alho).
Aniz estrelado aromático	em pães, bolos, doces e tortas doces.

B

Baunilha	dá sabor especial a doces, bolos, tortas e sorvetes (às vezes, uma receita dirá *vanille*, que é a palavra francesa para baunilha).

C

Canela em pau	em doces, caldas, bebidas quentes, para aromatizar alguns molhos.
Canela em pó	para colocar sobre doces já prontos; em tortas, frutas assadas e cozidas; no café *capuccino*.
Cardamomo	em chás, doces, pães, bolos e biscoitos (pode substituir a canela).
Cebola	em todas as carnes, aves e alguns peixes; em saladas; no arroz e no feijão; em sopas e molhos.
Cebolinha verde	em carnes e peixes; em saladas; em consomês, caldo verde e sopa de caldo de feijão.
Coentro (do grego *koriandros*)	em peixes, camarões e frutos do mar; em assados de porco; em saladas; para enfeitar o arroz na hora de servir.

Colorau	para uso decorativo em massas, risotos e carnes (dá um colorido avermelhado).
Cominho	sementinha de gosto e aroma fortes; bom para peixes, carne de porco; para temperar queijos e na massa de alguns pães.
Cravo (ou cravo-da-índia)	aromático; para doces, tortas, assados, caldas e molhos; para enfeitar o tender do Natal.
Curcuma	raiz aromática para peixes, frutos do mar e molhos.
Curry (ou caril, tempero oriental, indiano e chinês, apimentado; pronuncia-se "cârri")	usado não só para pratos típicos orientais, mas também para dar um gosto exótico e picante a uma carne de panela, a um arroz simples, a um frango ou um peixe ensopados.

E

Echalote (ou ascalônia)	é uma variedade de alho-poró miúdo cujos bulbos, bem cortadinhos, são usados para temperar carnes, molhos e saladas.
Endro	para acompanhar legumes cozidos e batatas cozidas; em peixes.
Erva-doce	sabor e aroma fortes. A semente seca é usada em doces, pães, biscoitos, frutos do mar, alguns legumes e chás. A folha fresca é usada em carnes, sopas, molhos, saladas.
Ervas da Provença (do francês *herbes de Provence*; diga "érbe de provance")	encontram-se já preparadas em pacotes ou vidros; para carnes, aves e peixes, sopas e molhos.
Ervas finas (do francês *fines herbes*; diga "finezerbe")	encontram-se já preparadas em pacotes ou vidros; para carnes, aves e peixes, saladas e molhos.
Estragão	sabor aromático picante para peixes, lagosta, frango, carnes e molhos.

G

Gengibre	raiz de sabor forte e picante muito usada na cozinha japonesa. Usar em carnes, peixes, massas folhadas, legumes e no quentão das festas juninas.

Gergelim	na forma de pasta é usado para o preparo de pratos árabes (homus, *babaganuche*, peixe ao taratur, etc.); na forma de semente é usado em molhos de comidas chinesas; e também em pães e bolos.

H

Hortelã	muito usada nos pratos frios árabes; bem picadinha, é usada em molhos de saladas, carneiro e cordeiro assados.

L

Louro	folha aromática para feijão, legumes e ensopados; em vinha-d'alho, no tempero de carnes e peixes; em molhos.

M

Manjericão	em peixes, frutos do mar, carnes, saladas, legumes e é o principal tempero do molho *pesto*.
Manjerona	em carnes, peixes, massas e molhos (pode substituir o orégano).
Mostarda em grão	em saladas, molhos, frutos do mar, carnes.
Mostarda em pasta	para acompanhar carnes, peixes e aves; para preparar molhos de saladas e de assados; em sanduíches.

N

Noz-moscada	em carnes, legumes, frutas assadas ou cozidas; nos molhos dos gratinados; nos suflês e nos croquetes; em molhos e doces; em bebidas, como o chocolate quente.

O

Orégano (ou orégão)	em molhos de saladas; com legumes e carnes; nos molhos de massa e nos recheios de pizza.

P

Páprica (do húngaro *paprika* – pimentão vermelho seco em pó)	em carnes ensopadas e legumes ensopados; no *gulash* (comida húngara).
Pimenta-da-jamaica	para fazer conservas; em legumes cozidos; em carnes cozidas e assadas.
Pimenta-do-reino branca	é mais suave; em carnes, peixes, aves, sopas claras, maionese.
Pimenta-do-reino escura	em todas as carnes, aves, peixes; em todos os molhos, saladas.
Pimenta rosa	em molhos de saladas; em carnes e aves.
Pimenta síria	para pratos árabes, em lugar da pimenta-do-reino; também pode ser combinada com a pimenta-do-reino no preparo de carneiro e cordeiro assados.
Pimenta vermelha	muito picante (usar com moderação); em carnes, peixes e aves.

R

Raiz forte	como acompanhamento de pratos japoneses; em creme de leite e molho branco para o acompanhamento de comida russa.

S

Salsa (ou salsinha)	em carnes, peixes e aves; nos molhos de saladas; na sopa de caldo de feijão; para enfeitar arroz e carnes na hora de servir.
Salsão (ou aipo)	usa-se o talo para saladas e sopas; as folhas podem ser usadas para ensopados e consomês.
Sálvia	em carne assada e em massas.
Segurelha	ardida (como a pimenta-do-reino); para temperar ervilha, lentilha, feijão branco; em sopas bem condimentadas; nos molhos, pode ser acrescentada às *fines herbes*.
Semente de papoula	em pães, bolos e no *fettuccine* seco.

T

Tomilho	em carnes, peixes, aves, caças; em molhos para frutos do mar; em pratos cobertos com queijo e tomate.

"Quero um maço de cheiro-verde, por favor." Cheiro-verde?

A expressão "cheiro-verde" se refere à mistura de salsa e cebolinha verde que você encontra vendida em maço, nas feiras e nos supermercados. Às vezes, o maço também inclui um ramo de folhas de louro, um ramo de hortelã e alguns ramos de coentro.

Além dessas ervas e especiarias, há outros temperos importantes que não podem ser esquecidos: o azeite, o vinagre, o pimentão.

As ervas frescas devem ser guardadas em sacos plásticos bem fechados, na geladeira, para não perder o frescor e o sabor; podem ser lavadas, enxugadas e picadas, guardando-se em vidros fechados, também na geladeira.

Os ramos de louro não precisam ir para a geladeira, mas devem ser guardados em sacos plásticos bem fechados para não perder o sabor e o aroma.

Os temperos e condimentos secos devem ficar sempre muito bem fechados em seus frascos ou pacotes, para não perder o sabor e o aroma; evite lugares úmidos, pois a umidade os afeta.

Azeite virgem de oliva (ou azeite)

Para dar o toque final e indispensável às saladas; também para finalizar um cozido ou assado; nas pastas árabes e toda vez que a receita recomendar.

Muitas pessoas gostam de usá-lo no lugar dos outros óleos comestíveis (de milho, de arroz, de girassol, de amendoim, etc.) no preparo de todas as comidas porque acham que dá mais sabor aos pratos e porque, segundo consta, seria bom contra o aumento de colesterol. Entretanto, além de o azeite ser muito dispendioso, é mais pesado que os óleos comestíveis comuns e pode tornar-se indigesto, sobretudo nas frituras. Por isso é mais recomendável usá-lo apenas nas saladas e nos pratos cujas receitas o indicam.

Vinagre

Para saladas, vinha-d'alho, molhos (a receita dirá). Há vinagres de vários tipos, sabores, odores e cores. Os mais conhecidos são os de vinho e de maçã. Os franceses e italianos costumam colocar no frasco de vinagre ramos de ervas (manjericão, manjerona, alecrim, coentro, estragão, basílico, louro, etc.) para dar-lhe um aroma e gosto especiais. Se você comprar um desses aromatizados, lembre-se de comprar um outro, sem ervas, pois, muitas vezes, o prato que você vai preparar pede vinagre, mas não a erva que pode estar contida nele. Atualmente, usa-se muito o vinagre balsâmico, que é leve, saboroso e não interfere no sabor dos outros temperos.

Pimentão fresco

Cortado bem fininho e em quadradinhos pode ser usado nos molhos de saladas; inteiro, pode ser colocado nas carnes, aves e peixes que estão sendo cozidos; e pode entrar nos ingredientes da vinha-d'alho. *Lembrete*: se você estiver usando páprica, não use pimentão!

A sabedoria da arte. A refeição balanceada

O que não é

A refeição balanceada não é dieta para emagrecer ou para engordar nem é o que se come quando se está doente. Claro que não!

O que é

Refeição balanceada é a maneira inteligente, saudável e elegante de deliciar-se com a boa mesa, educando e refinando o paladar.

Numa refeição balanceada comemos um alimento de cada tipo para que possamos ingerir todas as proteínas, vitaminas, açúcares e gorduras indispensáveis ao bom funcionamento de nosso corpo.

Para ficar mais fácil, comecemos entendendo o que não é uma refeição balanceada ou o que é uma refeição não-balanceada.

Que mixórdia!

O melhor meio para ver diretamente o que é uma refeição não-balanceada é notar o que certas pessoas fazem quando vão ao restaurante em que a comida é servida num bufê.

Diante da variedade que está exposta para a escolha do freguês, tem gente que sente necessidade ou desejo de provar tudo o que é oferecido. Num único prato, junta arroz, feijão, macarrão, pastel, carne assada, estrogonofe, batata frita, banana empanada, peixe ensopado, frango frito, maionese de legumes, salpicão de galinha! Uma mixórdia deselegante e nada saudável!

Misturar arroz, feijão e macarrão, por exemplo, é ter a ilusão de estar comendo coisas diferentes, quando, na realidade, se está comendo a mesma coisa. Misturar pastel e batata frita também. Juntar estrogonofe e carne assada é comer o mesmo com o mesmo.

Em resumo, a refeição não-balanceada é aquela em que são misturados alimentos de mesma natureza, que não se equilibram entre si e que apenas se somam uns aos outros sem qualquer critério.

Como é?

Na refeição balanceada, há alimentos e temperos que ajudam a digestão, outros que ajudam o trabalho da digestão e o funcionamento dos intestinos, outros que compensam o colesterol, outros que compensam o açúcar, etc. Na verdade, estamos falando de uma arte e de uma sabedoria que você já tem, só que, talvez, não saiba que tem.

Quer um exemplo?

Você sabe por que a feijoada é acompanhada de caipirinha e de pedaços de laranja? Porque isso balanceia o prato: a caipirinha é digestiva, e a laranja, por causa das fibras, ajuda no funcionamento dos intestinos; e ambas, por serem cítricas, balanceiam as gorduras desse delicioso prato. Vê como somos sábios? Podemos nos deliciar com uma boa feijoada porque é uma refeição composta de maneira a auxiliar nosso corpo a transformá-la sem problemas.

Quer outro exemplo?

Você sabe por que os árabes acompanham o quibe cru com bastante hortelã? Porque a hortelã é um vermífugo que protege contra algum risco que possa ter a carne crua.

Mais um exemplo?

Você se lembra de que quando criança lhe davam mingau de aveia? É porque a aveia contém fibras e auxilia no bom funcionamento dos intestinos.

Como você vê, refeição balanceada não significa privar-se dos prazeres da boa mesa e sim ter inteligência para que o prazer não se torne desprazer.

Simples, não é?

Como fazer uma refeição balanceada

Na refeição balanceada, combinamos proteínas, vitaminas, carboidratos, gorduras, minerais e líquidos. Por isso, quando você for preparar o almoço e/ou jantar, procure combinar alimentos e temperos de todos esses tipos. E quando for comer fora, lembre-se de combinar sabiamente os pratos.

Regra de ouro da refeição balanceada: nunca mais de três espécies de alimentos e nunca mais de quatro ou cinco variedades de pratos.

As espécies de alimentos

De modo geral, as espécies de alimentos costumam ser agrupadas em três conjuntos principais:

- reguladores: frutas, verduras e legumes;
- energéticos: cereais, féculas e massas;
- construtores: carnes, aves, peixes, ovos, queijos, frutas oleaginosas.

Esse agrupamento, na verdade, indica as principais espécies de alimentos:

- vitaminas: são reguladores que auxiliam o corpo a absorver elementos naturais que garantem seu bom desempenho;
- carboidratos: fornecem energia para nosso corpo;
- proteínas: são responsáveis pela formação e conservação das células e dos tecidos de nosso corpo e o auxiliam a funcionar bem;

- gorduras: também fornecem energia ao corpo, além de auxiliar o metabolismo hormonal e a absorção de algumas vitaminas;
- minerais: são elementos naturais que auxiliam na formação e conservação de ossos, dentes, unhas, sangue, músculos, sistema nervoso e sistemas imunológicos.

Já que estamos sugerindo o balanceamento da refeição e dissemos que é conveniente combinar proteínas, líquidos, gorduras, carboidratos, etc., é bom que lhe digamos em que alimentos são encontrados.

Assim, para facilitar sua vida, eis aqui algumas informações básicas:

Proteínas	carnes em geral (de vaca, de porco, de cordeiro; aves; peixes), leite e derivados (manteiga, queijos, creme de leite), ovos, feijão, soja, lentilha, grão-de-bico.
Vitamina A	leite, manteiga, gema de ovo, espinafre, brócolis, escarola (ou chicória, como também se diz), tomate, abóbora, mamão, batata, fígado.
Vitamina B1	carne de porco, arroz integral, cereais integrais, soja, lentilha, nozes, gema de ovo.
Vitamina B2	fígado, rim, espinafre, levedo de cerveja, berinjela.
Vitamina B6	carnes de vaca e de porco, fígado, cereais integrais, batata, banana.
Vitamina B12	fígado e rim de boi, ovos, peixes, aveia, ostra.
Vitamina C	limão, laranja, morango, tangerina, abacaxi, acerola, mamão, goiaba, caju, alface, agrião, tomate, couve-flor, cenoura, pimentão, nabo, espinafre, repolho, salsão.
Vitamina D	leite e derivados (manteiga, queijos), gema de ovo, óleo de fígado de bacalhau, atum, cogumelos frescos.
Vitamina E	germe de trigo, amendoim, nozes, carnes, gema de ovo, verduras de folhas escuras, brócolis, espinafre, germe de trigo.
Vitamina K	verduras em geral, ervilha, feijão, nabo, pepino, tomate, ovos, fígado de boi.
Carboidratos	açúcar, mel, todos os cereais e seus derivados (féculas e farinhas), mandioca, cará, batata, batata-doce.
Gorduras	banha, óleos, manteiga, margarina, azeite, amendoim, nozes, amêndoa, abacate, carnes gordas.

Líquidos	água, leite, frutas, legumes, verduras.

Quanto aos minerais, eis aqui também uma lista básica:

Cálcio	leite e derivados (queijo, manteiga, iogurte), gergelim, amendoim, nozes, feijão.
Cobre	fígado, ostras, frutas secas, pêra.
Ferro	carnes vermelhas, peixes, ostras, aspargo, aveia, nozes, grãos em geral.
Fósforo	carnes em geral, peixes, ovos, leite, cereais integrais.
Iodo	frutos do mar, algas, leite.
Magnésio	limão, maçã, lentilha, cereais integrais, mariscos, soja, chocolate.
Selênio	brócolis, cebola, couve, castanha-do-pará, cereais integrais, peixes, mariscos.
Sódio	sal, leite, queijos, frutos do mar.
Zinco	aveia, levedo de cerveja, carnes em geral, frutos do mar, espinafre, cogumelos.

 Evidentemente, essas listas não são completas e sim indicativas dos alimentos que ingerimos com maior freqüência.

Não esqueça as frutas!

As frutas, sobretudo as frescas, são um dos mais poderosos nutrientes. Aromáticas, saborosas, coloridas e belas, as frutas possuem proteínas, vitaminas e açúcares. São energéticas e reguladoras.

Elas se dividem em:

- *cítricas* (ácidas): laranja, limão, tangerina, abacaxi, caju, lima, *grapefruit*, mexerica, cidra, carambola, maracujá, *kiwi*.
- *não-cítricas* (doces): pêra, maçã, manga, goiaba, pêssego, figo, mamão, melão, melancia, banana, pinha, jaca, fruta-do-conde, uva moscatel.
- *oleaginosas*: nozes, castanha-do-pará, castanha de caju, avelã, amêndoa, abacate.

2

Não dá pra não saber!

Escolher, preparar, conservar alimentos

Mordendo as finas nervuras
Deste verde alvorecer —
Entre o viço das verduras,
Roga a praga do prazer.

Maria Lúcia Alvim, *"Horta"*

Você vai à feira, ao mercadinho ou ao supermercado, ao açougue ou à peixaria e é aquele desespero! Como saber se o melão e o abacaxi estão maduros? Como saber se a carne está macia, se o peixe vai ficar bom assado ou ensopado, se o frango não está velho?

Mas não é só isso.

Quantas vezes você cozinhou um ovo, a casca se partiu e ele se espalhou pela panelinha? Ou, na hora de descascá-lo, ficou de dar dó, pois ao retirar a casca, vieram junto pedaços da clara e até da gema?!

E quanta coisa gostosa você deixa de fazer porque há sempre um inconveniente qualquer? O quiabo cheio de baba, a vagem cheia de fios? As sementes de pimentão forrando o chão da cozinha?

Não se aflija.

Vamos dar-lhe dicas sobre os vários tipos de alimentos e os truques para comprá-los, conservá-los e prepará-los.

Vamos dar-lhe também dicas sobre queijos e bebidas, com especial atenção para os vinhos e os chás.

Ovos

Ao comprar ovos, verifique se a casca está bem lisinha e sem manchas, evitando aqueles cuja casca está meio enrugada ou com manchinhas e pontinhos escuros.

Nas cidades grandes, todos os ovos são de granja e por isso os de casca amarelo-escura não são os tradicionais "ovos caipiras". A diferença entre os ovos de casca branca e os de casca amarela está no sabor e na gema: os de casca escura têm um cheiro e um sabor mais fortes do que os de casca branca; nos de casca branca, a gema é mais clara e menor, enquanto nos de casca escura, ela é mais escura e maior.

Cuidado com a surpresa!

Ovos podem causar surpresas desagradáveis. Imagine que a sua receita manda quebrar um ovo sobre os ingredientes que estão sendo misturados, cozidos ou assados e você quebra sobre eles um ovo estragado, perdendo toda a comida! Por isso, regra fundamental: sempre quebre os ovos numa vasilha à parte antes de despejá-los e juntá-los a outros ingredientes. O mesmo vale para fritar ovos ou para fazer o ovo *poché*.

Ovos gelados! Atenção!

Se você fritar os ovos ao tirá-los da geladeira, as gemas vão espalhar-se na hora de fritar. E se for cozê-los, eles irão rachar ao começar a cozinhar, com uma boa parte da clara se espalhando pela panela. Por isso, aqui vai a dica: retire os ovos da geladeira pelo menos meia hora antes de fritá-los ou cozê-los. Se esquecer de fazer isso, deixe-os por 5 minutos mergulhados em água morna.

Evite usar ovos gelados no preparo de suflês e bolos porque não se misturam bem com os outros ingredientes, soltam água ao aquecer e as claras não crescem nem endurecem bem. Por isso, antes do preparo, retire os ovos da geladeira com uma ou duas horas de antecedência para que fiquem na temperatura ambiente.

As lindas claras nevadas

Para bater claras em neve, certifique-se de que não há nenhum pingo de gema, pois a gema impede que as claras endureçam. O melhor, para não correr risco, é sempre quebrar cada ovo separando em dois copos a clara e a gema e só depois colocar as claras na vasilha em que serão batidas.

Verifique também se a vasilha em que as claras serão batidas está bem enxuta, pois qualquer pingo de água impede que endureçam, e, às vezes, fazem até com que desandem.

Um truque bom para as claras em neve é pingar duas gotas de limão, antes de começar a bater, ou colocar pedacinhos de casca de limão. Quando misturar as claras em neve com os outros ingredientes do prato que estiver preparando, misture-as sem bater.

Lisinhos que dá gosto

Ao fazer ovos duros cozidos, lembre-se de descascá-los ainda quentes porque, quando esfriam, a casca gruda e costuma estragar a aparência do ovo descascado. Assim que estiverem cozidos, despeje fora a água em que estavam e os coloque em água fria por alguns segundos, para que você possa segurá-los ao descascá-los. Pode também descascá-los debaixo de uma torneira de água fria. Ficarão lisinhos e perfeitos.

Os famosos "ovos de 3 minutos": clara consistente e gema molinha

Ovos quentes moles são preparados assim: tire os ovos da geladeira com antecedência (se for fazê-los no café da manhã, tire-os da geladeira à noite). Coloque a água para ferver; quando a água estiver fervendo, coloque o(s) ovo(s) delicadamente para que não rache(m). Se quiser, coloque-os com uma colher. Espere 3 minutos e retire-o(s) da água. Sirva imediatamente, pois são gostosos bem quentinhos.

Ah! O ovo poché, como não?

Ovo *poché* é aquele que parece o ovo frito, mas é preparado sem fritar (é bom para quem faz dieta para emagrecer, para quem não pode ou não gosta de comer frituras e para as crianças pequenas).

É preparado assim: numa panelinha, coloque 1 xícara e meia de água para ferver. Numa vasilha à parte (uma xícara ou uma tigelinha), quebre um ovo e não deixe a gema e a clara se misturarem. Despeje delicadamente o ovo na água fervente, salpique sal a gosto e com a escumadeira vá jogando água sobre o ovo. Retire antes que a gema endureça. O tempo de preparo é pequeno, isto é, uns 40 ou 50 segundos.

Vegetais. Verduras e legumes

Verduras e legumes são usados em saladas, cozidos, refogados, empanados ou fritos, servindo de guarnição ou acompanhamento do prato principal. São também usados em cozidos de carnes, aves ou peixes, em sopas e em caldos, e nas vitaminas, em conjunto com as frutas. Podem ser ingeridos crus, cozidos, refogados, fritos, empanados, assados, gratinados, sob a forma de cremes, purês e suflês.

Em certos casos, o legume pode ser o prato principal, como a alcachofra ou os recheados com carne moída (pimentão, berinjela, abobrinha, chuchu, repolho).

O que você precisa saber no momento de comprá-los

Isto sim

- Regra geral para todas as *verduras* e todos os *legumes*: verifique se estão com folhas verdes e novas, se as cores estão vivas e se estão lisos e firmes.
- Verifique se a superfície está brilhante e firme, não se rompendo com o aperto de seus dedos.
- Ao comprar *cenouras* frescas, procure as que estão alaranjadas por inteiro, lisas e brilhantes.

- Ao comprar *berinjelas*, escolha as firmes e de cor brilhante.
- Ao comprar *vagens*, prefira as mais finas porque são mais macias. A vagem está boa quando tenra e quebradiça e de cor brilhante.
- Verifique se a *couve-flor* está bem redonda e branca (ou amarelo bem clarinho), com as folhas verdes.
- Verifique se o *pimentão* está firme, lustroso, com o cabo verde.
- Escolha *tomates* bem vermelhos, lisos e brilhantes. Só compre os mais moles e muito maduros se for usá-los para fazer molhos.

Isto não

- Evite *verduras* e *legumes* que apresentam folhas murchas, amareladas, manchadas ou machucadas, com furos, sem brilho e enrugados.
- Evite os vegetais com manchas, sobretudo manchas escuras, e os que se rompem sob o aperto de seus dedos.
- Evite as *cenouras* que têm partes verdes nas extremidades e aquelas cujas folhas estão murchas ou amareladas.
- Evite as *berinjelas* opacas e moles, enrugadas ou manchadas.
- Evite as *vagens* mais largas e grossas porque são mais duras. Evite as vagens com as pontas escuras e com manchas.
- Evite a *couve-flor* com o buquê achatado, com manchas e com folhas murchas.
- Evite *pimentão* mole, enrugado, sem lustro e manchado.
- Evite *tomates* verdes ou que estão amadurecendo depois de colhidos. Evite os que estão manchados e moles.

- Verifique se o *repolho* está com as folhas viçosas e rijas, se está pesado e firme e se o talo está claro.
- *Rabanetes* devem estar lisos, sem manchas, com folhas verdes e não muito sujos de terra.
- Escolha *beterrabas* de cor forte, lisas, sem manchas e sem rachaduras, com as folhas verdes.

- Verifique se as folhas e flores do *brócolis* estão tenras e com a cor verde-escura, sem manchas.
- Verifique se o *pepino* está com a casca lustrosa e bem verde, se está firme e pesado. Prefira os mais retos.
- Escolha *abobrinhas* firmes e com casca lustrosa.

- Escolha *espigas de milho* cuja palha seja de um verde bem vivo e os cabelos sejam marrom-escuros. Se o milho já estiver descascado, veja se a parte de baixo da espiga está mole e se os grãos estão claros, uniformes, brilhantes e lisos. Aperte um grão com a unha. Se sair um pouco de líquido, o milho está bom.
- Ao comprar a *mandioca*, verifique se a polpa é toda branca ou toda amarela, se, apertada com a unha, solta um pouco de líquido e se a casca se solta facilmente.

- Evite *repolho* com folhas rasgadas, manchadas e com talo escuro.

- Evite *rabanetes* moles, escuros, manchados e com folhas amareladas ou murchas.
- Evite *beterrabas* moles, manchadas, com folhas murchas. Evite as muito grandes porque ficam sem gosto depois de cozidas.
- Evite *brócolis* com o talo duro, as folhas murchas e as flores amareladas.
- Evite *pepinos* com casca rugosa, manchas amareladas e com furos. Evite também os tortos.

- Evite *abobrinhas* moles, com manchas escuras ou com furos.
- Evite *espigas de milho* com palha amarelada e cabelos esbranquiçados. Se o milho estiver descascado, evite aquele cuja parte de baixo está dura e cujos grãos não soltam líquido ao ser apertados com a unha. Evite grãos manchados, desiguais e muito duros.

- Evite *mandioca* cuja polpa tem manchas escuras. Evite as que não soltam líquido sob a pressão da unha e cuja casca não se solta facilmente.

- Se a *ervilha* ainda estiver na vagem, verifique se esta tem a casca tenra e brilhante. Se a ervilha fresca já estiver debulhada, verifique se os grãos são regulares, verde-brilhantes e tenros.
- O *chuchu* deve estar verde-claro, brilhante e com as pontas sem rachaduras. Pressione com a ponta da unha. Se ela entrar, é porque o chuchu está bom.
- A *batata* (de todo tipo) está boa quando a casca é amarela, lisa e fina, mas não pode ser atravessada com a unha.

- Verifique se a *couve-de-bruxelas* está bem redonda, bem verde e bem pesada.
- Verifique se as folhas do *salsão* e do *alho-poró* estão bem verdes e bem abertas e se eles estão pesados.

- Evite *ervilhas* cujas vagens estão manchadas e duras. Evite ervilhas cujos grãos estão duros, secos e sem brilho.

- Evite o *chuchu* amarelado, muito maduro, com as pontas rachadas e de polpa dura. A polpa está dura e passada quando a unha não atravessar a casca chegando à polpa.
- Evite *batatas* com a casca manchada, com muitos nós e pontos escuros, e sobretudo com sinais de brotos ou esverdeada. Evite a batata que cede à pressão dos dedos.
- Evite a *couve-de-bruxelas* achatada, amarelada, mole e leve.
- Evite *salsão* e *alho-poró* com folhas murchas ou amareladas. Evite os muito leves.

Se você quiser utilizar outra vez uma salada, o melhor é não temperá-la. Faça um molho para que cada um a tempere no momento de comer. Se você temperar uma salada de folhas, não terá como guardá-la porque as folhas murcham sob a ação do tempero. Por isso, só tempere saladas em que não entram folhas.
Todas as outras (só de folhas ou misturadas com folhas) se conservam por mais tempo se temperadas na hora, com um molho separado para isso.

Lembre-se de não colocar muito sal na água em que vai cozinhar verduras, pois elas diminuem de volume depois de cozidas e podem ficar salgadas.

Berinjelas cozinham e assam muito depressa e por isso não as deixe por muito tempo no fogo ou no forno.

Para as verduras durarem mais tempo

Devem ser compradas verdes, brilhantes, com as folhas duras, sem manchas e sem furos. Podem ser guardadas de duas maneiras:
- ou você enrola os maços de folhas em papel-toalha antes de colocar no saco plástico e guardar na geladeira, lavando-as apenas na hora de usar;
- ou você lava as folhas, sacode bem para enxugá-las e as guarda na geladeira num saco plástico bem fechado, deixando-as prontas para usar.

Com muito sabor

Os vegetais ficam mais saborosos e nutritivos se não forem cozidos durante muito tempo e sim servidos *al dente*. Você pode também cozinhá-los no vapor para não perderem as qualidades nutritivas.

Para não escurecer

Muitas vezes, você precisa deixar os vegetais descascados e cortados bem antes do momento em que vai cozinhá-los. Para que não escureçam, coloque-os numa vasilha com água e sumo de limão ou vinagre branco. Para cada litro de água, use 2 colheres de sopa de limão ou vinagre.

Lavar, limpar, pelar, cortar

- Para limpar cenouras, não as descasque e sim raspe-as com uma faca ou com o descascador de legumes.

60

- A abobrinha de casca fina também pode ser raspada com a faca ou o descascador de legumes, em vez de descascada.
- Para pelar tomates, faça assim: escolha tomates maduros e firmes; faça um corte em X na extremidade oposta à do cabinho; mergulhe em água fervente por alguns segundos (uns 30 segundos, mais ou menos) e, a seguir, em água fria. A pele enruga e você pode tirá-la.
- Para tirar a pele ou pelar pimentões, faça assim: espete-o num garfo longo e coloque-o na chama, girando-o até a pele enrugar. Tire-o da chama e do garfo e puxe a pele.
- Para limpar o pimentão sem fazer grande "bagunça" com as sementes, proceda assim: corte uma rodela fina na parte superior do pimentão para "destampá-lo". Use uma colher de café para retirar as sementes. Lave por dentro em água corrente. Agora, pode picar o pimentão. Se você for fazer pimentão recheado, a rodela retirada poderá retornar ao pimentão para fechá-lo.
- Para cortar repolho, comece cortando-o ao meio no sentido longitudinal (de comprido) e depois novamente corte cada metade ao meio. Ele se abre, as folhas começam a se separar e você pode lavá-las. Feito isso, pode usar folhas grandes ou picá-lo, conforme seja pedido pela sua receita.
- Ao preparar salsão ou erva-doce fresca, corte as folhas, lave os talos em água corrente e com uma faca puxe as fibras do talo, vindo de baixo para cima. Ficarão lisinhos e sem fios.

Para limpar e preparar couve-flor e alcachofra

Lave-as em água corrente abrindo-as levemente, isto é, sem abri-las demais; corte o cabo bem rente; em seguida, deixe-as mergulhadas por 15 minutos numa bacia com água e vinagre. Todas as impurezas sairão. Passe-as novamente em água corrente.

Se for cozinhar a couve-flor, você pode colocar uma colher de sobremesa de suco de limão na água, pois isso ajuda a conservá-la clarinha.

Se for cozinhar a alcachofra, coloque suco de limão e um pouco de sal, deixando no fogo até o fundo amolecer (o tempo para cozer varia de 20 a 40 minutos, dependendo do tamanho e da "idade" da alcachofra; espete o fundo dela com um garfo e se o garfo penetrar com facilidade é porque já está cozida).

Ah! O quiabo! Tão gostoso se não tivesse aquela baba...

Para tirar a baba: lave bem os quiabos, esfregando-os levemente. Enxugue-os muito bem num papel-toalha ou num pano de prato seco. Agora corte as duas pontinhas e pode prepará-los.

Os segredinhos do espinafre

O espinafre bem novinho é gostoso cru em saladas. Mas, de modo geral, no Brasil preferimos o espinafre cozido.

Ao cozinhar espinafre, não coloque muita água. Um pouco de água no fundo da panela e a água que está nas folhas lavadas já são suficientes. Depois de cozidas, escorra bem a água e prepare a receita.

Se você for fazer creme de espinafre, bata o espinafre no liquidificador com uma colher de sopa da água onde o cozinhou e uma colher de sopa de leite fresco. Não coloque muita água nem muito leite, pois pode virar sopa, em vez de creme.

Vagens? Gosto muito, mas aqueles fios...

Para preparar vagens e deixá-las sem os fios, faça assim: com uma faca, corte as duas pontas; ao cortar cada ponta, um pouco de fio se soltará e, com a faca, você o puxa até o fim. Faça isso dos dois lados de cada vagem.

Você pode prepará-las em salada ou refogadas.

Para salada, cozinhe-as inteiras em água e sal e depois tempere a gosto.

Para o refogado, elas ficam mais saborosas se picadas em pedaços pequenos e preparadas com alho batido, cebola picada, sal, pimenta-do-reino e tomate.

Pepino é uma delícia... quando não está amargo!

Para impedir que o pepino amargue, faça o seguinte: coloque-o sob água corrente e lave-o muito bem. Corte uma rodela de uns 2 centímetros numa das pontas e a esfregue na polpa do pepino. Lave em água corrente. Repita a operação na outra ponta. Lave. Descasque e corte a gosto. Lembre-se de que a casca do pepino está muito próxima da polpa e por isso ao descascá-lo prefira uma faca afiada que corte a casca bem rente à polpa.

Milho cozido bem macio

Retire a palha e os cabelos; lave em água corrente. Ponha numa panela funda ou caldeirão água para ferver; quando estiver fervendo, coloque as espigas de milho e deixe cozinhar por 15 a 20 minutos, com a vasilha tampada. Não coloque sal na água, pois o sal faz endurecer. Deixe para colocar sal e manteiga na hora de servir. O melhor é cada pessoa colocar o sal e a manteiga a gosto, pois o milho que sobrar, se for colocado de volta na água em que foi cozido, não murchará nem ficará duro, poderá ser esquentado novamente e comido noutro momento. Não o coloque na geladeira sem a água em que foi cozido, pois ficará imprestável.

Conservando cogumelos frescos

Quando comprar cogumelos frescos e não for usá-los no mesmo dia, dê uma rápida fervura neles em água com um pouco de sal e limão (ou vinagre); escorra parte da água e guarde os cogumelos com o restante da água num vidro bem fechado. Coloque na geladeira.

Algumas pessoas gostam de colocar um pouco de uísque ou um pouco de conhaque no lugar do limão ou do vinagre. Depende de você.

Não esqueça o chuchu!

Descasque sem aprofundar muito, pois a casca do chuchu é muito fininha. Corte ao meio no sentido longitudinal (de comprido), retire as sementes e corte em pedaços longos ou em cubinhos.

Se for fazê-lo recheado, não o abra. Apenas corte a ponta menor e com uma colher de chá ou a ponta de uma faca retire a semente, para colocar o recheio.

Cortar cebola? Que choradeira!

Não dá para cortar cebola sem chorar, mas pode-se chorar pouco. Faça o seguinte:
- ao comprar a cebola, escolha as que estão duras, com casca brilhante de cor marrom ou amarelo-escuro. Evite cebolas cuja casca já tenha sido tirada várias vezes, e que se apresentam úmidas e moles;
- pele a cebola;
- lave em água corrente (é isso que ajuda a diminuir o choro);
- corte a cebola ao meio no sentido longitudinal (de comprido) e depois volte a cortá-la no mesmo sentido. Corte quantas vezes quiser ou quantas vezes for necessário para tê-la picada;
- se a sua receita pede a cebola em rodelas, vá cortando as rodelas de uma ponta à outra. A largura da rodela dependerá de você e de sua faca. Uma faca bem afiada permite cortar rodelas bem fininhas;
- se a sua receita pedir cebola ralada, não a corte, mas passe-a inteira pelo ralador. Será mais fácil, porém, cortá-la em quatro pedaços e passá-la no liquidificador ou no processador. *Lembre-se*: o mais eficiente é ligar primeiro o aparelho e ir jogando aos poucos as partes da cebola. Se você puser a cebola inteira ou os quatro pedaços de uma só vez, o aparelho vai emperrar e a cebola não se desmanchará.

Carnes, aves e peixes

De modo geral, as carnes, aves e peixes costumam ser o prato principal de uma refeição. Por isso a escolha e o preparo são muito importantes, pois o almoço ou o jantar vão depender disso.

Carne bovina

Comprando a carne

- Ao comprar carne de vaca, pressione a carne com os dedos; se a carne ceder e imediatamente voltar ao normal, a carne é nova e boa.
- Também é sinal de carne nova e boa a cor vermelho-vivo e a gordura branca ou amarelo-clara.
- Quando fizer pratos com músculo (sopas, caldos), a carne deve estar inteiramente limpa de gorduras.
- Por isso escolha a carne limpa ou peça ao açougueiro para limpá-la para você.

"Carne é carne, ora bolas!"

Não é assim, não.

As carnes diferem em textura, sabor e dependem dos cortes. Por isso mesmo, não é qualquer corte ou tipo de carne que serve para qualquer prato. Não se enganar na escolha do corte ou do tipo de carne é ter metade do caminho ganho para uma refeição suculenta e de sucesso. Saiba quais as carnes próprias para os diferentes pratos.

Prato... Carne adequada

Almôndega – patinho, coxão mole

Bolo de carne – patinho, coxão mole

Bife – filé *mignon*, contra-filé, alcatre, maminha de alcatre

Bife enrolado – coxão mole amaciado

Carne de panela e carne assada – lagarto, coxão duro, coxão mole, fraldinha

Churrasco – picanha, contra-filé, alcatre, maminha, filé *mignon*

Cozidos (com legumes e féculas) – coxão duro, músculo, acém, braço

Ensopados, caldos e sopas – coxão duro, músculo, fraldinha

Estrogonofe – filé *mignon*, contra-filé

Rosbife – filé *mignon*, contra-filé

Turnedô, medalhão – filé *mignon*

O filé *mignon* pode ser cortado em bifes, turnedôs e medalhões. A diferença entre eles está na espessura (o bife tem, no máximo, 2,5 cm de espessura, o turnedô tem 4 cm e o medalhão, 4,5 cm).

O turnedô e o medalhão são rodeados com tira de *bacon*, presa por um barbante (essa tira é retirada no momento de servir) e são servidos com molhos especiais.

A nobre vitela

A vitela é uma carne muito especial, pois é a carne de vaca com menos de 4 meses de idade. Ao comprá-la preste atenção nos seguintes aspectos: a carne deve ser rosada e não vermelha; o tecido deve ser firme e não mole; a gordura deve ser quase branca. Você pode comprar bifes, escalopinhos e pernil.

Conservando a carne

Para conservar a carne por um ou dois dias, guarde-a embalada na geladeira (pode ser a embalagem do supermercado ou embalada por você em saco plástico ou papel laminado). Se for conservar a carne por uma semana, guarde-a embalada no congelador. Para conservá-la por mais de uma semana, você deve congelá-la adequadamente.

Descongelando a carne

Para descongelar a carne, deixe-a na embalagem, fora do congelador e dentro da geladeira (levará 10 a 12 horas por quilo), ou deixe-a na temperatura ambiente (levará de 4 a 5 horas por quilo). Evite descongelá-la na água, pois perderá o sabor.

Dicas

* Fica mais fácil cortar o *bacon* se ele estiver bem gelado ou até mesmo congelado.
* Salsichas e lingüiças devem ser lavadas em água fervente antes de ser cozidas ou fritas.
* Bife (frito ou grelhado) deve ser temperado apenas com sal, pois os outros temperos o endurecem. Depois de pronto, você pode salpicá-lo com pimenta-do-reino, suco de limão, cobri-lo com molhos, cremes, cebolas fritas, ou colocar molhos e cremes em vasilhas separadas e cada um se serve como quiser. Há pessoas que não colocam nem mesmo sal, deixando para salgar o bife depois de pronto.

Carne suína

Em geral, a carne de porco pode ser comprada já cortada, e as partes mais comuns são o lombo, o pernil, a bisteca, a costeleta e a paleta. E a lingüiça e o toucinho, evidentemente.

- *Lombo*: é o filé *mignon* do porco. Prepara-se assado (inteiro) ou frito (em pedaços).
- *Pernil*: é a coxa do porco com o osso. Prepara-se assado.
- *Bisteca*: é o lombo do porco com o osso e cortado em fatias. Prepara-se frita e em churrasco.
- *Costeleta*: é a costela do porco. Prepara-se frita ou em churrasco.
- *Paleta*: é a parte superior da coxa do porco. Prepara-se em churrasco.
- A *lingüiça* pode ser feita com temperos diferentes (por exemplo, a diferença entre a lingüiça calabresa e a toscana está no tempero). Prepara-se frita, em churrasco, no caldo do feijão e em cozidos de legumes e carnes.
- O *toucinho* é a gordura do porco, é preparado frito como torresmo e seu couro bem frito é a pururuca.

Alguns cuidados na compra da carne suína

- A carne deve ser rosada, lisa, sem estrias, sem manchas brancas e sem rugosidades.
- A gordura deve ser branca e lisa, e não amarelada e enrugada.
- Os ossos devem ser claros e pouco duros.
- Não compre a carne se estiver acinzentada e mole, com a gordura amarelada e excessiva.

Alguns cuidados no preparo e consumo da carne de porco

- A carne suína é muito gordurosa. Por isso, ao prepará-la evite usar muito óleo ou gordura.
- Diferentemente da carne bovina, que pode ser consumida crua (no quibe e no bife tártaro) ou malpassada (no bife, medalhão e turnedô), a carne suína deve ser consumida muito bem-passada. Por isso, costeletas e bistecas devem ser cortadas finas, a lingüiça deve fritar longamente e os assados devem ser feitos em forno brando por várias horas.

Ah! O torresminho perfeito

Para que o torresmo fique bem sequinho, antes de retirá-lo da gordura coloque uma colher de sopa de água e feche imediatamente a frigideira ou a panela (pois a gordura vai saltar para todos os lados). Quando o chiado da água tiver parado (porque a água secou), destampe e retire os torresmos com uma escumadeira, secando-os em papel-toalha.

Lingüiça e bisteca de dar água na boca...

Depois de dourar as bistecas dos dois lados ou depois de dourar a lingüiça dos dois lados, coloque na frigideira duas colheres de sopa de água e tampe. Deixe fritar por uns 3 minutos. Destampe a frigideira e vire as bistecas ou as lingüiças. Tampe novamente e deixe fritar por mais uns 3 minutos. Destampe e continue fritando até ficarem bem-passadas e sequinhas.

Conservando a carne de porco

A carne de porco estraga-se facilmente: na geladeira, agüenta no máximo 2 dias; no congelador e no *freezer* (abaixo de 20 °C) pode durar até 6 meses. Para conservá-la na geladeira, tempere-a com sal e limão e complete o tempero no momento do preparo do prato. Você pode também deixá-la completamente temperada em vinha-d'alho, especialmente o lombo e o pernil que irão ser assados. Para que o cheiro não invada a geladeira, coloque a carne em vasilha com tampa ou embrulhe-a em papel laminado e depois a coloque num saco plástico.

Descongelando a carne de porco

A carne de porco deve ser descongelada bem devagar. Deixe-a descongelar primeiro na geladeira de um dia para o outro, mantendo-a no pacote; complete o descongelamento com a carne desembrulhada e fora da geladeira. Se você comprou bistecas e filés de lombo que ainda estão um tanto congelados e deseja prepará-los em poucas horas para um almoço ou jantar, deixe os pedaços fora da geladeira por 1 hora; em seguida, coloque-os por uns 15 minutos numa vasilha com água fria; lave-os em água corrente, tempere e prepare seu prato.

O frango

Assim como pensamos que "carne é carne", também achamos que "frango é frango". Mas não é, não.

Conheça a diferença

- *Galeto ou frango de leite*: é a ave com até 3 meses de idade. É tenro e de gosto suave. Prepara-se grelhado, assado ou frito.
- *Frango comum*: é a ave entre 3 e 7 meses de idade. Pode ser consumido assado, ensopado, frito ou grelhado.
- *Galinha*: é a ave adulta com mais de 7 meses. Usa-se para ensopados e para a canja.
- *Frango capão*: é o frango castrado para ficar mais gordo e abatido com 7 meses. Como sua carne é muito gordurosa, é mais saboroso assado.

Quando a ave for assada, deve ser comprada inteira. Dependendo, porém, da receita, você deverá assá-la em pedaços. Nesse caso, se quiser (e é mais fácil), pode comprá-la já cortada e até mesmo escolher as partes preferidas por você e sua família.

Veja as partes:

Partes da ave... Prato

Peito: carne branca e macia – grelhado, assado e frito

Sobrecoxa: carne escura de muito sabor – grelhada, assada, frita, ensopada

Coxa: carne escura e de muito sabor – grelhada, assada, frita e para coxinhas

Asa: carne escura e muito saborosa – grelhada, assada e frita

Pescoço e pés: carne escura – para caldos e sopas

Miúdos (coração, fígado, moela): carne escura e mole – grelhados, refogados e como ingredientes para outros pratos

O que observar na hora de comprar

- A carne deve estar rosada e a pele deve estar amarelo-claro ou quase branca.
- A pele deve ser dura e seca e não mole e úmida.
- A carne deve suportar a pressão dos dedos sem se abrir ou sem formar buracos.
- A carne e a pele devem ter um cheiro suave.

Cortar um frango

Cortar um frango não é um bicho-de-sete-cabeças. Basta conhecer os truques principais. Aqui vão eles: 1) as asas, sobrecoxas e coxas devem ser cortadas na articulação (para isso, você deve afastar a pele até ver ou sentir com a faca a articulação); 2) o peito deve ser cortado ao meio na direção do comprimento do frango (isto é, de comprido) e depois cortado em fatias compridas até atingir os ossos. No caso do *frango à passarinho,* cada pedaço deve ser novamente cortado (pode cortar mais duas vezes cada pedaço) e, agora, o corte deve atravessar os ossos.

Conservando o frango

A carne do frango se estraga com facilidade: na geladeira, agüenta no máximo 3 dias; no *freezer* ou no congelador, o frango fresco agüenta até 10 meses, mas a galinha fresca só agüenta 4 meses (já cozida, a ave agüenta até 6 meses). Por isso, ao guardar na geladeira, é bom temperar a carne com sal e limão, deixando para completar os temperos no momento de preparar o prato. Se você vai assar o frango, pode deixá-lo na geladeira já temperado na vinha-d'alho. Para evitar que o cheiro se espalhe pela geladeira, coloque a carne em vasilha com tampa ou embrulhe-a em papel laminado e coloque-a num saco plástico.

Embora seja mais fácil comer um *frango desossado* e seja mais elegante um prato em que a ave está desossada, é bom lembrar que os ossos fortalecem o sabor do frango, por isso, a não ser quando a receita pede que a ave esteja desossada, prefira prepará-la com os ossos.

Descongelando o frango

A carne do frango deve descongelar lentamente (1 frango de 1 kg leva 12 horas para descongelar; um de 2 ou 3 kg leva 1 dia descongelando). Comece o descongelamento na geladeira, com a carne ainda embrulhada e conclua fora da geladeira, na temperatura ambiente, quando faltar 1 hora para terminar o processo. Limpe e lave a carne em água corrente, tempere e prepare seu prato. Se houve algum imprevisto e você precisa do frango descongelado mais depressa, faça todo o descongelamento fora da geladeira e, depois de umas 2 horas, mergulhe o frango em água fervente. Vai descongelar rapidamente, mas perderá um pouco do sabor.

Guardando as sobras

As sobras de frango frito, cozido ou assado podem ser usadas desfiadas em saladas ou para sanduíches, ou como ingredientes de tortas e sopas. Guarde as sobras em vasilha com tampa ou embrulhadas em papel laminado. Se a carne tiver molho, escorra-o e guarde-o numa vasilha à parte.

Evitando uma surpresa desagradável: o frango "limpo" não estava limpo coisa nenhuma!

Porque compramos a ave já limpa e, em certos casos, até cortada em pedaços, acreditamos que ela esteja limpa mesmo. Não está, não. Se você a temperar tal como veio do açougue, da feira ou do supermercado, poderá ter a desagradável surpresa de encontrar impurezas no momento de servi-la ou no momento de ingeri-la. Por isso, limpe-a antes de temperar, lavando-a em água corrente e cortando excessos de gorduras.

Se for uma ave inteira, retire os miúdos, pescoço e pés, que costumam vir guardados no interior. Com as mãos, limpe o interior da ave, retirando todos os resíduos e impurezas. Lave a ave em água corrente. Veja se a pele está limpa ou se há restos de penas. Limpe a pele. Volte a lavar a ave. Retire as partes mais grossas e gordurosas da pele (no caso do frango capão e da galinha, a pele é muito grossa e muito gordurosa, o que prejudica o sabor). Agora sim. Tempere e prepare o seu prato.

Os peixes

Peixes existem em variedades mil, tanto os do mar como os de água doce. Podem ser grelhados, ensopados, assados, fritos, cozidos no vapor. Podem ser preparados inteiros, em postas ou em filés.

Vamos aqui oferecer-lhe uma pequena lista com os peixes mais conhecidos e mais consumidos no Brasil, deixando de lado a incrível variedade dos peixes marinhos da costa brasileira e dos peixes de água doce da região amazônica. Num país como o nosso, com 8 mil quilômetros de litoral e com a Amazônia, seriam necessários muitos livros para falar dos peixes...

Tipo de peixe... Tipo de preparo

Anchova – inteira, frita ou grelhada

Atum – em postas, assado ou ensopado

Bacalhau – em postas, ensopado ou assado

Badejo – inteiro ou em postas; assado, cozido, grelhado ou ensopado

Bagre (água doce) – inteiro, frito ou grelhado

Bonito – inteiro, assado, cozido ou grelhado; em postas, ensopado ou grelhado

Cação – em postas, grelhado ou ensopado

Cherne – inteiro ou em postas; assado, grelhado ou ensopado

Corvina – inteira ou em postas, grelhada; em filé, frita ou empanada

Dourado (água doce) – inteiro, assado, cozido ou grelhado; em postas, ensopado

Garoupa – inteira ou em postas; assada, cozida ou ensopada

Jaú (água doce) – em postas, ensopado

Lambari (água doce) – inteiro, frito ou grelhado

Manjuba – inteira, frita ou grelhada

Merluza – inteira, assada; em postas, ensopada; em filé, grelhada ou frita

Mero – inteiro ou em postas; assado, cozido, grelhado ou ensopado

Namorado – inteiro ou em postas; assado, cozido, grelhado ou ensopado

Pacu (água doce) – inteiro, assado, cozido ou grelhado

Pescada – inteira, assada; em postas, ensopada; em filé, grelhada, frita ou empanada

Pintado (água doce) – inteiro, assado ou grelhado; em postas, ensopado; em pedaços, no espeto na brasa

Robalo – inteiro, assado, cozido ou grelhado; em postas, ensopado ou grelhado

Sardinha – inteira, frita ou grelhada

Salmão – inteiro, assado ou grelhado; em postas, cozido, assado ou ensopado

Tainha (água doce) – inteira ou em postas; assada, ensopada ou frita

Traíra (água doce) – inteira, assada, cozida ou grelhada

Truta (água doce) – inteira, assada, cozida ou grelhada

O que observar na compra de peixes?

A regra geral é: o cheiro forte, mas não desagradável, a cor certa para a variedade do peixe e a elasticidade da carne (nem muito mole, nem muito rija).

Isto sim

- O primeiro e principal ponto a observar é o cheiro. Embora todos os peixes tenham um cheiro forte, o peixe bom é aquele cujo cheiro não é desagradável nem enjoativo.
- A carne deve ser firme e elástica, isto é, deve suportar a pressão dos dedos sem se desmanchar ou sem que os dedos afundem nela.
- Se você for comprar o peixe inteiro, verifique: 1) se os olhos estão brilhantes e ocupam toda a órbita; 2) se as escamas estão brilhantes e bem presas à pele; 3) se as guelras estão vermelhas e úmidas.
- Alguns peixes, como o atum, têm a carne bem escura, mas de modo geral, as carnes dos peixes são rosadas – do rosa mais forte ao quase branco. Verifique se o peixe está na cor própria de sua variedade.

Isto não

- Evite peixes com cheiro muito forte e enjoativo.
- Evite os peixes cuja carne está muito mole ou muito rija.
- Evite os peixes cujas escamas estão opacas e se soltando da pele, cujos olhos estão menores do que as órbitas e cujas guelras não estão vermelhas nem brilhantes.
- Evite os peixes cuja carne tem uma coloração que não corresponde à de sua variedade, isto é, ou estão muito escuros ou estão muito esbranquiçados.

Congelar e descongelar o peixe

O procedimento é o mesmo usado para as aves.

Limpando o peixe

Se você não comprou o peixe já limpo, o procedimento para limpá-lo e escamá-lo é o seguinte:

- coloque o peixe sobre uma tábua ou uma pedra-mármore;
- com uma faca bem afiada, corte as nadadeiras dos dois lados;
- segure o peixe pela cauda e com a faca raspe as escamas, indo da cauda em direção à cabeça;
- se o peixe não tiver escamas e sim couro, faça assim:
    - *peixe redondo*: corte o couro à volta da cabeça e puxe firmemente na direção da cauda;
    - *peixe chato*: corte o couro à volta da cauda e puxe firmemente em direção à cabeça.
- faça um corte na barriga, da cauda até a cabeça, e com as mãos ou uma colher, retire as vísceras, raspando o interior com a faca para ter certeza de que tudo foi retirado; retire as guelras, que ficam junto à cabeça;
- lave em água corrente e está pronto para cozinhar ou assar.

Cortando filés e postas

Se você for cortar o peixe em filés ou em postas, escame-o ou retire o couro, mas não retire as vísceras. Proceda assim:

- *postas*: depois de limpar o peixe por fora, corte a cabeça, as guelras e o rabo; corte em fatias da espessura que desejar; abra cada fatia e limpe as vísceras; lave em água corrente e está pronto para receber os temperos e ir ao fogo ou ao forno;
- *filés*: depois de limpar o peixe por fora, corte a cabeça e as guelras; faça um corte nas costas, seguindo a linha da espinha; com a faca, retire a espinha e as vísceras; abra o peixe e, segurando-o pelo rabo, retire a pele; lave em água corrente e está pronto para receber os temperos e ir ao fogo ou ao forno.

Recheando o peixe

- Corte as nadadeiras, escame e retire as vísceras, conservando a cabeça e o rabo.
- Lave em água corrente por dentro e por fora; no corte feito na barriga para a limpeza das vísceras, coloque o recheio, evitando que fique muito estufado.
- Feche a barriga com palitos e leve ao forno.

Formas de preparo

Como vimos anteriormente, os peixes podem ser cozidos ou ensopados, assados, grelhados, cozidos no vapor, fritos e empanados. E seu cozimento é muito rápido.

- *Cozido e ensopado*: o peixe deve estar cortado em postas.
- *Assado*: pode estar inteiro ou cortado em postas.
- *Frito e empanado*: deve estar cortado em filés.
- *Grelhado*: deve estar cortado em postas ou filés.
- *Cozido no vapor*: deve estar cortado em filés.

Massas

São massas os vários tipos de macarrão, o nhoque, a torta (salgada ou doce), o pastel (salgado ou doce), a polenta, a panqueca, a pizza, os biscoitos e os bolos (salgados ou doces).

As massas para macarronada, para nhoque, ravióli, capelete, *penne*, etc., podem ser feitas em casa, mas é trabalhoso fazê-las e exige tempo. Por isso, o mais fácil é comprá-las prontas. Você pode comprá-las frescas ou secas.

No caso dos bolos, da pizza, das tortas e dos pastéis, você pode comprar a massa em pó, semipronta, cujo preparo é muito simples e rápido.

Eis, ilustrados, alguns tipos de massas:

Gravata

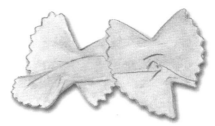

Nhoque

Espiral

Caracol

Penne liso

Penne estriado

Capelete

Conchinha

Boca-de-leão

Canelone

Lasanha

Espaguete

Fusilli

Talharim

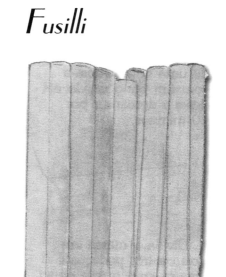

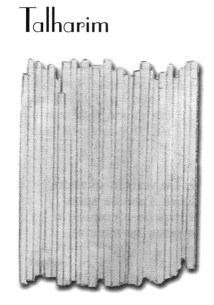

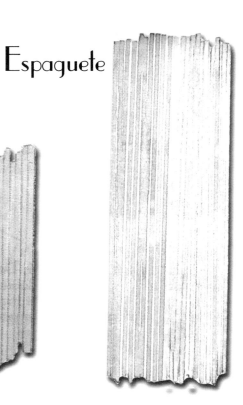

Como são consumidas

As massas podem ser consumidas cozidas e cobertas com molhos variados; algumas podem também ser recheadas e todas podem ser gratinadas. Dependendo da receita, a massa pode ser frita. Todas elas podem ser servidas frias em saladas e a maioria delas vai bem em sopas.

Como preparar adequadamente as massas

Tipo	Tempo de cozimento (fresca)	Tempo de cozimento (seca)	Prato
ave-maria	7 minutos	14 minutos	sopas
canelone	15 minutos	25 minutos	com molhos, gratinado
capelete	4 minutos	8 minutos	com molhos
chumbinho, arrozinho, argolinha	8 minutos	14 minutos	sopas
conchinha	6 minutos	12 minutos	sopas e saladas
espaguete	6 minutos	13 minutos	macarronada, gratinado, salada
espaguetinho	5 minutos	12 minutos	macarronada, sopas
fettuccine	4 minutos	8 minutos	macarronada, gratinado
fusilli	4 a 5 minutos	10 a 12 minutos	com molhos, gratinado

Tipo	Tempo de cozimento (fresca)	Tempo de cozimento (seca)	Prato
lasanha	10 minutos	15 minutos	com molhos e recheios
letrinha, estrelinha	8 a 9 minutos	12 a 15 minutos	sopas
nhoque	4 minutos	8 minutos	com molhos
ninho	5 a 7 minutos	10 a 12 minutos	com molhos, gratinado
padre-nosso	5 minutos	10 minutos	sopas
parafuso	6 a 8 minutos	15 a 17 minutos	sopas e saladas
penne	5 minutos	7 a 9 minutos	com molhos e recheios, salada
ravióli	4 minutos	8 minutos	com molhos
rigatoni	7 a 8 minutos	12 a 14 minutos	com molhos e recheios, saladas
tagliatelle	5 minutos	10 minutos	macarronada, gratinado
talharim	4 minutos	11 minutos	macarronada, gratinado, salada
vermicelo, aletria	5 minutos	8 a 10 minutos	sopas

Os três segredos principais das massas

- *O tempo de cozimento*: a massa gostosa é aquela cujo ponto é *al dente*, isto é, não muito mole nem muito dura. Embora você agora conheça o tempo de cozimento das principais massas, convém sempre experimentá-la para ver se está no ponto. Para isso, com um garfo longo, retire da panela um fio ou uma unidade e prove. Pode provar ingerindo a massa (está boa quando não tiver gosto de massa crua) ou apertando-a entre os dedos (está boa quando o centro está firme, sem estar duro). No caso do nhoque, do ravióli e do capelete, o ponto é fácil de perceber: a massa cozida vai subindo do fundo para a superfície da panela e você pode ir retirando com uma escumadeira.

• *Os molhos e os recheios*: a grande variação das massas não está apenas no formato, consistência e espessura, mas nos molhos e nos recheios. Por isso, tenha sempre à mão, na hora de prepará-las, tomates, ervas finas, orégano, creme de leite, alho, cebola, azeite de oliva, queijos. Com um mesmo tipo de massa, você poderá fazer pratos muito diferentes, graças aos molhos ou aos recheios.

• *Servir bem quente*: a delícia das massas se perde quando servidas mornas ou frias (a menos que estejam sendo servidas em saladas, evidentemente). Sirva-as fumegantes.

Onde preparar

Use sempre uma panela ou um caldeirão que sejam suficientemente grandes para que a massa possa se mover livremente na água, sem que os fios e os pedaços grudem uns nos outros.

Você pode calcular a quantidade de água assim:

Massa	Água
250 g	3 litros
500 g	5 litros
700 g	6 litros

Quanto preparar

Meio quilo de massa fresca ou seca dá para 4 porções. Se o molho for grosso e com muitos ingredientes, ou se o recheio for grande, meio quilo de massa dá para 5 porções.

Como preparar

A massa deve ser colocada em água fervente que a cubra por inteiro e cozida em fogo alto. Ao colocar a massa, a água deixará de ferver. Tampe a panela. Quando a água voltar a ferver, destampe a panela e deixe a massa cozinhar com a panela destampada.

Se estiver preparando massa seca em fios longos, coloque-os por inteiro na água, sem quebrá-los. À medida que o fundo for amolecendo, o restante dos fios vai mergulhando na panela. Se preparar massa por unidades ou por pedaços, coloque-a na água aos punhados. No caso do nhoque, do ravióli e do capelete, assim que subirem à tona, podem ir sendo retirados com uma escumadeira. Se todos começarem a subir de uma só vez, escorra-os no escorredor de massas. Sacuda o escorredor, para que toda a água saia, e volte-os imediatamente para a panela ou leve-os à vasilha em que serão servidos, regando-os com o molho. Se forem gratinados, leve-os para a vasilha refratária em que serão postos no forno.

O que fazer para não grudar

Coloque na água fervente óleo e um pouquinho de sal. Para 3 litros de água, coloque uma colher de sopa de óleo e dobre essa quantidade quando usar mais de 3 litros de água.

Depois de mergulhar a massa na água, mexa com um garfo longo para separar os fios ou os pedaços e as unidades. E não mexa mais!

Frutas

O que é preciso saber ao comprá-las

Isto sim

- *Regra geral*: como no caso dos legumes e verduras, as frutas também devem estar com a cor brilhante, a casca sem manchas e sem furos, e sem partes amolecidas. No caso das frutas também é importante conhecer sua cor para poder saber se estão ou não maduras.

- Ao comprar o *abacaxi*, verifique se as folhas da coroa se soltam facilmente, pois isso é sinal de que está maduro. Se o abacaxi estiver sem a coroa, olhe a parte de baixo, veja se está amarelada e macia, pois esses também são sinais de que está bom.

- Ao comprar *abacate*, escolha os mais pesados e firmes. Se a casca estiver brilhante e com manchas marrons grandes, está bom. Para saber se está maduro, você pode usar dois procedimentos: 1) balance o fruto e se sentir que a semente está solta dentro dele, é porque está no ponto; 2) aperte o fruto e se a casca ceder à pressão de seus dedos, o abacate está maduro.

- O *melão* está no ponto quando as extremidades cedem um pouco à pressão dos dedos e quando, ao balançá-lo, escuta-se o leve ruído das sementes soltas.

- As melhores *melancias* são as que têm a polpa bem vermelha e macia. Para saber se a melancia está no ponto, você pode: 1) "calar" a melancia, isto é, furá-la com a ponta de uma faca e retirar um

Isto não

- Evite frutas cujas cascas estão sem brilho, com partes mais duras e outras mais moles, com manchas e furos.

- Evite consumir frutas verdes ou muito maduras (em geral, as verdes e as muito maduras são boas para doces, compotas, recheios de tortas, etc.)

- Evite *abacaxi* com folhas que não se soltam facilmente da coroa ou cuja parte inferior está bastante esverdeada e dura, pois são sinais de que está verde. Evite o abacaxi muito amarelado, com partes moles e com manchas escuras, pois são sinais de que está passado.

- Evite *abacates* muito moles cuja casca quase se abre sob a pressão dos dedos e os muito duros, pois podem não amadurecer de jeito nenhum ou levar muitos dias para madurar. Casca verde brilhante e lisinha não é sinal de que o abacate é polpudo e macio.

- Evite o *melão* de casca muito dura nas extremidades e que apresente rachaduras, furos e partes moles.

- Evite *melancias* apenas rosadas, aquelas cuja polpa está muito mole e as de casca amarelada.

pedacinho; 2) bater na casca: se o som for oco, a melancia está boa.

- Lembre-se de que "laranja" é uma palavra genérica para muitos tipos de *laranja*: lima, baía, pêra, barão, seleta, laranja-da-terra, etc. São de casca fina e brilhante: lima, seleta e barão. São de casca rugosa, porosa e brilhante: baía, pêra e da terra. Têm casca verde-clara levemente amarelada: lima, seleta e barão. Têm casca amarelo-clara: pêra e baía. Têm casca amarelo-escura: da terra. Ao comprar, verifique se a cor é a da variedade escolhida, se a casca está brilhante e sem manchas. Prefira as mais pesadas porque têm mais suco.

- *Tangerina* é também o nome genérico para duas variedades principais: a mexerica e a poncã (lembrando que, nas diferentes regiões do Brasil, tangerina recebe outros nomes, como bergamota, laranja-cravo, laranja-mimosa, etc.). A *mexerica* e a *poncã* diferem pela cor, pela textura e pelo tamanho: a mexerica é pequena, amarelo forte quase alaranjado e de casca lisa brilhante; a poncã é grande, sua cor varia entre o amarelo-claro e o amarelo forte, e sua casca é rugosa, porosa e brilhante. Tanto na compra de mexerica como na de poncã, o melhor é escolher o fruto que traz o cabinho e alguma folha verde.

- No Brasil, conhecemos dois tipos principais de *pêra*: a pêra comum e a pêra d'água, que é aquela mais dura e de casca verde. Prefira peras de casca lisa, brilhante, sem manchas e sem furos.

- No Brasil, conhecemos três tipos de *maçã*: a verde, a vermelha e a ácida, que é a menorzinha. Prefira as maçãs de casca brilhante e lisa.

- Evite *laranjas* moles e cuja cor não é a da sua variedade e as muito maduras porque nelas a vitamina C praticamente já se perdeu.

- Evite *tangerinas* cuja cor não corresponde à de sua variedade e cuja casca está sem brilho e com furos e as moles ou com partes moles e duras ou as que estão moles e úmidas na parte onde havia o cabinho.

- Evite *peras* moles, de casca manchada e sem brilho.

- Evite as *maçãs* moles, de casca sem brilho, com manchas e furos.

- Como o *morango* é uma fruta muito delicada, prefira os que já vêm acondicionados em caixinhas, mas prefira as caixas transparentes para que você possa ver todos eles. Verifique a cor (devem estar bem vermelhos), a consistência (devem estar duros sob a pressão dos dedos) e o tamanho (os muito grandes são desprovidos de sabor).
- *Banana* é o nome genérico para muitas variedades: nanica, maçã, ouro, prata, banana-da-terra, são-tomé, etc. Para saber se a banana está madura, verifique se o cabo que a prende à penca está amarelo e se a casca possui leves manchas marrons. Para saber se a banana está muito madura, veja se a casca apresenta manchas escuras.
- No Brasil, conhecemos três variedades de *mamão*: vermelho (casca amarelo-escura ou quase alaranjada), amarelo (casca amarela) e papaia (casca alaranjada). Para saber se o mamão está maduro, você pode: 1) "calar" o mamão, como no caso da melancia; 2) verificar se a cor da casca corresponde à variedade escolhida. Prefira o mamão firme, de casca brilhante, sem manchas.
- Há vários tipos de *maracujá* no Brasil. Os mais conhecidos são o de casca amarela e o de casca vermelha; para o consumo direto, o melhor é o de casca amarela. Prefira o fruto com a casca lisa, brilhante, sem manchas e sem furos. Para saber se está maduro, pressione com os dedos o lado oposto ao do cabo. Se o fruto ceder à pressão, está no ponto.
- Verifique se a casca do *pêssego* está sedosa, com uma leve penugem. O pêssego maduro pode ter a casca amarela, alaranjada ou avermelhada e, se

- Evite os *morangos* soltos que já estiveram em caixas e foram delas retirados e muito manuseados. Evite os morangos embranquecidos ou esverdeados, os moles e cujas folhas estão murchas, e aqueles com furos.

- Evite *bananas* muito verdes ou muito maduras para o consumo imediato. Para fritar, assar, cozer e rechear tortas, evite bananas verdes.

- Evite o *mamão* cuja casca não está na cor apropriada à sua variedade. Evite consumir mamão verde (reserve-o para doces) ou muito maduro, com partes moles, casca manchada ou com furos.

- Evite *maracujás* de casca sem brilho, com furos, rachaduras e manchas. Evite consumir o maracujá ainda verde. Se a casca estiver muito enrugada e a cor for amarelo-escura, o maracujá está muito maduro.

- Evite *pêssegos* esverdeados e cuja casca não apresenta a penugem e os moles, amassados e com manchas.

balançado, sentiremos sua semente quase solta. Você pode usar os mesmos procedimentos para o damasco ou abricó.

- A *ameixa* está boa para o consumo quando tem a cor arroxeada viva e a casca lisa e brilhante. Para saber se está madura, ela deve ceder um pouco sob a leve pressão dos dedos.

- Evite *ameixas* cuja casca está sem brilho, com manchas esbranquiçadas e com furos.

- O *figo* é uma fruta muito delicada, por isso prefira os que estão acondicionados em caixas. Para saber se está maduro, verifique se está roxo por inteiro e por igual, se a parte oposta ao cabo está levemente entreaberta, e se o cabo não está verde.

- Evite consumir *figos* verdes (reserve-os para doces) e também os muito maduros — aqueles cuja polpa está muito exposta e cujo cabo está murcho. Evite consumir figos amassados, com furos e manchas de bolor.

- *Manga*, no Brasil, é o nome genérico para muitas variedades: espada, rosa, bourbon, coração-de-boi, manteiga, etc. Nos últimos tempos, nas grandes cidades, os supermercados vendem apenas duas variedades: haden e palmer, que se parecem muito com a coração-de-boi. A manga-espada está madura quando sua casca está amarela; a manga-rosa madura tem a casca rosada ou levemente avermelhada; a bourbon e a manteiga maduras são moles sob a pressão dos dedos, embora suas cascas sejam verdes. A coração-de-boi, a haden e a palmer estão maduras quando estão com a casca brilhante e vermelho-escura.

- Evite consumir *mangas* verdes ou muito maduras e também aquelas em cuja casca se notam fios claros de um líquido grudento ou cuja casca não está com a cor de sua variedade e apresenta manchas, furos e partes muito moles ou muito duras.

- *Uva* é o nome genérico para muitas variedades. No Brasil, conhecemos sobretudo a niágara-rosada, niágara-branca, moscatel comum, moscatel-rosada e itália. As diferenças são de gosto, tamanho, cor: a niágara é pequenina, podendo ser rosada ou verde-clara; a moscatel é de tamanho médio, podendo ser arroxeada, avermelhada ou verde-clara; a itália é a maior, mais dura, podendo ser rosada

- Evite comprar *uvas* soltas ou que se soltam muito facilmente dos cachos. Evite bagos moles e entreabertos ou com manchas brancas leitosas ou escuras.

ou verde-clara. A niágara é a mais doce, a moscatel é a mais mole. Ao comprar uvas prefira as que estão em cachos e não se desprendem deles com facilidade. A casca deve ser lisa, brilhante e sem manchas claras ou escuras.

- O *caqui* é uma fruta delicada como a ameixa e a uva, por isso prefira comprá-lo acondicionado em caixas. Prefira os de cor vermelho-alaranjada, com a casca lisa e brilhante.

- *Limão* é o nome genérico para muitas variedades: limão-cravo (pequeno, casca lisa, verde-escura ou alaranjada), limão-galego (médio, casca lisa e fina, verde-clara), limão taiti (grande, casca lisa, verde-escura), limão-siciliano (médio, casca grossa, verde-escura), etc. Seja qual for o limão, ao comprá-lo, pressione-o com os dedos: se a casca ceder levemente à pressão, o limão tem bastante sumo.

- Evite consumir *caquis* verdes e aqueles com rachaduras, pois estas indicam que estão muito maduros. Evite comprar caquis cuja casca ceda muito à leve pressão dos dedos, atingindo a polpa, pois isso também é sinal de que está muito maduro.
- Evite *limões* com a casca manchada, com furos e muito duros ou limões com a casca amarela ou manchas amareladas.

Dicas

- *Para fazer amadurecer as frutas*: mamão, banana, abacate, manga, figo, pêssego, caqui, goiaba, pêra e maçã amadurecem mais depressa se você os embrulhar em jornal e deixá-los em local não muito frio.
- *Amolecendo o limão*: para que o limão solte todo o sumo e seja fácil de espremer, lave-o em água corrente e, em seguida, role-o com a mão pressionando-o sobre uma superfície dura (a mesa, a pia, a tábua de bife) como se estivesse rolando uma bola ou enrolando uma massa.
- *Qual laranja?* Para chupar em bagos ou em fatias, são gostosas a baía, a lima e a pêra. Para sucos, a laranja-pêra e a laranja-barão são as melhores. Para doces, a mais recomendada é a laranja-da-terra.
- *Qual banana?* Para comer crua, são melhores a banana-nanica, a maçã, a prata e a ouro. Para assar, a mais gostosa é a banana-nanica, que também fica muito boa nos recheios de tortas. Para fritar, as melhores são a banana-da-terra e a banana-são-tomé. Para doces e compotas, são boas a nanica e a da terra.

Surpresas interessantes

Abacate temperadinho!

No Brasil, temos o costume de comer o abacate com açúcar. Mas, em outros países, ele é comido salgado, nas saladas. Cortado em cubinhos e bem temperado, fica uma delícia!

O único detalhe a observar é o seguinte: o abacate deve ser colocado na salada no momento de servi-la, pois ele escurece se ficar "esperando". Por isso também, só o use numa salada que não será guardada depois. O jeito é separar uma parte da salada, sem abacate, e colocá-lo quando a salada for servida novamente.

Frutas na salada. Delícia sofisticada

Também temos o costume de não misturar verduras, vegetais e frutas. Mas em outros países essa mistura é feita e é muito boa. Além de ser muito fina e elegante. Cubinhos de maçã. Cubinhos de pêra. Bagos de uva. Numa salada são uma delícia. Experimente! Laranja, maçã e alface ficam muito bem juntas. Tangerina, abacaxi, melão e agrião ou rúcula também combinam. Se você tiver sobras de frutas e for fazer uma salada mista ou uma salada de legumes e folhas, não tenha medo de colocar as frutas também. Nas maioneses e nos salpicões, uvas passas, nozes, melão e maçã ficam uma delícia. Invente!

Para a fruta não escurecer

Certas frutas, como a maçã, a pêra, o abacate, a banana escurecem se forem descascadas muito antes de servir. Se você tiver que deixá-las descascadas e cortadas com antecedência, faça o seguinte:

- maçã e pêra: coloque as frutas cortadas numa vasilha com água e sumo de meio limão;
- banana e abacate: pingue o sumo de meio limão e coloque numa vasilha com tampa.

Na geladeira, sim. Mas protegidas

Se for de seu gosto, e as frutas não estiverem muito maduras, deixe-as fora da geladeira, numa fruteira. Se preferir, pode guardá-las na geladeira na embalagem em que foram compradas (sacos plásticos, caixas, etc.).

No entanto, frutas lavadas e frutas descascadas devem ir para a geladeira e devem ser protegidas. O melhor é usar vasilhas plásticas com tampa ou vasilhas com uma proteção de papel-filme ou papel laminado.

Queijos

Onde guardá-los?

Na geladeira, só queijo fresco: ricota, queijo-de-minas, requeijão de vidro ou de pacote, do tipo Philadelphia, *cottage*, os queijinhos fundidos e as pastas de queijo, usados em canapés e aperitivos.

Os demais queijos devem ficar fora da geladeira para não perder o sabor e a consistência. Há vasilhas especiais para isso, mas também podem ficar sobre uma tábua ou numa vasilha rasa e cobertos com papel laminado, papel-filme ou um guardanapo.

Como comprá-los?

A compra de queijos é diversa das anteriores porque, aqui, não há regras fixas, uma vez que os queijos variam muito de aspecto, consistência, odor e sabor. Assim, somente a experiência adquirida irá ensinar-lhe como fazer.

De todo modo, há alguns cuidados que podem ser tomados na compra dos queijos: 1) não devem estar quebradiços; 2) não devem estar duros (nem mesmo o parmesão deve estar uma pedra!); 3) devem estar dentro do prazo de validade; 4) não devem apresentar bolor na casca, com exceção do *brie*, do *camembert*, do *roquefort* e do gorgonzola, que são preparados com um tipo especial de fungo ou bolor.

Queijo? Queijos?

O antropólogo Claude Lévi-Strauss observou, certa vez, que temos a ilusão de que a palavra "queijo" traduz exatamente as palavras *fromage* (francês), *cheese* (inglês) e *formaggio* (italiano). Afinal, dizemos nós, tudo é queijo! Não, responde o antropólogo.

Quando um francês diz "fromage", pensa num queijo consistente, de sabor e odor pronunciados, para ser comido com pão e vinho. Já o inglês, quando diz "cheese", pensa em algo branco, macio, meio mole, para ser comido com pão, mas também em saladas, com ovos, com frutas. O italiano, ao dizer "formaggio", pensa em um queijo mais duro, forte, para ser comido com pão e vinho, mas também acompanhando as massas e os caldos. Já o brasileiro, quando diz "queijo", pensa em algo branco, nem muito duro nem muito mole, sem sabor e odor fortes, para ser comido com pão e com doces. Para um europeu, a idéia de misturar queijo e doce é inconcebível!

Como você vê, queijo são queijos...

Para facilitar sua vida, aqui vai uma pequena lista dos queijos mais encontrados no Brasil e como consumi-los.

Tipo	Algumas características	Consumo
brie (fr.)	leite de vaca; macio; amarelado; casca rugosa	com pão e vinho, com frutas
camembert (fr.)	leite de vaca; semicremoso; amarelado; sabor forte; de casca rugosa	com pão e vinho, com frutas, para canapés em aperitivos
Catupiry (bras.)	leite de vaca; levemente cremoso; branco	sanduíches, acompanhamento de doces, ingrediente de creme branco para assados gratinados
cheddar (ingl.)	leite de vaca; consistência firme; tonalidade alaranjada; sabor levemente picante	sanduíches, cobertura de carnes (hambúrgueres, bifes, assados), ingrediente de risotos
cottage (norte-am.)	leite de vaca; semelhante à ricota, embora seja mais cremoso	consumo semelhante ao da ricota
crottin du Berry (fr.)	leite de cabra; em bolas pequenas; esbranquiçado; sabor picante	com pão e vinho, com frutas, como aperitivo
édam (hol.)	leite de vaca; amarelo; levemente esburacado; sabor suave; casca recoberta com parafina vermelha	sanduíches, canapés, com frutas
emmenthal (suíço)	leite de vaca; consistência macia; amarelo-claro; sabor suave	sanduíches, *fondue*, em sopas e suflês
estepe (suíço)	leite de vaca; consistência macia; amarelado; esburacado; sabor suave	sanduíches, aperitivos
gorgonzola (ital.)	leite de vaca; sabor e odor fortes, com pontos internos de bolor especial	com pão e vinho, com frutas, para molhos de algumas carnes e massas

Tipo	Algumas características	Consumo
gouda (hol.)	leite de vaca; macio; amarelado; levemente esburacado; sabor suave	sanduíches, cobertura de massas e assados, gratinados
gruyère (suíço)	leite de vaca; macio; amarelo; sabor forte e picante; levemente esburacado	sanduíches, *fondue*
itálico (bras.)	leite de vaca; consistência macia; amarelado; levemente picante	sanduíches, aperitivos, ingrediente de risotos e cobertura de massas
mozarela (ital.)	leite de vaca ou de búfala; macio; branco, sabor suave	sanduíches, recheio de massas, cobertura de carnes e de risotos
parmesão (ital.)	leite de vaca; duro; amarelo	quando fresco e mole, em sanduíches; quando duro, ralado sobre sopas e massas
pecorino (ital.)	leite de vaca; duro; acinzentado	ralado para massas e risotos
prato (bras.)	leite de vaca; macio; amarelo	sanduíches, acompanhamento de doces, recheio de massas
provolone (ital.)	leite de vaca; duro; amarelo; gosto picante	sanduíches, cubinhos para aperitivos, recheio de massas e tortas
quark (al.)	leite de vaca; semelhante à ricota	consumo semelhante ao da ricota
queijo-de-minas (bras.)	leite de vaca; três variedades cremosas – branco mole, meia-cura branco, meia-cura amarelo – e uma dura	sanduíches, acompanhamento de doces
queijo-de-minas curado (bras.)	leite de vaca; duro; amarelo ou branco	ralado para suflês e massas

Tipo	Algumas características	Consumo
reino (port.)	leite de vaca; duro; sabor picante; casca recoberta com parafina vermelha	sanduíches; ralado para bombocado e queijadinha
requeijão (bras.)	leite de vaca; branco ou amarelado	sanduíches, acompanhamento de doces
ricota (ital.)	leite de vaca; cremoso; branco	sanduíches, saladas, recheios de massas
roquefort (fr.)	leite de ovelha; esbranquiçado; esburacado; casca recoberta de mofo	com pão e vinho, com frutas
saint claire (suíço)	leite de vaca; macio; amarelado; levemente esburacado	*fondue*, gratinados
sainte-maure (fr.)	leite de cabra; em pequenos cilindros; sabor forte e levemente adocicado	com pão e vinho
tilsit (al.)	leite de vaca; macio; amarelado, sabor levemente picante	com pão preto ou torradas, com frutas
valençay (fr.)	leite de cabra; em forma de pequena pirâmide; sabor picante	com pão e vinho, com frutas, em canapés

Bebidas

Tipo	Como beber	Quando beber	Em que copo
cachaça (aguardente de cana-de-açúcar)	pura, gelada ou na temperatura ambiente; em batidas com frutas, gelada; na caipirinha de limão	aperitivo	cálice sem pé
conhaque (destilado de uva)	puro, na temperatura ambiente ou levemente aquecido no contato com as mãos ou com uma pequena chama; deve ser servido em pequenas doses	no final da refeição (digestivo), em tardes ou noites frias (para aquecer)	copo grande com pé, do tipo "balão", isto é, largo embaixo e de boca estreita
brandy (destilado de frutas). Mais conhecidos: calvados, destilado de maçã (fr.); *kirsch*, destilado de cereja (suíço); fundador, destilado de uva (esp.); metaxa, destilado de uva (gr.); *grappa*, destilado de uva (ital.)	puro, na temperatura ambiente ou levemente aquecido com as mãos. Servido em pequenas doses	no final da refeição (digestivo), em dias e noites de muito frio (para aquecer)	pode ser servido tanto no copo do tipo "balão" como em cálices sem pé
gim (destilado de cereais: aveia, centeio, cevada)	puro com gelo ou na temperatura ambiente; em coquetéis como gim *sour* e gim-tônica	não tem relação com nenhuma refeição e nenhuma ocasião determinada; pode ser bebido como aperitivo ou em coquetel, nos fins de tarde e nas festas	quando puro, em cálice sem pé; quando em coquetel, em copo comprido sem pé

Tipo	Como beber	Quando beber	Em que copo
licor (mistura de aguardente ou álcool e frutas em xarope, ou ervas ou especiarias). Mais conhecidos: *amaretto* (amêndoas), anisete (anis), *bénédictine* (27 ervas), *chartreuse* (130 ervas e especiarias), *cointreau* (cascas de laranja verde) e *drambuie* (licor de uísque)	puro, na temperatura ambiente	no final da refeição (digestivo)	cálice pequeno com pé
rum (destilado e fermentado de cana-de-açúcar)	puro, na temperatura ambiente; em coquetéis de frutas, com refrigerantes, sucos de frutas e nos ponches	não há hora nem ocasião determinadas; em geral, nos fins de tarde e nas festas	quando puro, em copo baixo sem pé; quando em coquetéis e ponches, em taças próprias para isso; quando misturado com refrigerantes e sucos de frutas, em copos compridos, sem pé
vodca (destilado de frutas ou de cereais)	pura, bem gelada; em coquetéis e nas batidas	em geral, como aperitivo e como "saideira"	quando pura ou em batidas, em cálice pequeno, sem pé; quando em coquetéis, em taças apropriadas para isso
saquê (fermentado de arroz)	puro, depois de aquecido em banho-maria	em geral, como aperitivo e como "saideira"	em copinhos próprios (os *sakazuki*)
uísque (destilado de cereais, com predomínio da cevada)	puro, na temperatura ambiente; puro, com gelo (*on the rocks*); com água e gelo	em geral, como aperitivo	em copo baixo sem pé

101

Tipo	Como beber	Quando beber	Em que copo
cerveja (fermentado de cevada). Existem as brancas (ou "louras") e as pretas (ou "morenas")	pura, bem gelada	em refeições informais, churrascos, feijoadas, em festas e nos bares, a qualquer hora	copo comprido, sem pé, estreito embaixo e largo na boca; o mais recomendado é o canecão de louça ou de metal (sobretudo estanho), que conserva a cerveja bem gelada; recomenda-se gelar o copo ou o canecão para receber a cerveja 

Ah! sim. Os vinhos

Em muitas culturas, o vinho está ligado a rituais sagrados, como nos ritos gregos de Dioniso, nos ritos romanos de Baco, nos ritos semíticos do deus sacrificado para a fertilidade da terra, no rito cristão da Eucaristia. Bebida que pode levar ao êxtase místico, em algumas religiões seu consumo é proibido, como na religião muçulmana.

Fermentados de uva fresca ou de suco de uva fresca, os vinhos são de variedade quase ilimitada, e, como os queijos, possuem um significado diferente em cada sociedade ou em cada cultura.

Embora os distingamos pela cor (tinto, branco, rosado) ou pelo uso (aperitivo, de mesa) ou pela modalidade (espumante, seco, doce, licoroso), essas diferenças não são suficientes para levar em conta a variedade, pois cada uma dessas distinções pode ser dividida em muitas outras uma vez que os vinhos variam conforme o tipo de uva, a qualidade do solo, o clima, as técnicas de fermentação e de conservação, os componentes acrescentados durante sua preparação.

Isso para não falar na variação de um mesmo tipo de vinho, dependendo da safra.

Na França, as maiores regiões vinícolas são Bordeaux, Borgonha, vale do Loire, Alsácia, vale do Rhône e Champagne. Na Itália, a Toscana, o Piemonte, o Vêneto e o Friuli. Na Espanha,

Priorato, Ribera del Duero e Rioja. Portugal é célebre pelo vinho verde e pelo vinho do Porto. Os vinhos chilenos são também de excelente qualidade e os brancos da Alemanha são muito bons. Dependendo da safra e do tipo, os vinhos brasileiros (do Rio Grande do Sul) são bastante saborosos.

Os especialistas e amantes de vinho sabem degustá-lo. A degustação é feita nas caves e adegas dos fabricantes e segue um ritual próprio em que os degustadores apreciam o vinho pelo sabor, pelo odor e pela cor.

Como este não é um livro de e para especialistas, e sim de informações gerais para facilitar a sua vida, aqui manteremos apenas a distinção tradicional (pela cor, pelo sabor e pela ocasião em que um vinho é bebido).

Tipo	Como beber	Quando beber	Em que copo
Vinho aperitivo Mais conhecidos: xerez, vermute, Porto	puro, na temperatura ambiente	como aperitivo. O xerez doce também pode ser servido com as sobremesas; o Porto também pode ser servido com o café, no final da refeição	cálice com pé; o cálice para o xerez é maior do que para o Porto
Tinto de mesa Mais conhecidos: merlot, chianti, borgonha, bordeaux, madeira, beaujolais, cabernet, verde português, Saint-Émilion	temperatura ambiente (de preferência entre 8 °C e 15 °C)	com carnes escuras ou vermelhas, sopas, partes escuras das aves, massas, queijos e patês	copo com pé, maior do que o cálice
Branco seco de mesa Mais conhecidos: chablis, mosela, reno, borgonha branco, bordeaux branco, verde português, frascatti, riesling	gelado (de preferência entre 8 °C e 10 °C)	com peixes, crustáceos e frutos do mar; com carnes brancas de aves, quando o tempero for suave	copo com pé, maior do que o cálice

Tipo	Como beber	Quando beber	Em que copo
Rosado de mesa Mais conhecidos: bordeaux rosado, borgonha rosado, côtes du Rhône rosado	gelado (de preferência entre 8 °C e 12 °C)	com peixes, crustáceos, frutos do mar, carne branca de aves, vitela; com sobremesas	copo com pé, maior do que o cálice
Vinho de sobremesa Mais conhecidos: marsala, moscatel, madeira, xerez doce	gelado (de preferência entre 8 °C e 15 °C)	com sobremesas, como o nome indica	copo com pé, maior do que o cálice
Espumantes Mais conhecidos: champanhe e os espumantes italianos. O champanhe pode ser seco (*brut*) ou doce	gelado (de preferência entre 7 °C e 10 °C)	com ostras e com sobremesas	tulipa ou taça

Cuidados especiais

- Se você vai estocar os vinhos, guarde-os deitados para que não percam o sabor nem azedem.
- Guarde os vinhos em local não muito iluminado nem muito escuro e sem umidade.
- Os vinhos (com exceção dos de aperitivo e os espumantes) devem ser abertos pelo menos 1 hora antes de serem servidos para que percam a acidez e tenham o buquê mais suave.
- Se você gelou mais vinhos ou mais champanhes do que foi consumido e não os abriu, conserve-os na geladeira e deitados.
- As sobras de vinho devem ser guardadas porque você poderá usá-las para molhos, caldos e caldas, e para vinha-d'alho.

Não esqueça os chás!

Muitos têm birra de chá porque, quando crianças, sempre havia algum adulto para recomendar um chazinho para a criança que não dorme direito, que não come direito, que não acorda direito, que é muito esperta e levada, que é muito quieta. Para tudo tinha um chazinho.

Por causa da nossa birra podemos esquecer que tomar chá não é remédio e sim uma arte. E antiga, envolvendo cerimoniais elaborados, como os do Japão.

Quase toda gente pensa que tudo é chá.

É.

E não é.

Acontece que há vários tipos de chá, dependendo da maneira como são preparados, da ocasião em que são tomados e das ervas com que são feitos.

Como preparar chá

As maneiras mais conhecidas são a tisana e a infusão.

- *Tisana*: ponha água no fogo; quando começar a ferver, coloque ramos da erva (cidreira, mate, erva-doce, camomila, melissa, hortelã, etc.) na água e deixe ferver por 5 minutos. Apague o fogo, tampe a vasilha e deixe o chá descansar por alguns minutos. Depois, é só coar e beber.
- *Infusão*: é a mais conhecida (e também a mais fácil). Ponha água para ferver. Coloque numa vasilha – bule de chá ou diretamente na xícara – a erva seca (ou o saquinho de chá que você comprou) e despeje a água fervente em cima. Deixe descansar por 3 a 5 minutos (o tempo depende de sua preferência por um chá mais fraco ou mais forte). Se você colocou a erva solta, coe; se colocou a água sobre o saquinho, pode tomar logo depois de ter deixado descansar.

Sofisticando a tisana e a infusão

Você pode servir uma tisana ou uma infusão acrescentando, depois de prontas, gotas de limão ou creme de leite líquido.

Se quiser, pode sofisticá-las na hora de preparar: pode colocar um pouco de suco de laranja e um pedaço de canela em pau e um cravo-da-índia na água que vai ferver. Depois que essa mistura ferver, despeje-a sobre a erva seca solta ou sobre o saquinho de chá.

Quando tomar chá

Uma segunda maneira de diferenciar os chás é dada pela ocasião e circunstância em que são tomados.

As ocasiões mais conhecidas são:

- o *chá da manhã* (no lugar do café com leite). Esse chá matinal não é feito com as mesmas ervas que o chá para a tarde. Em geral, você o encontra nas lojas que vendem produtos importados: é o chá inglês para café da manhã – *breakfast tea*. Pode ser tomado puro ou com leite, acompanhado de pão ou torradas, manteiga e geléias, ou com bolachas, ou com *croissant*.
- o *"chá das cinco"* (o famoso *five o'clock tea* dos ingleses, mas que a gente pode tomar entre as 2 e as 6 horas da tarde). Esse chá é diferente do da manhã e dos chás digestivos, que os orientais servem depois das refeições. O chá da tarde é servido, em geral, com bolos, biscoitos ou alguma torta; os ingleses também gostam de tomá-lo com pequenos sanduíches leves, de pão de fôrma. No Brasil, fica muito gostoso com bolinhos fritos. É esse chá que fica delicioso com umas gotas de limão ou com creme de leite. É também muito fino servi-lo com a mistura de suco de laranja, cravo e canela, postos juntos com a água que vai ferver e que será despejada sobre a erva seca solta ou em saquinho.
- o *chá da noite* (aquele que se toma antes de dormir ou, ao receber visitas numa noite fria e chuvosa). Para esse chá, é mais conveniente escolher os de ervas bem aromáticas e os de fruta, e é muito fino colocar no fundo do bule ou no fundo de cada xícara um cravo e um pau de canela. É também esse chá da noite que ganha um toque especial com umas gotas de conhaque ou de rum, colocadas no fundo das xícaras. Pode ser acompanhado de bolos ou de biscoitinhos.

 O segredo da boa infusão é deixar a água ferver bem. É como o café: um bom café exige que a água esteja fervendo antes de ser colocada sobre o pó. Se você comprou saquinhos de chá de frutas, não faça esse tipo de mistura na água que vai ser fervida. Simplesmente, na hora de servir o chá, ponha um pouquinho de conhaque ou de rum no fundo de cada xícara. Fica uma delícia e é muito elegante.

Um chá para ninguém pôr defeito

Chás

INGREDIENTES E MEDIDAS

1 pau de canela
3 cravos
½ xícara de chá de suco de laranja
¼ de xícara de chá de suco de limão
5 colheres de sopa de mel
6 saquinhos de chá de sua preferência
conhaque ou rum a gosto

PREPARO

Ponha todos os ingredientes (menos os saquinhos de chá e o conhaque ou o rum) em 6 xícaras de água; leve ao fogo brando para ferver; quando estiver fervendo, tire do fogo, coe e volte ao fogo para uma última fervura. Coloque os saquinhos de chá num bule e despeje o líquido fervente sobre eles. Adicione o conhaque ou o rum a gosto.
Deixe descansar 3 minutos. Sirva. Que delícia!

Uma arte sábia

Muitas plantas, frutas, ervas e temperos são tradicionalmente conhecidos por seus efeitos benéficos sobre a saúde. Alguns têm seu bom efeito já mesmo como tempero. Outros aumentam seus benefícios se tomados sob a forma de infusão ou tisana. Não faça pouco caso, não. Hoje em dia, há brigas internacionais entre ecologistas e grandes laboratórios (farmacêuticos e de cosméticos) pela apropriação de conhecimentos naturais populares que, agora, são reconhecidos como de muito valor.

Eis algumas informações úteis:

Abóbora — excelente digestivo (por isso se costuma colocar no feijão); as sementes (assadas com sal, à moda árabe) são bom vermífugo.

Agrião — o xarope é muito bom para tosse e bronquite.

Água de coco — diurético; ajuda a baixar a pressão, bom nas dietas contra colesterol alto; vermífugo para crianças (dar em jejum).

Alcachofra — boa contra diarréia, regulador do fígado e da pressão arterial.

Alho — diurético, tônico energético, purifica o sangue; na forma de tisana é bom contra gripe.

Alecrim — diurético, tônico para o coração (infusão ou tisana, além de se usar como tempero).

Alfavaca — alivia tensão, contra má digestão, febre e tosse.

Alfazema — desintoxicante para o fígado, contra dor de cabeça (infusão ou tisana).

Ameixa-preta — colocar três a cinco ameixas-pretas em meio copo d'água, à noite; de manhã, em jejum, tomar a água e comer as ameixas: excelente regulador intestinal.

Arruda — para lavar ferimentos.

Berinjela — recomendada em regimes de emagrecimento (diurético).

Camomila — contra dor de estômago, diarréia, náuseas, cólicas menstruais (infusão ou tisana).

Carqueja — para o bom funcionamento do intestino e contra diarréia (infusão ou tisana).

Canela — estimulante para o sistema respiratório, tônico para todo o organismo (infusão de canela em pau).

Cenoura — muito rica em vitamina A e benéfica para a vista e a pele.

Coriandro — digestivo, estimulante (mastigar alguns grãos).

Chás

Xarope de agrião (para tosse)

Coloque uma panela quase cheia d'água com açúcar para ferver. Quando estiver fervendo, acrescente o agrião com talos e folhas. Deixe ferver em fogo brando pelo tempo necessário para ficar um caldo grosso. Desligar o fogo e deixar descansar com a panela fechada por meia hora. Despeje a mistura passando-a por uma peneira ou um coador para ficar somente o líquido. Acrescente duas colheres de sopa de mel e misture bem. Guarde num vidro. Tome sempre que precisar. Criança gosta muito.

Curcuma	diurético; amassada e misturada com azeite de oliva ou óleo de coco é excelente para amaciar a pele.
Endro	calmante (bom contra insônia), combate cólicas e gases (infusão ou tisana).
Erva-cidreira	calmante, contra dor de estômago e resfriado (infusão ou tisana).
Erva-doce	contra gases, diarréia e cólicas (infusão ou tisana).
Estragão	diurético (infusão), tônico (tempero).
Hortelã	como tempero é digestiva; mastigada um pouquinho, purifica o hálito; em infusão ou tisana é boa contra cólicas intestinais, dor de cabeça e insônia.
Losna	para dores de barriga, cólicas e diarréia (infusão).
Louro	diurético e para problemas digestivos (infusão).
Maracujá	em suco ou em infusão é um calmante de primeira.
Manjericão	contra dor de estômago, dor de garganta e aftas.
Mel	contra tosse, bom substituto para o açúcar, emoliente para a pele (molhar o rosto com água morna; passar uma fina camada de mel; esperar 15 minutos; lavar com água fria).
Melissa	calmante, relaxante (infusão ou tisana).
Poejo	tomar como infusão ou tisana contra insônia, acidez estomacal, dificuldades de respiração (em resfriados e gripes).
Salsa	usar sempre como tempero: digestiva, diurética e tônica. Para tirar olheiras, depois de um dia cansativo, aplicar compressas de água morna com folhas de salsa sobre os olhos.
Sálvia	contra má digestão, mau hálito, catarro e tosse (infusão ou tisana).
Tomate	laxante, antitóxico.
Tomilho	como tempero ou em infusão é bom para as vias respiratórias.

Quando for comprar chás, leia a embalagem. Você verá que são muito diferentes e devem ser servidos em horas diferentes, além de preparados de maneiras diferentes. As embalagens lhe dirão se devem ser tomados de manhã, após as refeições, no lanche ou à noite. As maiores variedades são as dos chás orientais (japoneses, chineses, hindus) e ingleses. Os chás orientais e ingleses são variados porque são servidos em horas e ocasiões diferentes.

3

Não dá pra não fazer

O trivial ligeiro

Um, dois,

Feijão com arroz.

Três, quatro,

Feijão no prato.

Cinco, seis,

Tem molho inglês.

Sete, oito,

Comer biscoito.

Nove, dez,

Comer pastéis.

Jogo infantil brasileiro

— Pois é, eu vi a Aninha fazendo arroz e parecia tão fácil! Fui fazer e ficou uma paçoca! Quer me explicar por quê?

— Nem lhe digo! Sempre comi o feijão que a minha tia Isabel fazia. Uma delícia! Aquele caldo grosso e saboroso. O meu? Uma aguaceira rala. Dá vontade de chorar.

— Mas olha só! Meu pai faz um bife de dar água na boca. Bem corado por fora, suculento por dentro. Quando eu faço, é triste. Os bifes ficam branquelos, duros. Não dá gosto comer.

— Vejam bem. O Marcelo foi outro dia lá em casa e me pegou na cozinha com um arroz grudento na panela e uma carne que ficou muito salgada. Eu não sabia o que fazer. Ele, então, me disse: "Deixa pra lá, Afonso. Eu cuido disso". E daí a pouco, não é que o arroz estava solto e a carne já não estava salgada? O que foi que ele fez? Mágica?

Como fazer um arroz soltinho e um feijão de caldo grosso? Como fritar um bife suculento? Como fritar batatinha bem sequinha? Como fritar um ovo e deixá-lo estrelado? E o cafezinho?

Não há motivo para que o trivial ligeiro de todo dia não seja gostoso e saboroso.

É o que vamos lhe ensinar, pois não dá pra não fazer!

Enfrentando o touro à unha

Muitas vezes você fica sem saber o que fazer porque não sabe como preparar legumes, verduras, carnes, aves, massas. Ou sabe prepará-los de uma única maneira, desconhecendo as variações que podem ser feitas. Até o arroz e o feijão parecem misteriosos ou repetitivos.

Por isso, para facilitar sua vida, aqui vai uma pequena lista do que você pode fazer com os ingredientes básicos do dia-a-dia.

Como posso fazer o arroz?
 Branco simples
 Risoto
 Com temperos especiais
 De forno

Que posso fazer com feijão?
 Feijão simples
 Tutu
 Virado
 Caldo para sopa
 Feijoada (feijão preto)

Que posso fazer com carne bovina?
 Bife
 Carne cozida na panela
 Carne assada no forno
 Carne cozida ou assada desfiada para sanduíche
 Churrasco
 Caldo para sopa

Que posso fazer com carne moída?
 Molho para macarronada
 Recheio de panquecas e pastéis
 Risoto
 Acompanhamento de purê de batatas
 Bolo de carne
 Almôndegas

Que posso fazer com o frango?
 Frango frito ou empanado
 Frango assado
 Frango ensopado
 Recheio de tortas e pastéis
 Frango assado e desfiado para sanduíche
 Saladas e maioneses
 Salpicão
 Risoto

Como posso fazer o peixe?

    Frito ou empanado

    Assado

    Cozido

    Cozido no vapor

    Ensopado

    Desfiado para sanduíche

    Escabeche

    Ingrediente para salada

    Ingrediente para risoto

Como fazer a carne de porco?

    Assada (lombo e pernil)

    Frita (bisteca, lombo)

    Ingrediente de feijoada

    Lingüiça frita

Como posso fazer o ovo?

    Frito estrelado

    Poché

    Cozido

    Omelete

    Gemada

Que posso fazer com a batata?

    Batata frita

    Batata cozida

    Batata ensopada

    Batata assada

    Purê

    Sopa

    Ingrediente de sopa

    Salada

Como posso fazer a mandioca?

    Cozida

    Frita

    Ensopada

    Ingrediente de sopa

Que posso fazer com o tomate?

    Salada

    Tomate assado com recheio

    Sopa

    Ingrediente de sopa

    Ingrediente de molhos

Que posso fazer com o pimentão?

    Salada

    Pimentão recheado

    Complemento de temperos

Como posso fazer o espinafre?

    Salada

    Creme

    Ingrediente de sopa

Como posso fazer a couve-flor?

    Cozida em salada

    Cozida e empanada

    Assada com molho branco

Como posso fazer o milho?

    Cozido em espiga na água

    Assado em espiga

    Salada (em grãos cozidos)

    Creme (em grãos cozidos)

    Ingrediente de risoto

    Ingrediente de tortas

    Sopa

Como posso fazer a ervilha?
   Salada
   Creme
   Cozida no vapor
   Sopa
   Ingrediente de risoto
   Ingrediente de torta

Como fazer os legumes?
   Salada
   Refogados
   Recheados
   Assados
   Cozidos no vapor
   Fritos
   Empanados
   Ingredientes de sopas

Como posso fazer o repolho?
   Salada
   Refogado
   Ingrediente de sopa

Como posso fazer a couve?
   Refogada
   Acompanhamento de feijoada
   Ingrediente de sopa

Como fazer vagem e brócolis?
   Salada
   Cozidos no vapor
   Refogados
   Gratinados
   Ingredientes de sopa

Como posso fazer a cenoura?
   Crua ou cozida em salada
   Ingrediente de sopa
   Purê
   Suflê
   Ingrediente de torta
   Suco ou vitaminas

Como posso fazer a beterraba?
   Crua ou cozida em salada
   Sopa
   Creme
   Vitaminas

Como posso fazer as massas?
   Cozidas com molhos
   Gratinadas
   Sopas
   Saladas

De que posso fazer tortas?
   De frango
   De carne
   De peixe
   De legumes

Atenção! Não é qualquer coisa que combina com qualquer outra!

O fato de a comidinha ser trivial e ligeira, coisa do dia-a-dia, não significa que você pode ir misturando qualquer coisa. Não só a sua refeição pode deixar de ficar balanceada, como ainda pode virar uma mixórdia deselegante.

Por isso saiba que:

Combina

* *com arroz*: feijão, carnes (bovina e suína), peixes, frutos do mar, aves, legumes, verduras, batata, mandioca, ovo, suflês;
* *com feijão*: arroz, carnes (bovina e suína), quase todos os peixes, frango, legumes, verduras, mandioca, batata, ovos, farinha de mandioca, polenta, suflês e purês;
* *com massas*: carnes (bovina e suína), frango, peixe, verduras, legumes;
* *com tortas*: arroz branco, feijão, verduras, legumes;
* *com carnes (bovina e suína), peixes e aves*: arroz, feijão, massas, todas as verduras, todos os legumes, ovos, purês, suflês, milho, ervilha.

Não combina

* *com arroz*: macarronada e massas em geral, maionese de batata ou de legumes, salpicão de galinha;
* *com feijão*: macarronada e massas em geral, maionese de batata ou de legumes, salpicão de galinha, salmão, cordeiro ensopado, truta, escalopes de vitela;
* *com massas*: arroz, feijão, maionese de batata ou de legumes, salpicão de galinha, purês, suflês, milho, tortas, batata, mandioca, polenta;
* *com tortas*: macarronada e massas em geral, purês, suflês, batata, mandioca, polenta, bifes, bisteca de porco;
* *com carne bovina*: frango, peixes, frutos do mar, cordeiro, carne de porco;
* *com frango*: carne bovina, peixes, frutos do mar, cordeiro, carne de porco;
* *com peixe*: carne bovina, carne suína, cordeiro.

Vamos ao que interessa:
o básico nosso de cada dia

Há pratos básicos que você precisa saber preparar porque, além de gostosos, são o suporte das refeições diárias brasileiras. Mais adiante, nós lhe daremos receitas rápidas e sugestões de cardápios, mas aqui vamos ensinar-lhe o preparo do fundamental. Depois que você conhecer a simplicidade desse preparo, será muito fácil seguir receitas e compor cardápios do dia-a-dia.

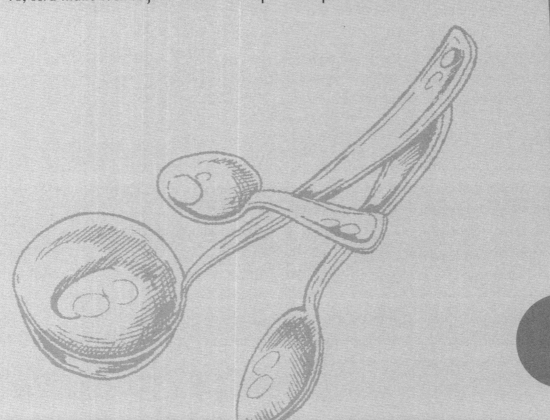

O arroz

Arroz branco simples (o clássico)

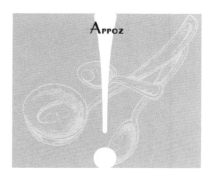

INGREDIENTES E MEDIDAS (2 PORÇÕES)

1 xícara de chá
para cada xícara de arroz, serão necessárias 2 de água
para cada xícara de arroz, será necessária uma cebola pequena ou
meia cebola grande (se for usar cebola já preparada – aquela que vem
em vidros –, use uma colher de sopa bem cheia)

PREPARO

Escolher o arroz. "Escolher" quer dizer: *limpar*, tirando impurezas (como
pedrinhas, cascas, algum grão de milho, feijão, lentilha, ervilha, etc.,
que estiverem misturados com o arroz). Se você comprar o arroz em
caixa ou saquinho fechados, já estará "escolhido".

Lavar o arroz. Para lavá-lo, você deve colocar a água na vasilha onde o
escolheu ou no lavador de arroz. Com a mão dentro da água, vá pegando
punhados de arroz e apertando. Escorra a água. Repita a operação. A
lavagem do arroz é importantíssima para o gosto que ele terá. Você
deve lavá-lo em várias águas, até que a última esteja quase transparente
(você notará que as duas ou três primeiras águas serão esbranquiçadas
e indicam que o arroz ainda não está bem limpo; na terceira ou quarta
água, já haverá transparência e o arroz estará limpo). Escorra bem toda
a água (o arroz ficará molhado, mas não ficará ensopado na água).

Cortar em pedacinhos bem pequenos ou ralar a cebola (se não for a
cebola preparada).

Numa panela, esquentar duas colheres de sopa de óleo. Juntar a cebola
e dourar. Acrescentar o arroz. Mexer até que os grãos fiquem soltos.
Juntar água fervente (lembre-se: para cada xícara de chá de arroz, você

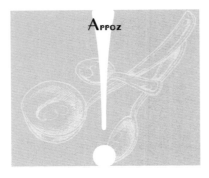

Arroz

deve usar duas xícaras de chá de água fervente). Mexer. Colocar o sal a gosto (prove para ver se está bom de sal). Quando começar a ferver, tampar a panela e abaixar o fogo. Não mexer mais. Esperar secar bem.

TEMPO

Em geral, o arroz leva de 15 a 20 minutos para ficar pronto, se não estiver sendo feito em grande quantidade.

DICAS IMPORTANTES

- depois que você tampou a panela e abaixou o fogo, não mexa mais no arroz, pois, se você ficar mexendo, vai virar papa;
- enquanto você não tiver adquirido experiência, coloque o sal aos poucos e vá provando antes de tampar a panela, pois assim não correrá o risco de salgar demais o arroz;
- enquanto você não tiver adquirido mais experiência, pode acontecer que a água colocada, apesar de a medida estar certa, não seja suficiente. Quando o arroz estiver quase seco, prove um pouquinho. Se ainda estiver duro, acrescente um pouco de água (meia xícara, se ainda estiver muito duro, ou três colheres de sopa de água, se já estiver quase no ponto). Torne a tampar a panela. Espere secar e desligue o fogo;
- muitas vezes, para adiantar as coisas, você pode fazer o arroz bem antes dos outros pratos. Quando estiver pronto, envolva a panela tampada em jornais e amarre com um pano de prato. O arroz permanecerá quentinho até a hora de ser servido.

Arroz de preguiçoso

Há uma maneira mais simples, rápida e fácil de preparar o arroz.

INGREDIENTES E MEDIDAS

Exatamente os mesmos da receita clássica.

PREPARO

A limpeza do arroz deve ser a mesma de antes (escolher, lavar até a água ficar quase transparente).

Numa panela colocar as xícaras de água fria, a cebola picada ou ralada ou preparada, o óleo e deixar ferver. Quando estiver fervendo, acrescentar o arroz e pôr o sal. Tampar a panela, abaixar o fogo e esperar secar.

TEMPO

De 15 a 20 minutos (se não for em grande quantidade).

DICAS

As mesmas da receita clássica.

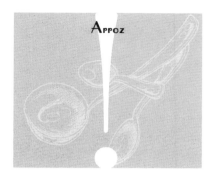

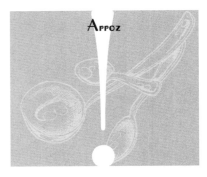

Incrementando o arroz: o risoto básico

INGREDIENTES E MEDIDAS (6 PORÇÕES)

2 xícaras de chá de arroz
1 tablete de caldo de carne
1 cebola média ralada
100 g de carne moída ou de presunto picado ou 1 peito de frango desfiado
2 tomates grandes pelados
sal e pimenta-do-reino a gosto
50 g de cogumelos picados
2 colheres de sopa de manteiga
100 g de queijo ralado
4 xícaras de chá de água

PREPARO

Lavar muito bem o arroz até que a última água saia limpa ou transparente. Numa panela, esquentar a manteiga e dourar a cebola ralada. Acrescentar a água. Quando a água ferver, acrescentar o sal e a pitada de pimenta-do-reino e colocar o caldo de carne e os tomates pelados. Acrescentar nesse caldo a carne moída ou o frango desfiado e cozinhar por 15 minutos. Abaixar o fogo. Juntar o arroz, os cogumelos picados e metade do queijo ralado. Tampar a panela e deixar cozinhar por mais 15 minutos. Depois de 15 minutos, abrir a panela para ver se o arroz está cozido e levemente úmido. Se estiver cozido, mexer bem para misturar os ingredientes. Colocar na travessa em que será servido, cobrir com o restante do queijo e alguns pedacinhos de manteiga. Servir.

COMBINA COM

Salada verde.

DICAS

As mesmas do arroz branco clássico.

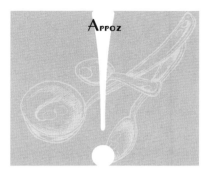

 Se você fizer o risoto com o presunto, este não precisa ser cozido antes (como no caso da carne moída ou do frango). Neste caso, faça assim: numa panela, esquentar a manteiga, dourar a cebola, juntar o arroz e o sal, mexer bem, acrescentar os tomates, mexer bem e acrescentar a água com o caldo de carne. Mexer bem, esperar começar a ferver, baixar o fogo e tampar a panela. Quando o arroz estiver cozido, misturar 1/3 do queijo ralado, mexer bem e acrescentar o presunto, os cogumelos e pedacinhos de manteiga. Colocar na vasilha em que irá à mesa e cobrir com o restante do queijo ralado.

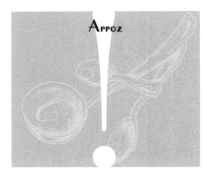

Arroz

Sofisticando o arroz: arroz de forno

INGREDIENTES E MEDIDAS (4 PORÇÕES)

2 xícaras de chá de arroz
1 colher de sopa de manteiga
1 cebola grande ralada
8 azeitonas sem caroço
4 xícaras de chá de água
3 colheres de sopa bem cheias de queijo parmesão ralado
2 gemas de ovo batidas
1 xícara de chá de sobras de carne, frango ou peixe desfiados,
ou presunto picado
2 colheres de sopa de farinha de rosca

PREPARO

Prepare o arroz branco básico, de acordo com a receita que lhe demos anteriormente. Enquanto o arroz cozinha, desfie a carne, o frango ou o peixe, ou pique o presunto. Bata as gemas para misturar bem. Depois de cozido o arroz, coloque-o numa vasilha refratária. Misture bem o arroz com as gemas batidas, as sobras desfiadas ou o presunto picado e a colher de manteiga. Polvilhar com a farinha de rosca e o queijo ralado. Enfeitar com as azeitonas. Levar ao forno para gratinar (por uns 6 a 8 minutos). Servir.

COMBINA COM

Saladas, suflês, purês.

O feijão

Feijão

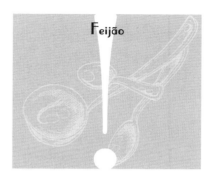

Feijão

INGREDIENTES E MEDIDAS (2 PORÇÕES)

2 xícaras de chá de feijão (o feijão rende menos que o arroz e por isso deve ser cozido em quantidade maior por pessoa; calcule sempre o dobro da quantidade do arroz)

4 xícaras de chá de água (calcule sempre assim: a quantidade de água deve ser o dobro da de feijão)

2 dentes grandes de alho amassado (ou duas colheres de chá, se for o alho preparado em vidro)

meia cebola pequena picada ou ralada (ou uma colher de sopa cheia, se for a cebola já preparada em vidro)

5 colheres de sopa de óleo

PREPARO

Escolher o feijão (lembre-se: "escolher" quer dizer *limpar* as impurezas). Lavar em pelo menos três águas. Escorrer a água.

Colocar numa panela a água e o feijão. Tampar a panela e deixar cozinhar.

Depois que estiver cozido, temperar. É muito importante só temperar o feijão depois de cozido.

PARA TEMPERAR

Numa frigideira ou numa panelinha, esquente o óleo, frite a cebola e o alho. Mexa para dourar. Despeje esse tempero na panela de feijão. Com uma concha, mexa a mistura e amasse um pouco o feijão, pois é isso que irá engrossar o caldo. Volte a mexer. Coloque o sal a gosto. Abaixe o fogo e deixe ferver até o caldo ficar grosso. Apague o fogo e pode servir.

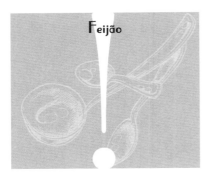

Feijão

DICAS IMPORTANTES

- Como o feijão é muito mais demorado do que o arroz, come-ce a fazer este último quando o feijão estiver quase cozido, pois assim quando um estiver pronto o outro também estará e você poderá servi-los quentinhos, saindo diretamente da panela para a mesa.

- A panela de pressão é traiçoeira. Por isso, depois de uns 20 minutos de pressão, retire a panela do fogo, coloque-a sob a torneira de água fria, espere a pressão acabar e abra. Se o feijão estiver amolecido e houver água acima dele, feche a panela e deixe cozinhar mais 20 minutos. Se, entretanto, o feijão ainda estiver muito duro, coloque mais uma xícara de água e volte para a pressão por mais 30 minutos. Se ele estiver duro, mas com bastante água, não coloque mais água; apenas feche a panela e volte para o fogo.

- O segredo do feijão está no tempero: se você o temperar enquanto ainda não estiver bem cozido, ele vai continuar duro e não vai pegar o gosto. Por isso, não coloque o sal no início do cozimento, mas na hora em que for colocar o alho e a cebola, que devem ser acrescentados somente depois do feijão cozido.

- O caldo grosso do feijão depende de duas coisas: de temperá-lo somente depois de cozido e de amassá-lo com a concha na hora em que despejar o tempero.

- Se, depois de temperar e deixar fever, o feijão ainda estiver com o caldo ralo, destampe a panela, amasse um pouco e dei-xe ferver mais alguns minutos com a panela destampada.

AQUELE TOQUE ESPECIAL

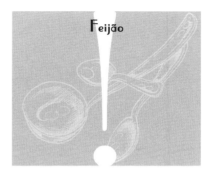

Feijão

Você pode dar um toque especial no feijão, colocando nele algumas delícias.

Por exemplo, quando ele estiver quase cozido, coloque alguns pedaços de abóbora. A abóbora vai cozinhar e desmanchar-se parcialmente, dando-lhe cor e engrossando o caldo. Também pode colocar pedaços de lingüiça. Lembre-se, porém, de que se colocar a lingüiça ela já terá sal e por isso você deve ir colocando o sal aos poucos e provando. Muitos gostam de pedacinhos de *bacon*, dourados juntamente com o tempero de alho e cebola.

Para dar esses toques no feijão, espere ter mais experiência. Depois de ter feito feijão algumas vezes, tente incrementá-lo.

Quando você aumentar a quantidade de feijão e de água, lembre-se de aumentar também a quantidade de alho e cebola!

Se você for fazer o feijão numa panela comum, deve deixá-lo de molho pelo menos por umas 2 horas antes de cozinhá-lo, para que amoleça e cozinhe mais depressa. Numa panela comum, ele levará por volta de 2 horas para cozinhar. Se você for cozinhá-lo na panela de pressão (que é mais prática e rápida), não precisa deixá-lo de molho e ele levará por volta de 45 a 50 minutos para cozinhar.

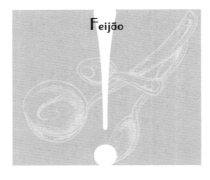

Feijão

Aproveitando as sobras de feijão: um bom virado

Quase sempre, o virado é o aproveitamento de sobra de feijão cozido que não foi ainda temperado.

INGREDIENTES E MEDIDAS (4 PORÇÕES)

2 xícaras de chá de feijão cozido
100 g de lingüiça de porco picada e sem a tripa
sal a gosto
1 cebola pequena ralada
1 colher de sopa de óleo
2 dentes de alho amassados
100 g de *bacon* picado
1 xícara de chá de farinha de mandioca

PREPARO

Numa panela fritar no óleo o *bacon* picado e os pedaços de lingüiça. Fritar bem para que a lingüiça não fique crua. Acrescentar a cebola ralada e os dentes de alho amassados. Mexer bem. Colocar o feijão e mexer bem. Se o feijão estiver muito seco, acrescentar 1 xícara e meia de chá de água. Ferver. Antes de colocar o sal, provar, pois o *bacon* e a lingüiça já são salgados. Quando estiver fervendo, abaixar o fogo e ir despejando, vagarosamente, a farinha de mandioca, mexendo sempre para não empelotar. Não coloque muita farinha de mandioca. Quando perceber que já está como uma farofa úmida, não coloque mais farinha.

COMBINA COM

Arroz branco, carne bovina assada ou de panela, lombo ou bisteca de porco.

O bife

Como fritar um bife dourado e suculento

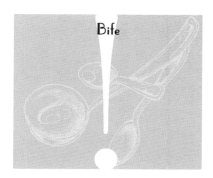

Bife

Fritar um bife é uma arte e poucos são capazes de fazê-lo. No entanto, nada mais fácil do que isso.

As carnes boas para bifes são alcatre, contra-filé e filé *mignon*.

Para que o bife seja sempre bem mole, deve ser cortado na direção da fibra da carne. Peça ao açougueiro que corte assim os seus bifes. Se for comprar já cortado, no supermercado, preste atenção para ter certeza de que foi bem cortado.

Para que o gosto do bife seja bom, peça ao açougueiro que tire as peles e os nervos (ou faça isso em casa, se comprar um pacote já preparado). Mesmo que você não goste da gordura no bife, no caso do contra-filé e do alcatre você deve fritar o bife com a gordura e retirá-la no momento de servir, pois essa gordura é importante para o sabor desses dois tipos de carne.

Ainda que você aprecie bife bem temperado, não o tempere antes de fritar e sim depois de frito porque o tempero, se colocado antes de fritar, vai endurecê-lo. Deixe para colocar alho, cebola, suco de limão, molho inglês, mostarda (enfim, temperos de seu agrado) depois que estiver frito.

Se você gosta de bife malpassado, ele deverá ter mais ou menos 2,5 cm de espessura e você pode fritá-lo em 2 minutos. Se você prefere o bife ao ponto, ele deverá ter a espessura de mais ou menos 1,5 a 2 cm para ser frito em 2 minutos; se, porém, ele tiver

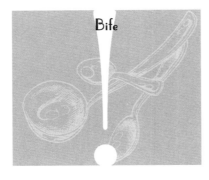
Bife

mais espessura, deve fritá-lo em 3 minutos. Se você gosta de bife bem-passado, ele deverá ter a espessura de mais ou menos 1 cm para ser frito em 2 minutos; se, porém, for mais espesso, deverá fritá-lo em 3,5 ou até 4 minutos. Embora o tempo de fritura varie, o modo de fritar deve ser o mesmo em todos os casos.

O segredo do bom bife está no fritar. E o segredo de fritar bifes está em fritá-los um a um, com pouco óleo (quase nada) bem quente, e virando-os dos dois lados sem interrupção. Se você deixar o bife parado na frigideira, ele vai soltar água e endurecer, mas se você o mexer e virar sempre, o suco ficará nele e a carne ficará dourada.

Veja com atenção o que fazer e o que não fazer ao fritar bifes.

O que não fazer

- Colocar muito óleo para fritar o bife (vai nadar no óleo e não vai fritar).
- Colocar o bife no óleo frio ou morno (o bife vai soltar água e vai cozinhar em vez de fritar).
- Colocar vários bifes para fritar ao mesmo tempo (vão soltar água, endurecer e cozinhar).

O que fazer

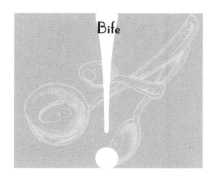

Bife

- Em fogo alto, esquente numa frigideira uma colher de sopa de óleo ou de manteiga. No óleo ou manteiga bem quente coloque o bife bem estendido e, com o garfo, faça-o passar por toda a frigideira, deixando-o dourar. Depois que ele dourar de um lado, vire-o e repita a operação do outro lado. Agora que ele está dourado, coloque o sal (e pimenta-do-reino se for de seu agrado) e vire-o do outro lado. Coloque sal (e pimenta-do-reino, se quiser) nesse outro lado. Passe cada lado por toda a frigideira e pronto. Em geral, um bife leva 2 minutos para ser frito.

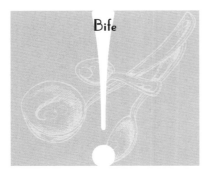

Bife

Sofisticando o bife: dois molhos muito simples

Mostarda e creme de leite

Antes de fritar os bifes, misture bem numa vasilha à parte ½ copo de água, 4 colheres de sopa de creme de leite, uma colher de sopa de mostarda, sal, pimenta-do-reino e orégano. Frite os bifes. Ao terminar a fritura dos bifes, aproveite a gordura da frigideira, despejando nela a mistura que você preparou antes. Deixe dar uma fervida e despeje sobre os bifes. Sirva.

COMBINA COM

Como o bife tem um molho bem temperado, pode ser acompanhado apenas de uma salada, um arroz, um purê de batatas, um suflê ou legumes no vapor.

Sobra de vinho mais hortelã ou salsinha

Antes de fritar os bifes, pique bem miudinhos alguns talos de hortelã ou de salsinha e misture-os com ½ copo de uma sobra de vinho (pode ser tinto ou branco seco), sal e pimenta-do-reino ou páprica. Frite os bifes. Ao terminar a fritura, esquente uma colher de sopa de manteiga na frigideira onde os bifes foram fritos e nela despeje a mistura do molho. Espere dar uma fervura e derrame sobre os bifes. Sirva.

COMBINA COM

Os mesmos pratos da receita anterior.

A batata

Batatinha frita

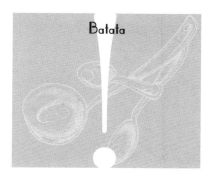

Batata

Descascar as batatas. Cortar em rodelas finas ou de comprido, como um palito.

Numa frigideira funda, colocar grande quantidade de óleo. O óleo deve ser em quantidade suficiente para cobrir as batatas, que devem ficar imersas nele. Esperar esquentar bem. Colocar as batatas, tendo o cuidado de não as mexer demais na frigideira. Mexer apenas no início, para que fiquem separadas umas das outras em vez de coladas umas nas outras. Deixar fritar sem mexer. Quando começarem a dourar, aí sim, mexa, virando-as para que fiquem douradas por igual. Retirar com uma escumadeira. Colocar num prato ou travessa com papel-toalha até eliminar toda a gordura. Colocar sal a gosto e servir.

Veja, agora, os segredos para fritar a batatinha.

Se você descascou e cortou as batatas algum tempo antes de fritar, deixe-as mergulhadas na água fria com um pouco de sal porque assim não escurecerão. No momento de fritar, escorra bem a água e enxugue as batatas num pano bem seco. Lembre-se, quando já fritas, de provar para saber quanto sal ainda deve ser colocado.

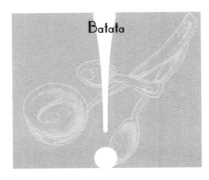

Batata

A ARTE SECRETA DA BATATA FRITA

O segredo da batata frita está na quantidade de óleo: com pouco óleo, as batatas vão grudar na frigideira e vão queimar antes de fritar. A temperatura do óleo é igualmente importante – deve estar bem quente, pois se o óleo estiver frio ou apenas morno, a batata vai amolecer, soltar água e cozinhar em vez de fritar.

Outro segredo está em não ficar mexendo nas batatas na frigideira. Exatamente ao contrário do bife, que deve ser virado de um lado para o outro o tempo todo, a batata deve ficar quietinha e só se deve mexer nela na fase final, quando deve ser dourada de todos os lados.

Essas recomendações também valem para as batatas congeladas, pois o procedimento para fritá-las é exatamente o mesmo usado para a batatinha não congelada.

O purê de batatas básico

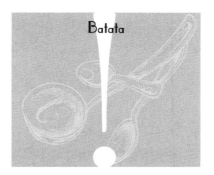

Batata

INGREDIENTES E MEDIDAS (2 PORÇÕES)

2 batatas grandes (ou 4 batatas médias)
2 colheres de sopa de leite
1 ½ colher de sopa de manteiga
sal a gosto

PREPARO

Colocar uma panela com água para ferver. Enquanto a água ferve, descascar as batatas e cortar cada uma delas em 4 pedaços. Colocar as batatas na água fervente e esperar cozinhar bem (de 15 a 20 minutos), espetando com um garfo para ver se já estão cozidas. Depois de cozidas, escorrer a água, deixando as batatas na panela onde cozinharam. Amassar as batatas com o amassador até desmancharem inteiramente e não deixar pedaços, obtendo uma massa homogênea. Acrescentar a manteiga, o leite e o sal. Misturar bem. Voltar ao fogo (brando) mexendo sempre. Quando começar a fazer bolhas ou a saltar, desligar o fogo (leva uns 3 ou 4 minutos apenas). Servir.

COMBINA COM

Todas as carnes, aves e peixes.

DICAS

- Se quiser que o purê fique bem macio, pode aumentar a quantidade de manteiga ou colocar também 1 ou 2 colheres de creme de leite. Nesse caso, não coloque leite, só a manteiga e o creme de leite.

- No purê só com manteiga e leite, evite colocar muito leite porque isso amolece a pasta e deixa o purê grudento.

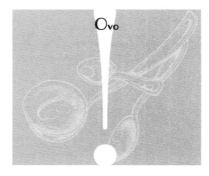
Ovo

O ovo

O ovo frito estrelado

O ovo frito estrelado é preparado assim: numa frigideira, colocar uma xícara de chá de óleo e esquentar bem. Numa xícara à parte, quebrar cuidadosamente um ovo de modo que a gema e a clara não se misturem, isto é, sem que a gema se esparrame pela clara. Quando o óleo estiver quente, despejar com cuidado o ovo, de modo que a clara vá primeiro e a gema vá por último. Salpicar de sal e com uma escumadeira ir jogando o óleo quente sobre o ovo, especialmente sobre a gema. A clara irá ficando branca e leitosa, com as bordas rendadas, e a gema ficará com uma fina e leve película mais durinha. Retire imediatamente do fogo, se quiser que a gema fique mole. Espere alguns segundos, se quiser a gema mais dura.

O tempo para fritar um ovo é de, no máximo, 40 segundos, para a gema mole, e de 50 segundos, para a gema dura.

A frigideira deve ser maior do que o espaço que o ovo vai ocupar porque você precisa ter espaço para colocar a escumadeira para jogar o óleo sobre o ovo, senão o óleo ficará escondido sob ele.

Não esqueça que o ovo não deve estar gelado pois, se estiver, irá não só esparramar-se pela frigideira, como irá grudar e levará mais tempo para fritar. Por isso, tire-o da geladeira pelo menos meia hora ou 40 minutos antes de fritá-lo.

A omelete básica

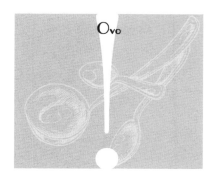

Ovo

INGREDIENTES E MEDIDAS (3 PORÇÕES)

4 ovos
1 colher de sopa de óleo (ou de manteiga)
sal e pimenta-do-reino a gosto
½ cebola picadinha

PREPARO

Numa tigela, quebrar os ovos e batê-los com o batedor até ficar uma mistura espumante e clara. Colocar o sal e a pimenta-do-reino e mexer para misturar bem, dando mais uma batida. Numa frigideira, colocar o óleo ou a manteiga (conforme sua preferência) para esquentar. Quando estiver quente, despejar vagarosamente os ovos. Esperar alguns segundos até o fundo fritar. Sobre o centro ainda mole, acrescentar a cebola picadinha. Com uma espátula ou uma escumadeira, começar a enrolar ou dobrar a omelete.

Para *enrolar* ou *dobrar*, fazer assim: colocar a espátula ou a escumadeira entre o fundo da frigideira e a parte de baixo da omelete e dobrar metade dela sobre a outra. Está pronta.

Para a omelete ficar úmida: a omelete bem úmida é chamada pelos franceses (inventores da omelete) de *omelette baveuse* (diga "bavêse"). A omelete fica úmida ou *baveuse*, se você colocar duas colheres de sopa de água no momento de bater os ovos e se, na hora de enrolá-la ou dobrá-la, o centro estiver bem mole ou quase cru. O segredo da omelete *baveuse* está no seguinte: para que o centro fique mole e quase cru, você deve despejar os ovos na manteiga ou no óleo bem quentes, pois isso faz com que a parte de fora frite bem depressa, antes que o centro endureça.

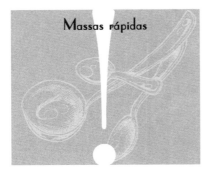

Massas rápidas

A macarronada, o ravióli, o capelete e o nhoque

Você pode fazer uma macarronada simples e rápida com massa seca ou fresca e de qualquer formato (talharim, espaguete, gravatinha, *fusilli*, *fettuccine*, etc.) ou preparar rapidamente ravióli, capelete ou nhoque. A diferença entre a massa seca e a fresca estará no tempo necessário para o cozimento: as secas levam mais tempo do que as frescas para cozinhar. No restante, o preparo é igual para qualquer delas.

INGREDIENTES E MEDIDAS (3 A 4 PORÇÕES)

500 g de massa
2 colheres de sobremesa de sal
4 litros de água
1 colher de sopa de óleo

PREPARO

Numa panela funda ou num caldeirão coloque 4 litros de água para ferver e acrescente o sal. Quando a água estiver fervendo, coloque uma colher de sopa de óleo (porque ajuda a manter a massa soltinha) e, em seguida, mergulhe a massa. Com um garfo longo, mexa a massa para deixá-la bem separada. Depois disso, não mexa mais. Deixe cozinhar.

Para saber se está no ponto, veja no capítulo anterior o tempo médio de cozimento das diferentes massas. Mesmo sabendo o tempo médio de cozimento, você deve provar um fio ou um pedaço, pois não há regra sobre isso: há pessoas que gostam da massa *al dente*, mas há pessoas que gostam dela mais mole. Você deve decidir quando tirar do fogo. A massa está boa quando, ao prová-la, não tem gosto de massa crua, ou quando, ao pressioná-la com os dedos, ela está macia e firme, isto é, nem dura nem muito mole. No caso do ravióli, do capelete e do nhoque, fica mais fácil saber o ponto porque à medida que a massa vai cozinhando os pedaços vão subindo para a superfície e você pode tirá-los com uma escumadeira, ou esperar que todos tenham subido e escorrê-los como na macarronada.

Ao tirar do fogo, escorra a água no escorredor de macarrão e volte a massa para a panela ou caldeirão para então acrescentar o molho, que foi preparado à parte enquanto a massa estava cozinhando. Sirva bem quente, fumegante mesmo.

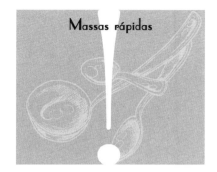

Massas rápidas

Molhos básicos para as massas: prepará-los enquanto a massa cozinha

Molho somente com tomates (al sugo)

INGREDIENTES E MEDIDAS (3 A 4 PORÇÕES)

1 lata (ou 1 caixinha) de tomates pelados
2 dentes de alho amassados
2 colheres de sopa de óleo
sal, pimenta-do-reino, orégano e manjericão a gosto
½ cebola ralada
catchup

Se quiser suavizar o gosto meio ácido do tomate, você pode colocar uma colherzinha de café de açúcar. Também pode colocar uma colher de sopa de creme de leite.

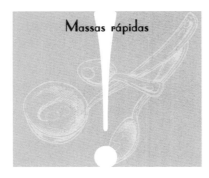

Massas rápidas

PREPARO

Numa panela, coloque o óleo para esquentar. Quando estiver quente, doure a cebola e o alho. Acrescente os tomates pelados, o *catchup*, o sal, a pimenta-do-reino, o orégano e o manjericão. Deixe ferver em fogo alto, mexendo sempre. Quando ferver, abaixe o fogo, tampe a panela e deixe cozinhar por 5 a 7 minutos, mexendo de vez em quando.

UMA OPÇÃO

Como no molho bolonhês, pode-se acrescentar pedacinhos de bacon e 1 talo de salsão picado.

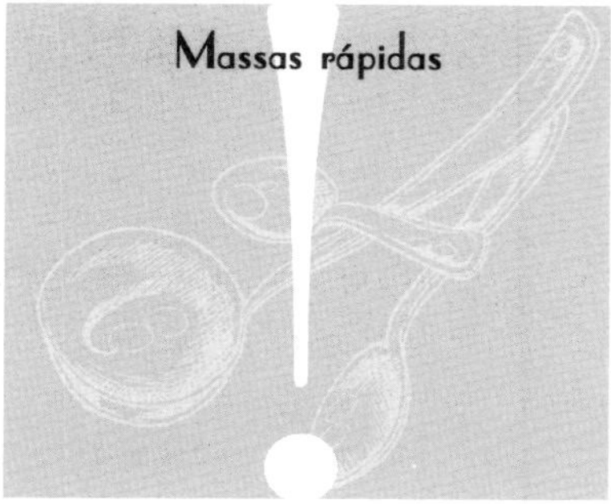

Molho com carne moída ou desfiada

Ingredientes e medidas (3 a 4 porções)

½ kg de carne moída (ou de sobra de carne de panela desfiada)
3 colheres de sopa de óleo
1 tablete de caldo de carne
½ lata (ou caixinha) de tomates pelados
½ cebola ralada
2 dentes de alho amassados
orégano, sal e pimenta-do-reino a gosto

Preparo

Tempere a carne com a cebola, o alho, o orégano, o sal e a pimenta-do-reino. Numa panela, coloque o óleo para esquentar. Quando estiver quente, despeje a carne e mexa bem para dar uma boa fritada. Acrescente o tablete de caldo de carne e os tomates pelados. Deixe ferver em fogo alto. Quando ferver, abaixe o fogo, tampe a panela e deixe cozinhar de 7 a 10 minutos, mexendo de vez em quando.

Lembrete

Cuidado com o sal, pois o caldo de carne também está temperado. Por isso, ao temperar a carne não coloque muito sal. Se você estiver fazendo o molho com sobras de carne de panela, não coloque sal nem pimenta-do-reino, pois a carne já estava temperada.

Se quiser, pode colocar uma colher de sopa de *catchup* e 1 colher de sopa de creme de leite, pois deixarão o molho mais suave e delicado.

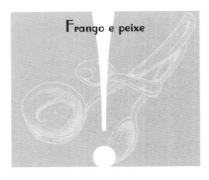

Frango e peixe

Frango e peixe

O filé de frango

O filé de frango é o peito de frango desossado e cortado em fatias finas (você já compra fatiado na feira e no supermercado). A medida dependerá do quanto se goste desse prato.

Filé frito

INGREDIENTES

filés de frango (1 para cada pessoa)
óleo
sal e pimenta-do-reino a gosto
cebola ralada e alho amassado (opcionais)

PREPARO

Lave bem os filés e escorra toda a água. Tempere com sal e pimenta-do-reino e, se quiser, pode esfregar um pouco de cebola ralada e de alho amassado nos dois lados de cada filé. Numa panela ou numa frigideira funda, coloque óleo em quantidade que cubra os filés. Esquente bem o óleo e coloque os filés, dando uma virada nos dois lados. Abaixe o fogo e vá fritando devagar. Leva de 7 a 10 minutos, dependendo da espessura dos filés. Para retirar do fogo, use um garfo grande: espete cada filé, deixe todo o óleo escorrer e coloque numa vasilha com papel-toalha, que será retirado no momento de servir.

VARIAÇÃO

Você pode passar os filés na farinha de trigo, deixando-os com uma camada grossa do pó. Nesse caso, depois de fritos, os filés ficarão com uma crosta pururuca. Para retirar do fogo, siga o procedimento anterior.

Filé de frango grelhado na frigideira

Depois de lavar e temperar os filés, que, dessa vez, não deverão ser temperados com a cebola e o alho nem passados na farinha de trigo (pois farinha, alho e cebola farão os filés queimar, em vez de grelhar), esquente uma frigideira com quase nada de óleo (só para untar a frigideira) e coloque os filés, virando-os de vez em quando. Comece com fogo brando e, depois de 5 minutos, quando estiverem quase cozidos, aumente o fogo, virando-os por mais 5 minutos.

Se o seu fogão é daqueles que possui uma grelha no forno, então, grelhe os filés de frango e os de peixe no forno, pois ficarão mais saborosos e mais sequinhos. E você só terá que virá-los uma vez.

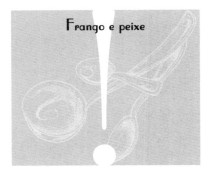

Frango e peixe

O filé de peixe

Peixe frito

O procedimento é igualzinho ao do filé de frango: 1 filé para cada pessoa, lavar bem os filés, escorrer a água, temperar com sal e pimenta-do-reino (e com cebola e alho, se quiser). Fritar em bastante óleo bem quente. Depois de frito o filé, escorrer todo óleo e passar pelo papel-toalha. Diferentemente do frango, o filé de peixe frita rapidamente, sendo necessário no máximo 3 minutos para cada filé.

CUIDADO ESPECIAL

Como no caso do filé de frango frito, aqui também é opcional passar os filés na farinha de trigo. No entanto, recomendamos que você o faça porque o filé de peixe é muito delicado e costuma quebrar e esfarelar enquanto está fritando. A farinha de trigo o deixa mais firme para a fritura. Mesmo assim, ao fritar use uma escumadeira e um garfo grande para virar os filés e retirá-los da frigideira, pois, desse modo, não irá quebrá-los.

Filé de peixe grelhado na frigideira

Para grelhar na frigideira, o procedimento também é igual ao do filé de frango, isto é, você deverá colocar um mínimo de óleo, o suficiente para untar a frigideira e o filé não grudar. Vire-o com a escumadeira e o garfo grande. Cada filé levará, no máximo, 3 minutos. Não passe farinha de trigo.

Empanando os filés

Frango e peixe

Para empanar o filé de peixe ou o de frango faça assim:

- quebre um ovo numa vasilha funda e mexa para misturar a gema e a clara;
- acrescente ½ copo de leite e misture bem;
- coloque farinha de trigo numa vasilha rasa;
- tempere os filés;
- passe-os pela mistura de ovo e leite e, a seguir, pela farinha de trigo, virando dos dois lados;
- frite.

Se você estiver preparando muitos filés, pode precisar de 2 ovos (em vez de 1) e de 1 copo de leite (em vez de ½). Você verá isso na hora.

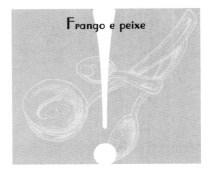

Frango e peixe

Postas de peixe ensopadas

INGREDIENTES E MEDIDAS (4 PORÇÕES)

4 postas de peixe (cação é muito bom para isso)
½ caixinha (ou lata) de tomates pelados
1 cebola média ralada
1 dente de alho amassado
sal, pimenta-do-reino e orégano a gosto
2 colheres de sopa de *catchup*
1 colher de creme de leite (opcional)
4 colheres de sopa de óleo

PREPARO

Lavar em água corrente as postas de peixe e temperá-las com sal, pimenta-do-reino e orégano. Numa panela, colocar o óleo. Quando estiver quente, dourar a cebola e o alho e refogar as postas de peixe. Acrescentar os tomates, o *catchup* e ½ copo de água. Tampar a panela e deixar cozinhar em fogo alto por 20 minutos ou meia hora. Se quiser, antes de servir acrescente o creme de leite, dando uma mexida e sem voltar a ferver.

COMBINA COM

Arroz branco, purê de batatas, creme de milho verde.

Tempero para saladas

As medidas para o preparo do tempero de salada dependem da quantidade de legumes e verduras que serão temperados. Você pode preparar o tempero em quantidade suficiente para ser usado no decorrer da semana. Deixe-o preparado, guardado na geladeira numa vasilha bem fechada e vá usando à medida que for servindo suas refeições.

O *tempero básico* e mais simples é aquele no qual se misturam azeite de oliva, vinagre ou sumo de limão, sal e pimenta-do-reino a gosto.

VARIAÇÕES SOBRE O TEMPERO BÁSICO

Sobre esse tempero básico você pode fazer variações, acrescentando:

* cebola ralada ou picadinha;
* orégano;
* cheiro-verde;
* mostarda em pasta;
* maionese pronta;
* manjericão;
* ou uma mistura desses ingredientes. Por exemplo, pode combinar cheiro-verde, cebola ralada e orégano; cebola picada e mostarda; cebola ralada, cheiro-verde e maionese; cheiro-verde, orégano e mostarda; cheiro-verde e manjericão. E assim por diante.

UM TOQUE ESPECIAL

Você também pode colocar o sumo de uma laranja no lugar do vinagre ou do limão ou juntamente com um deles.

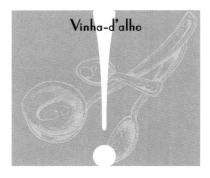

Vinha-d'alho

Vinha-d'alho

Como lhe explicamos no Capítulo 1, a vinha-d'alho (ou marinada) é o tempero no qual carnes, aves e peixes serão marinados antes de cozinhar ou assar. Dependendo da carne e do tempo disponível, o melhor é que fique na vinha-d'alho por várias horas, para "pegar gosto".

INGREDIENTES E MEDIDAS

Para cada kg de carne ou de aves ou de peixe:
1 cebola grande ralada
3 dentes grandes de alho amassado
2 folhas de louro
1 colher de café de orégano
1 pitada de noz-moscada (opcional)
4 colheres de sopa de sumo de limão
1 colher de sopa de vinagre (opcional; use se quiser um gosto mais ácido)
½ copo de vinho tinto ou branco (opcional; se tiver uma sobra de alguma garrafa já aberta)
½ maço de cheiro-verde picadinho
1 ramo de hortelã picadinho (opcional)
sal e pimenta-do-reino a gosto

PREPARO

Numa vasilha funda misturar todos os ingredientes. Mergulhar a carne, a ave ou o peixe e deixar por algumas horas. Se for um pedaço largo e espesso de carne ou de ave, ou uma ave inteira ou um peixe inteiro, fure-os com um garfo grande e esfregue o tempero neles. No momento de assar ou de cozinhar, retire o excesso do tempero e reserve a vinha-d'alho, acrescentando 1 copo de água. Depois de colocar a carne, ave ou peixe na panela ou na assadeira, despeje sobre eles a vinha-d'alho e leve ao fogo ou ao forno.

No momento de acrescentar a vinha-d'alho para cozer ou assar a carne, a ave ou o peixe, você pode passá-la por uma peneira ou coador, usando apenas o líquido temperado.

Molho branco

Molho branco

O molho branco é ideal para servir sobre legumes cozidos no vapor, dar um toque especial nos filés de frango e peixe fritos ou grelhados, ou mesmo para as massas.

INGREDIENTES E MEDIDAS

3 colheres de sopa de manteiga
2 colheres de sopa de farinha de trigo
2 xícaras de chá de leite (ou 1 xícara de chá de leite e 1 xícara de caldo de carne ou de caldo de galinha)
sal e pimenta-do-reino a gosto

PREPARO

Desmanche a farinha no leite até a mistura ficar bem lisa e sem grumos. Numa panela, aqueça a manteiga e despeje os outros ingredientes, mexendo sempre para não encaroçar. Deixe ferver. Quando começar a engrossar e a borbulhar, está pronto.

Pode cobrir legumes no vapor e bifes com o molho, na hora de servir. Se for servi-lo com uma massa, despeje nele ainda quente um pouco de queijo ralado e vire sobre a massa pronta.

INCREMENTANDO O MOLHO BRANCO

Você pode incrementar o molho branco, acrescentando nele já pronto, uma colher de sopa de hortelã picadinha ou de salsinha picadinha.

Segredos do bolo

Toda massa de bolo é delicada e pede certos cuidados para ficar macia e não endurecer ao sair do forno. Mesmo que você compre a massa semipronta, isto é, o pó já preparado, há uma parte que depende de você, pois o preparo final é seu.

Os principais cuidados devem ser:

BATENDO O BOLO

1. Bater muito bem a massa.
2. Colocar bastante manteiga.
3. Ter o fermento sempre novo, pois o fermento velho impede que o bolo cresça.

ASSANDO O BOLO

1. Untar muito bem a fôrma ou assadeira para que a massa não grude.
2. Ao assar, não retirar o bolo do forno para ver se está assado, mas mantê-lo no interior do forno.
3. Não abrir muitas vezes a porta do forno nem abri-la completamente para verificar o ponto do bolo, pois o ar frio faz o bolo baixar e embatumar.
4. Para ver se o bolo está assado, proceder assim: pegar um palito e enfiar na massa, de preferência na parte central do bolo; se o palito sair lambuzado de massa, o bolo ainda está cru; se sair limpo ou com alguns fiapinhos de massa assada, o bolo está pronto.
5. Depois do bolo assado, não retirá-lo imediatamente do forno, mas desligar o fogo e esperar alguns minutos.

6. Evitar que o bolo receba uma corrente de ar frio ao sair do forno, pois isso também o faz baixar e endurecer.

7. Esperar esfriar para retirar da fôrma ou da assadeira.

Segredos do bolo

DICA

Para o bolo não grudar na assadeira (sobretudo quando for um bolo assado numa assadeira retangular ou quadrada grande), untar a assadeira, colocar uma folha de papel-manteiga, untar a folha de papel e despejar o bolo sobre ela. No momento de retirar o bolo, basta levantar as bordas do papel e transferir o bolo para o prato em que será servido ou em que será recheado. Dessa maneira, o bolo não gruda e não quebra ao sair da assadeira.

Ao comprar massas semiprontas, não siga simplesmente as instruções da embalagem, mas lembre-se de acrescentar mais manteiga ou margarina e de colocar um pouco mais de fermento em pó. Se for um bolo de chocolate, acrescente mais uma colher de sopa de chocolate em pó. Se for um bolo de coco, acrescente meio vidro de leite de coco. E assim por diante.

Facilitando as coisas para descomplicar o cotidiano

- Certos pratos, como o arroz e o feijão, os assados, a maionese, a salada mista, a torta de frango ou de legumes, os ovos cozidos podem ser conservados por mais de um dia (e, se você costuma usar o *freezer*, poderão durar muito mais, é claro). Por isso, no fim de semana ou na segunda-feira, você pode preparar uma quantidade grande, guardar na geladeira e ir usando durante a semana.
- Não esqueça que o feijão e as saladas devem ser guardados sem tempero e ser temperados na hora de preparar a refeição.
- Também facilita sua vida deixar prontos (ou comprar prontos), em vidros bem fechados, a cebola ralada e o alho amassado. Você pode deixá-los preparados no fim de semana. Também ajuda comprar temperos prontos e deixar para fazer seus próprios temperos para algum prato especial ou quando você tiver mais tempo para ficar na cozinha.
- Certos legumes e verduras (repolho, couve, cenoura, vagem, beterraba) você já encontra cortadinhos e em pacotes. Se você não tiver tempo para cortá-los no momento do preparo da refeição, compre os pacotes na feira ou no supermercado e guarde na geladeira. Também pode comprar a ervilha fresca já debulhada, a mandioca já descascada e cortada, etc.
- No próximo capítulo você encontrará várias receitas daqueles molhos e caldos que podem ser preparados com antecedência, guardados na geladeira e usados quando necessário, de modo que não precisará prepará-los no momento de cozinhar a sua refeição.

Aos poucos, à medida que você for tendo mais prática, verá o que vale a pena deixar pronto ou semipronto para o momento final do preparo da refeição.

Muito bem. Agora você já sabe como enfrentar o dia-a-dia. Vá para a cozinha sem medo, sem afobação e sem aflição. Ela só tem graça se você achar divertido acertar e errar. Não é um teste de suas capacidades humanas nem um bicho-de-sete-cabeças. Vamos lá!

Não se afobe! Tudo tem jeito

Comida salgada

Descasque uma ou duas batatas grandes e coloque na panela onde está sendo preparada a comida. Deixe as batatas na panela até que estejam cozidas e, então, retire-as. As batatas "puxam" o sal para elas e você pode aproveitá-las para alguma outra coisa (uma salada, um purê, uma sopa). Se o prato que você está preparando é alguma coisa que está sendo cozida ou assada num molho, é deste que você deve diminuir o sal. Há três soluções:

- pode retirar todo o molho e fazer outro para colocar no lugar, caso tenha ficado muito salgado e irrecuperável;
- pode colocar um pouco de leite ou umas duas colheres de creme de leite nele (só use leite ou creme de leite se o molho não tiver limão, laranja, vinagre ou algum tempero ácido, pois, nesse caso, o leite ou o creme de leite talham);
- ou pode colocar as batatas e fazer como já explicado (deixar as batatas até que fiquem cozidas e então retirá-las).

Feijão salgado

No caso do feijão, se você não tiver batatas em casa, coloque na panela uma cebola grande inteira e deixe-a ferver com o feijão, retirando-a antes de servir. Não é tão eficaz como a batata, mas quebra o galho.

Arroz sem sal

Na pressa, você se esqueceu de colocar sal no arroz. Se ele já estiver cozido, misture sal num pouco d'água, despeje sobre o arroz e deixe ficar no fogo mais alguns minutos para secar.

Arroz empapado

Você errou na quantidade de água. O arroz já está cozido, mas ainda há água por secar. Despeje o arroz no escorredor de macarrão, deixe a água escorrer e volte o arroz para a panela para dar uma secadinha final.

Comida grudada na panela

Retire a parte de cima da comida (isto é, a parte que não grudou), colocando-a numa vasilha. Se o que sobrou grudado na panela não estiver queimado e sim apenas grudado, coloque um pouco de água e deixe dar uma fervura rápida, mexendo com uma colher ou um garfo para desgrudar. Assim que desgrudar, junte com a outra parte que você havia separado numa vasilha e agora coloque tudo numa outra panela para terminar de cozinhar. Prove para ver se o tempero ainda está bom. Muitas vezes, o tempero enfraquece por causa da fervura da parte que havia grudado e você deve acrescentar mais condimentos (sal, pimenta-do-reino, orégano, cebola, alho, etc., enfim, aquilo que a receita pede). Se você for acrescentar mais alho e cebola e a receita pede que eles sejam dourados, doure-os numa frigideira e junte à comida que está na panela.

Se a parte que grudou também queimou, não tente aproveitá-la, pois o gosto de queimado vai passar para o restante. Jogue fora e verifique se precisa retemperar a parte que você "salvou".

Se a comida grudou quando já estava pronta e você havia esquecido de desligar o fogo, faça como sugerimos anteriormente, para retirá-la da panela, colocando-a em outra. Mas, agora, não deixe cozinhar de novo, pois já está pronta. Se for servi-la imediatamente, não há problema (só que a quantidade vai diminuir um pouco). Se, entretanto, você não for servi-la imediatamente e irá esquentá-la depois, faça o seguinte. Retire-a da panela e coloque numa vasilha. Em outra panela, coloque um pouco de óleo e espere ferver. Quando ferver apague o fogo e despeje a comida, dando uma mexida. Tampe a panela. A comida ficará úmida e você poderá esquentá-la sem problema no momento que servir.

Verduras murchas

Numa vasilha, coloque água e uma colher de café de bicarbonato. Mergulhe as verduras e deixe num lugar escuro. Depois de algumas horas, as verduras estão novas.

Comida que ficou gordurosa

Coloque algumas folhas de alface sobre o alimento quente ainda em preparação para que absorva o excesso de gordura. Depois da absorção, retire as folhas e jogue-as fora. Você pode fazer o mesmo usando folhas de papel-toalha, tomando cuidado para que fiquem na superfície do alimento e retirando-as assim que tiverem absorvido a gordura. Repita a operação quantas vezes for preciso. Se você não tiver alface nem papel-toalha, enrole num pano um cubo de gelo e o agite sobre a superfície do alimento até que a gordura tenha aderido ao pano. Se o prato vai ser servido numa outra hora e você tiver tempo, coloque o alimento na geladeira: ao esfriar, a gordura ficará à volta e na superfície e você poderá retirá-la com uma colher ou uma faca.

Amaciando a carne

Você comprou uma carne que pensava ser macia e não é. Se for carne para bife, além de batê-la com o martelinho, frite os bifes sem temperá-los (não coloque nem sal); numa frigideira, faça um tempero à parte (sal, pimenta-do-reino, rodelas de cebola) e coloque sobre os bifes fritos. Se for para fazer carne de panela ou assada, deixe numa vinha-d'alho feita com cerveja (em vez do limão ou do vinagre, você coloca cerveja). Se você já estava cozinhando ou assando a carne quando percebeu que era dura, use cerveja para amaciá-la: despeje na panela ou na assadeira dois copos de cerveja.

Acertando o ponto da massa

Você comprou uma massa semipreparada e seguiu a receita, mas, por alguma razão, ficou mais mole do que devia. Vá juntando farinha de trigo e amassando até ficar no ponto. Se, ao contrário, a massa ficou mais dura do que devia, vá juntando água (ou leite, se a receita pedir leite) e amassando até ficar no ponto.

Engrossar caldos e sopas

Num copo, coloque um pouco de água fria e um pouco de leite frio, junte uma ou duas colheres de chá de farinha de trigo ou de maisena. Desmanche bem, não deixando encaroçar e despeje devagarinho no caldo ou na sopa, mexendo sempre. A espessura do caldo ou da sopa depende da quantidade de farinha ou maisena que você puser. Se você não tem muita prática, comece com meio copo do líquido e uma colherzinha de farinha ou de maisena. Se o caldo ou a sopa ainda ficarem ralos, repita a operação até engrossar. Depois de engrossar, prove para ver se precisará de mais sal e de algum outro tempero que você está usando no preparo.

Ficou muito grosso

A situação, agora, é exatamente contrária à anterior. O caldo ou a sopa ficaram muito grossos. Junte num copo leite frio, água fria, uma pitada de sal e uma colher de chá de manteiga. Misture bem. Vá despejando essa mistura no caldo ou na sopa até ficar no ponto que você deseja.

Engrossando o caldo do feijão

O recurso mais fácil é deixar o feijão ferver com a panela destampada para o excesso de caldo evaporar. Se, mesmo assim, continuar com caldo ralo, misture uma colher de farinha de trigo num pouco do caldo, desmanche bem e coloque na panela, dando uma mexida para misturar bem. Deixe ferver com a panela destampada.

Ficou muito gorduroso

Está na horinha de servir, mas o caldo ou a sopa ficaram muito gordurosos. Para tirar o excesso de gordura, puxe a panela que está fervendo de maneira que fique metade sobre o fogo e a outra metade fora do fogo. Mantenha-a assim por alguns segundos. A gordura vai se acumular de um só lado. Com uma concha ou colher grande você poderá retirar o excesso e servir. Se o caldo ou a sopa não vão ser servidos logo, espere terminar o cozimento, retire do fogo e deixe esfriar com a panela destampada. Coloque na geladeira. Depois de algum tempo, a gordura vai endurecer e se acumular na superfície. Com uma colher, você poderá retirar a crosta gordurosa.

Arroz guardado na geladeira.
Como esquentá-lo e deixá-lo como se tivesse acabado de ser feito?

Com um garfo, mexa e remexa o arroz frio para que os grãos se soltem e para que as bolotas se desmanchem. Numa panelinha, refogue um pouquinho de cebola picada ou ralada, coloque uma pitada de sal e um pouco de água. Quando essa mistura ferver, despeje no arroz, de maneira a deixá-lo bem molhado. Coloque o arroz numa panela e ponha para esquentar em fogo brando. Ficará novo.

Se você estiver com muita pressa e achar a operação anterior muito demorada, faça o seguinte: mexa o arroz com um garfo para separar os grãos e desfazer as bolotas. Coloque o arroz no escorredor de macarrão (tem que ser um escorredor de metal). Coloque água para ferver numa panela (meia panela de água) e coloque o escorredor de macarrão com arroz sobre a panela. Quando a água ferver, o vapor irá esquentando o arroz e deixando-o soltinho. Quando estiver quente é só servir.

Como esquentar o feijão temperado sem deixar o caldo ficar ralo?

Você terá que colocar um pouco de água no feijão para esquentá-lo, pois o tempo em que ficou na geladeira o fez ficar muito grosso. Lembre-se, porém, de que a aparência de muito grosso se deve ao fato de o feijão estar com o caldo gelado. Por isso, ao esquentá-lo, ponha só um pouquinho de água (que é para degelar o caldo), pois se você puser muita água ele irá ficar com o caldo ralo. Deixe ferver. Se o caldo tiver mesmo ficado ralo, deixe ferver por mais algum tempo mantendo a panela aberta para o excesso de água evaporar.

Requentando a macarronada, o ravióli, o capelete ou o nhoque do almoço

Numa panela, coloque um pouco de água com manteiga. Deixe esquentar. Quando estiver quente, despeje a massa, mexa com um garfo para separar os fios ou os pedaços. Coloque em fogo brando e tampe a panela. Quando a massa começar a soltar vapor é porque está pronta e você pode servi-la.

Um outro jeito é: além da água e da manteiga, coloque também um pouco de *catchup* e um pouco de leite. Quando essa mistura estiver quente, despeje nela a massa e dê uma mexida para separar os fios ou os pedaços. Deixe em fogo brando com a panela tampada. Quando começar a aparecer o vapor, dê uma mexida e retire do fogo.

 A quantidade de água e de leite não deve ser grande, pois você não está fazendo uma sopa! Deve ser uma quantidade que dê para umedecer a massa enquanto ela esquenta, pois umedecida ela não grudará na panela nem queimará.

Cortando queijo meio mole

O queijo está meio mole e gruda na faca, e cada pedaço vira uma paçoca em lugar de fatia. Vá molhando a faca em água corrente a cada fatia cortada. A faca deslizará no queijo e as fatias sairão, se não perfeitas, pelo menos apresentáveis.

Cortando ovos cozidos

Use o mesmo procedimento que usou para o queijo.

Guardando gordura ou óleo usados

Se a quantidade de gordura ou óleo que sobrar de alguma fritura for tanta que seja necessário guardá-los, e se estiverem com o cheiro forte do alimento que você fritou, esquente-os novamente, mergulhe algumas rodelas de batata crua e deixe dar uma leve fritada. A batata diminui o cheiro anterior e você pode guardar a gordura ou o óleo.

Fritar a lingüiça sem que arrebente toda

Lave a lingüiça em água corrente. Enxugue-a. Coloque-a sobre a tábua de bater bifes e fure-a com um garfo, para que saia toda a água interna. Enxugue novamente e frite.

Improvise com criatividade e elegância

Regra número 1:   não entre em pânico! Depois da surpresa ou do susto, com calma, resolva o problema. Só você sabe que há um problema e por isso só você pode ter a solução. E tudo é muito fácil. Você vai ver.

Regra número 2:   não tenha medo de inventar! Um pouco de coragem e de inventividade, e vai dar tudo certo. Mande brasa.

Segredo número 1:   use e abuse das sobras e de tudo que tiver na despensa, na geladeira ou no *freezer*. Não se afobe. Tudo o que você tiver em casa vai servir.

Segredo número 2:   a graça de uma refeição improvisada é saber servi-la com estilo e elegância. Todo o segredo está em saber apresentar os pratos e no modo de arrumar a mesa com uma bela toalha, belos guardanapos de pano ou de papel, pratos, talheres e copos tinindo de limpinhos (e, se tiver, use flores, velas, etc.).

O que é preciso saber para improvisar com jeito e graça uma refeição?

Para começo de conversa, não vá pegando tudo o que tem em casa e fazendo uma mixórdia! Saiba:

O que combina com que

Por exemplo:

- frios e queijos combinam com saladas, além de servir para inventar gostosos sanduíches;
- batata e macarrão não combinam, mas ervilhas e macarrão gostam muito um do outro;
- peixes e arroz vão bem juntos, frango e arroz também vão bem juntos, mas peixe e frango não combinam.

  (Dê uma espiada na relação "Combina-Não Combina", no início deste capítulo.)

 Você precisa saber o que tem em casa e o que pode ser completado com uma rápida passagem por uma padaria ou por uma loja de conveniência 24 horas. Por exemplo, você tem em casa creme de leite, presunto e queijo. Se for à padaria ou à loja de conveniência e comprar um pacote de macarrão, poderá fazer uma macarronada usando como molho uma mistura de creme de leite, alho batido, orégano, presunto e queijo picados. Fica um prato delicado e fino.

O que se come ou se bebe em dia quente

Por exemplo:

- saladas;
- sopas frias;
- carnes frias;
- sorvetes;
- sucos de frutas;
- vinho branco;
- cerveja estupidamente gelada.

O que se come ou se bebe em dia frio

Por exemplo:

- sopas quentes;
- assados;
- *fondues*;
- chás;
- chocolate quente;
- vinho tinto;
- vinho quente.

O que se come ou se bebe de manhã, à tarde e à noite

Por exemplo:

- *de manhã*: café, leite, sucos, chás, ovos, pães, frutas;
- *no almoço*: arroz, feijão, massas, bifes, frituras, assados, saladas, purês, frutas, doces;
- *à tarde*: café, chá, chocolate, sucos, bolos, tortas, biscoitos, sorvetes, frutas, doces, sanduíches;
- *à noite*: massas, sopas, saladas, suflês, peixes, aves, sucos, chás, sorvetes, doces, frutas.

A principal regra é: coisas mais pesadas, no almoço; coisas mais leves, à tarde e à noite. E, é claro, a regra de ouro é lembrar-se do que costuma agradar a toda gente de sua convivência.

Sobras

Não as despreze, não. Fazem maravilhas na hora do aperto.

Veja só.

Transformando as sobras. Por exemplo, sobrou arroz e carne de panela. Desfie a carne, junte milho verde e ervilha (em lata ou congelados), acrescente um pouco de água para que fique com um molho, leve ao fogo e deixe ferver. Depois de ferver, misture com o arroz, deixe esquentar e terá um bom risoto, que poderá servir com uma salada de folhas ou com batata palha (já pronta) que você esquentou no forno.

Juntando as sobras. Por exemplo, sobrou pão, presunto e alface. Misture numa vasilha maionese, creme de leite e mostarda em pasta (francesa é mais gostosa, mas as nossas comuns também são boas). Esquente o pão e corte em pedaços ou em fatias (se for pãozinho francês, corte ao meio); passe a mistura sobre o miolo quentinho. Sobre a mistura espalhada no pão coloque fatias de presunto e alface. Feche o sanduíche. É uma delícia. Num lanche ou à noite, quando aparece alguém (ou mesmo só para você), eis um bom improviso. Pode acompanhar batata palha, que estava na despensa. Invente outras misturas: maionese, *catchup* e requeijão de vidro. Ou então, creme de leite, mostarda, Catupiry, orégano e páprica. E por aí vai.

Se em vez de presunto, sobrou salame, mortadela, peito de peru ou pastrami, repita a experiência.

Se sobrou carne de panela, corte fatias bem finas, passe uma das misturas sobre as fatias de pão, coloque as fatias de carne e cubra com rodelas de tomate, cebola e folhas de alface.

Aos poucos, você ficará craque nessas invenções. É só começar.

4

Pra você que não tem tempo nem muita experiência: receitas simples, rápidas e gostosas para todo dia

Com açúcar, com afeto
Fiz seu doce predileto...
Chico Buarque

Perdeu a hora, é?

— Ih! Tenho que pensar no almoço! Que será que dá pra fazer hoje?

— É, mas você olhou o relógio? São 11 horas e temos que almoçar ao meio-dia.

— Santo Deus! E agora? E se a gente comer um sanduíche?

Sem experiência?

— Você sabe? Eu bem que gostaria de fazer uma jantinha caprichada, como as da minha mãe e da minha avó. Mas eu chego na cozinha, olho as coisas e não sei nem por onde começar.

— Quer uma sugestão? Por que você não monta um pequeno cardápio, com receitas fáceis e sabendo quanto tempo leva para fazer cada prato, e, então, começa a cozinhar até ficar com prática?

Está sem idéias?

— As crianças vão chegar da escola daqui a pouco, e famintas. Que é que vou fazer para a janta? Estou sem idéia nenhuma. Você não quer pensar alguma coisa e preparar o jantar?

— Escuta aqui. Todo dia eu e você entramos nessa choradeira do "que fazer?". E se a gente desse uma planejada, não seria legal?

Aqui vai a nossa ajuda pra você.

Sugestão geral

Uma boa refeição deverá ter sempre uma entrada, um prato principal com acompanhamento e uma sobremesa. A entrada é uma salada ou uma sopa. O prato principal é uma carne, uma ave, um peixe, uma massa ou um legume recheado. O acompanhamento é algum prato além do arroz e feijão.

Veja, no Capítulo 3, a relação "Combina – Não combina" para planejar suas refeições.

É recomendável que em toda refeição (ou pelo menos na mais importante do dia) haja:

- uma salada ou uma sopa fria (se o tempo estiver quente);
- uma sopa quente (se o tempo estiver frio);
- um legume pelo menos (seja no vapor, seja refogado, seja como purê, suflê ou creme);
- uma carne, uma ave ou um peixe;
- alternância do arroz-feijão e massas, evitando tê-los todos os dias nas duas refeições, isto é, no dia em que fizer arroz e feijão não faça massas e vice-versa, no dia em que fizer uma massa, não faça arroz e feijão;
- um doce ou uma fruta (de preferência, alterne fruta e doce nas duas refeições diárias: se houver doce no almoço, coma fruta no jantar e vice-versa).

Se você e sua família gostam de alguma bebida com as refeições, evite os refrigerantes e prefira sucos de frutas, deixando os refrigerantes para uma ou duas vezes por semana. Nos lanches, sucos e leite batido com frutas, chocolate, achocolatados vão bem.

 Se a sua refeição mais importante for o almoço e dele houver sobras, aproveite-as no jantar, introduzindo alguma variação ou transformando-as em um lanche, ou numa sopa.

Planejando os cardápios

Com as indicações que lhe fizemos nos capítulos anteriores e as que faremos neste, você poderá montar cardápios semanais ou mesmo mensais, não tendo, todo dia, que se preocupar com o que irá fazer para o almoço ou o jantar. Se você tem uma pessoa que cozinha para a família, os cardápios serão ainda de maior valia. Auxiliam também na hora de fazer as compras da semana ou do mês.

Componha o seu cardápio de maneira a ter uma visão geral dele, pois isso facilita tanto para evitar repetições como para planejar as sobras.

Pensando no seu tempo e na sua inexperiência

Vamos oferecer-lhe receitas, organizando-as pelo tempo de preparo, pois isso ajudará você a planejar seus horários, sabendo de quanto tempo precisará para fazer um prato principal, uma salada ou um acompanhamento, sobretudo agora que você já sabe qual o tempo dos pratos da comida básica, como lhe explicamos no Capítulo 3.

Comece compondo seu cardápio com o básico que lhe apresentamos no Capítulo 3 e acrescente acompanhamentos, saladas e sobremesas de preparo rápido e simples. Depois que adquirir mais prática, comece a incluir no cardápio novas receitas que poderão substituir até mesmo o básico. E, pouco a pouco, você terá suficiente experiência para compor cardápios novos com as receitas deste capítulo.

Escolhemos receitas que vão das muito simples e rápidas às mais elaboradas e demoradas, deixando as mais sofisticadas para o Capítulo 5, quando lhe faremos indicações e sugestões para recepções informais e formais.

Se a sua refeição mais importante for o jantar, faça o contrário do anterior, isto é, faça de modo que as sobras do jantar possam ser usadas num almoço mais leve e mais rápido. Neste caso, uma boa salada pode anteceder o almoço rápido. E, se não houver sobras, uma omelete e um bife ou um filé de peixe/frango podem ser a escolha.

No Capítulo 3 damos dicas para o aproveitamento das sobras.

Entre 15 e 20 minutos

Há coisas evidentes. Dois ou três bifes podem ser fritos em menos de 10 minutos. O ovo frito estrelado não leva mais do que 2 ou 3 minutos, entre quebrar o ovo, fritá-lo e servi-lo. A macarronada com seu molho leva entre 20 minutos e meia hora.

Acontece que você não vai querer comer todos os dias a mesma coisa. Por isso, o que se segue são sugestões de prato principal cujo tempo de preparo vai de 15 a 20 minutos e de acompanhamentos que também levam entre 10 e 15 minutos para ser preparados. E o mesmo vale para as sobremesas, pois é claro que uma fruta ou um doce comprado não levam tempo algum para preparar.

Vamos aqui considerar que seu cardápio inclui arroz e feijão já prontos e que você irá apenas esquentar, precisando de acompanhamentos rápidos e alguma salada, bem como uma sobremesa rápida.

Entre 15 e 20 minutos

Acompanhamentos

Acompanhamentos

Ovos mexidos simples

INGREDIENTES E MEDIDAS (2 PORÇÕES)

3 ovos
2 colheres de chá de manteiga (ou de óleo)
sal e pimenta-do-reino a gosto

PREPARO

Numa tigela, quebrar os ovos, salpicar com sal e pimenta-do-reino e misturar tudo sem bater. Numa frigideira, esquentar a manteiga ou o óleo. Despejar aí a mistura de ovos. Quando começar a esquentar, mexer com um garfo de cabo comprido ou uma colher de pau. Mexer sempre. Os ovos vão ficar fritos em pedaços, que não devem ser muito grandes nem muito pequenos como uma farofa. Retirar do fogo e servir quentes.

COMBINA COM

Pão, bife simples, arroz e feijão.

Entre 15 e 20 minutos

Acompanhamentos

Ovos mexidos com queijo

A receita é a mesma que a dos ovos mexidos simples, mas ao misturar os ovos com o sal e a pimenta-do-reino, você também coloca queijo. Pode ser queijo ralado ou pedacinhos de queijo fundido ou de queijo-de-minas, ou colheradas de ricota ou de requeijão de vidro.

COMBINA COM

Os mesmos pratos da receita anterior.

Ovos mexidos com tomate

A receita é a mesma que a dos ovos mexidos simples, mas ao misturar o sal e a pimenta-do-reino, você também coloca pedacinhos de tomate picado.

COMBINA COM

Os mesmos pratos das receitas anteriores.

Para que os ovos mexidos não fiquem muito secos, você pode colocar uma colher de sopa de leite ou de água na mistura, antes de levá-la ao fogo. Os ovos também ficam úmidos se você não os fritar demais.

Omeletes variadas

Mostramos para você como fazer uma omelete simples ou básica. Agora, vamos dar-lhe sugestões para incrementá-la.

Entre 15 e 20 minutos

Acompanhamentos

Assim que a omelete começar a ficar frita por baixo, antes de enrolá-la ou dobrá-la coloque:

- queijo ralado;
- queijo prato ou mozarela em pedacinhos;
- pedacinhos de queijo e de tomate;
- pedacinhos de presunto;
- sobras de frango desfiado;
- óregano e ervas finas;
- pedacinhos de cebola;
- pedacinhos de cebola e ervilhas;
- cebola picadinha e salsinha picadinha;
- sobras de carne assada desfiada;
- ou sobras de legumes cozidos.

COMBINA COM

Pão, legumes, arroz, bife.

Entre 15 e 20 minutos

Acompanhamentos

Frigideira de ervilhas

INGREDIENTES E MEDIDAS (3 PORÇÕES)

4 ovos
1 lata de ervilhas
½ cebola picadinha
½ colher de chá de sal
4 colheres de sopa de óleo

PREPARO

Quebrar os ovos numa tigela e misturá-los bem, colocando o sal. Numa frigideira, esquentar o óleo, dourar a cebola e a ervilha, mexendo sempre. Despejar sobre a cebola e as ervilhas os ovos e ir sacudindo levemente a frigideira para espalhar melhor os ovos. Não mexer. Quando os ovos ficarem espessos, porque já estão cozidos, apagar o fogo. Despeje num prato raso ou numa travessa rasa. Quando você despejar, verá que a mistura parece uma tortinha.

COMBINA COM

Arroz branco, carnes e aves, pão.

Bife acebolado

Já lhe ensinamos o bife simples, cujo preparo é muito rápido. Agora vamos ensinar-lhe a incrementar os seus bifes.

Antes de fritar os bifes, corte em rodelas finas uma quantidade de cebola que possa cobrir todos os bifes. Deixe a cebola à parte, numa vasilha ou na tábua onde as cortou. Frite os bifes. Ao terminar a fritura, aproveite a gordura da frigideira, despejando nela a cebola fatiada. Mexa e acrescente uma colher de sopa de vinagre e uma colher de sopa de água. Mexa bem, deixe fritar um pouco e retire do fogo. Despeje sobre os bifes e sirva.

Legumes no vapor

Carnes, peixes, frangos vão muito bem com legumes cozidos no vapor e temperados com sal e azeite de oliva ou manteiga.

Os mais rápidos de preparar são o brócolis, a couve-flor, a couve-de-bruxelas, a abobrinha.

Os mais demorados são a ervilha fresca, a cenoura, a beterraba, a batata e o chuchu.

Entre 15 e 20 minutos

Acompanhamentos

Medidas

Fica a seu critério, pois a quantidade dependerá do número de pessoas e do quanto elas apreciam os legumes.

Preparo

O preparo no vapor é simples. Descasque o chuchu, a beterraba ou a batata, raspe a cenoura, lave a ervilha, o brócolis, a couve-flor ou a couve-de-bruxelas. Enquanto está limpando o legume, coloque uma panela com água para ferver. Quando a água estiver fervendo, coloque sobre a panela a cuscuzeira (que é aquela chapa furada, própria para vapor), ou, se não tiver cuscuzeira, use o escorredor de macarrão (que deve ser de metal, é claro, pois se for de plástico derrete!). Na cuscuzeira ou no escorredor, coloque os legumes e tampe. Depois de 5 minutos, você deve provar o brócolis, a couve-flor e a couve-de-bruxelas, para ver se está no ponto. Os legumes mais demorados levarão, em média, 10 minutos para ficar no ponto (*al dente* e não muito moles).

Retire do fogo, coloque na vasilha em que irão ser servidos e regue com azeite de oliva, salpique com sal e pimenta-do-reino. Sirva acompanhando o prato principal.

Entre 15 e 20 minutos

Acompanhamentos

Tomates recheados

INGREDIENTES E MEDIDAS (4 PORÇÕES)

4 tomates grandes
8 colheres de sopa de ricota
cheiro-verde, sal, pimenta-do-reino a gosto
1 copo de água
2 colheres de sopa de azeite de oliva

PREPARO

Lave os tomates e corte uma rodela no topo, como se fosse destampá-los. Com uma colherzinha de café, retire as sementes e volte a lavá-los em água corrente. Tempere a ricota com sal, pimenta-do-reino e cheiro-verde, amassando bem para formar uma pasta homogênea. Recheie os tomates, colocando em cada um deles 2 colheres de sopa da pasta de ricota. Numa vasilha refratária, coloque 1 copo de água e as 2 colheres de azeite. Arrume os tomates. Leve ao forno por 10 a 15 minutos.

COMBINA COM

Pode servir como entrada ou como acompanhamento de carne assada.

Creme de milho verde

INGREDIENTES E MEDIDAS (4 PORÇÕES)

1 lata de milho verde em conserva
½ copo de leite fresco
½ lata (ou caixinha) de creme de leite
1 colher de sopa de manteiga
sal e noz-moscada a gosto

PREPARO

Escorra a água do milho. No liquidificador, misture o milho, o leite, o creme de leite e bata bem até formar uma pasta. Numa panela, esquente a manteiga e coloque a pasta. Salgue a gosto e coloque a noz-moscada, se quiser. Deixe ferver mexendo sempre para não encaroçar. Quando formar uma pasta grossa, pode tirar do fogo e servir.

COMBINA COM

Carne de vaca, frango, carne de porco, peixe.

Há pessoas que gostam de dissolver, na manteiga, um tablete de caldo de carne ou de galinha. Se você fizer isso, cuidado com o sal, pois esses caldos já estão temperados.

Entre 15 e 20 minutos

Acompanhamentos

Polenta

O mais fácil e rápido é comprar o pó de polenta semipreparada e seguir as recomendações do pacote. Se, entretanto, você não tiver um pacote de semipreparada e quiser fazer a polenta, aqui vai a receita.

INGREDIENTES E MEDIDAS (2 PORÇÕES)

1 xícara de chá de fubá
3 xícaras de chá de água fria
1 colher de chá de óleo
sal a gosto

PREPARO

Misturar na água fria o sal e o óleo. Dissolver o fubá na água fria, mexendo bem para não encaroçar. Levar ao fogo brando mexendo sempre até engrossar e, então, cozinhar por mais 5 minutos. A polenta ao engrossar começa a saltar e, quando estiver cozida, ao mexê-la, você verá o fundo da panela.

SERVINDO A POLENTA

A polenta pode ser servida tal como saiu da panela. Mas pode também ir ao forno recoberta com molho de tomate e queijo ralado. Se você for servi-la dessa segunda maneira, ao retirá-la da panela, coloque-a numa vasilha refratária ou numa assadeira untada com um pouco de óleo. Cubra com o molho de tomate e com o queijo e leve ao forno. Deixe no forno até o queijo derreter e sirva. Para o molho de tomate, você pode usar ou um molho já pronto ou a receita de molho *al sugo*, que lhe propusemos no básico das massas.

COMBINA COM

Sem molho, a polenta combina com feijão. Sem molho ou com molho, combina com carne assada ou ensopada, frango assado, frito ou ensopado.

Saladas

Toda salada que não envolva cozimento dos ingredientes pode ser feita entre 15 e 20 minutos.

Evidentemente, não vamos ensinar saladas simples de folhas, tomates, pepino, etc. O que vamos propor são maneiras de incrementar ou sofisticar uma salada, sem gastar mais do que 20 minutos.

A quantidade de salada dependerá do número de pessoas a quem será servida e do fato de as pessoas gostarem bastante ou pouco de consumi-las. Portanto, use o seu bom senso!

Entre 15 e 20 minutos

Saladas

Salada de alface com nozes

INGREDIENTES

alface
nozes
azeite de oliva
limão
sal
pimenta-do-reino

PREPARO

Sobre a alface lavada, coloque nozes picadas (que você comprou já descascadas e em pedaços). Numa vasilha à parte, misture bem sal, pimenta-do-reino, azeite de oliva e sumo de limão. Despeje sobre as nozes e a alface. Sirva.

Entre 15 e 20 minutos

Saladas

COMBINA COM

Pode ser servida sozinha como entrada, mas também pode ser acompanhamento de bifes, carne assada, frango assado, frango frito.

Salada de pepino com coalhada ou iogurte

INGREDIENTES E MEDIDAS (2 PORÇÕES)

1 pepino médio
1 copo de iogurte natural (ou de coalhada síria fresca)
3 ramos de hortelã picadinhos
sal e pimenta-do-reino a gosto

PREPARO

Descasque o pepino e corte em cubinhos bem pequenos (os menores possíveis) e deixe descansar por uns 10 minutos numa vasilha, onde soltará a água. Na vasilha em que a salada será servida, despeje o iogurte ou a coalhada, a hortelã picadinha, o sal e a pimenta-do-reino e mexa bem (pode até bater com a colher) até que fique um creme homogêneo e liso. Escorra o pepino e o despeje no creme, mexendo bem para misturar.

Salada de tomate com mozarela

Entre 15 e 20 minutos

Saladas

INGREDIENTES E MEDIDAS (2 PORÇÕES)

4 tomates maduros
4 bolas de mozarela fresca
sal, azeite, limão e manjericão a gosto

PREPARO

Lave os tomates e corte-os em rodelas. Corte a mozarela em rodelas. Em cada prato, coloque as rodelas de tomates e as de
mozarela alternadas (1 rodela de tomate, 1 rodela de mozarela, 1
rodela de tomate, 1 rodela de mozarela, etc.). Regue com o azeite e o limão, salpique com sal e as folhinhas de manjericão. Sirva.

Entre 15 e 20 minutos

Saladas

Salada de repolho fatiado

Se você comprar na feira ou no supermercado o pacote de repolho já fatiado, fará essa salada em menos de 5 minutos; se tiver que lavar e fatiar o repolho, levará mais tempo.

INGREDIENTES E MEDIDAS (4 PORÇÕES)

½ repolho médio fatiado (ou um pacote, já fatiado)
3 colheres de sopa de maionese
3 colheres de sopa de iogurte natural
1 colherzinha de café de *catchup*
1 colherzinha de café de açúcar

PREPARO

Lave e corte o repolho em fatias bem fininhas, ou lave o repolho já fatiado. Escorra bem a água. Coloque numa vasilha funda, acrescente a maionese, o iogurte, o *catchup* e o açúcar. Mexa bem. Está pronta uma deliciosa e original salada.

Sobremesas

Entre 15 e 20 minutos

Sobremesas

Salada de frutas

Se você está preparando uma refeição para 2 ou 3 pessoas, então, em 15 minutos, você pode preparar uma boa salada de frutas, usando o que tem em casa ou sobras de frutas que estão na geladeira. O segredo da salada de frutas é o corte das frutas e o tempero.

As frutas devem ser cortadas em pedaços pequenos. O tempero pode ser: um pouco de açúcar e um cálice de algum vinho que você já tenha aberto ou de vinho do Porto. Se quiser, pode servir com creme de leite (de lata ou de caixinha, pois o de frasco é muito mole) ou com creme *chantilly*.

Melão com vinho

Corte o melão em fatias e corte as fatias em três ou quatro pedaços. Regue com um cálice de vinho tinto, vinho frisante ou vinho do Porto. Sirva.

Entre 15 e 20 minutos

Sobremesas

Ovos queimados

INGREDIENTES E MEDIDAS (2 A 3 PORÇÕES)

½ prato de queijo ralado
½ prato de açúcar
5 ovos
canela em pó a gosto

PREPARO

Misturar e bater os ovos. Colocar o açúcar numa frigideira e mexer para que derreta e fique caramelado. Assim que começar a caramelar, juntar o queijo ralado e os ovos batidos. Mexer bem até que os pedaços de açúcar se dissolvam. Retirar do fogo, colocar numa vasilha e salpicar com canela em pó.

Bananas cozidas em caldo de laranja

INGREDIENTES E MEDIDAS (4 PORÇÕES)

4 bananas nanicas
1 xícara de chá de açúcar
suco de 3 laranjas
1 colher de sopa de manteiga

PREPARO

Em fogo baixo, coloque o açúcar numa frigideira grande para dourar e caramelizar, sem deixar escurecer. Quando o açúcar estiver bem dourado, retire do fogo e acrescente lentamente o suco de laranja. Volte ao fogo até o açúcar amolecer e se misturar com o suco. Acrescente as bananas. Deixe cozinhar de um lado sem amolecer demais e vire com cuidado para cozinhar do outro lado. Antes de tirar do fogo acrescente a manteiga. Sirva quente. Vai bem saboreá-la com sorvete de creme.

O preparo é rápido,
mas precisa esperar para servir

Há algumas sobremesas cujo preparo é rapidíssimo, mas que precisam ir à geladeira antes de servir. É o caso das gelatinas.

Entre 15 e 20 minutos

Sobremesas

Gelatinas incrementadas

A gelatina em pó tem o seu preparo explicado na embalagem. Não leva mais do que uns 3 ou 5 minutos para fazê-la. Mas você pode, com mais alguns minutos de preparo, incrementar a sua gelatina.

INCREMENTANDO COM FRUTAS

Corte pedacinhos de alguma fruta ou de várias frutas e coloque na gelatina mole, antes de levá-la à geladeira.

INCREMENTANDO COM COBERTURA

Faça um creme branco doce para colocar sobre a gelatina, no momento de servi-la. O creme é simples e rápido: 1 copo de leite frio, 2 colheres de sopa de açúcar, 1 gema, 1 colher de sopa de algum licor que você tenha em casa e 1 colher de sopa rasa de maisena. Misture tudo antes de levar ao fogo. Leve ao fogo mexendo sempre. Quando começar a ferver, mexa por mais 1 minuto. Está pronto. Não se preocupe se estiver muito mole, pois é assim mesmo que ele é gostoso. Deixe na geladeira. Você pode despejar o creme sobre a gelatina, antes de servi-la, ou pode levar o creme à mesa numa outra vasilha e cada um se serve como quiser.

Não coloque frutas que soltem muita água, pois, nesse caso, a gelatina não endurece. Portanto, não coloque laranja, tangerina, abacaxi, melão, melancia, carambola.

Entre meia hora e 40 minutos

Agora vamos sugerir, além de acompanhamentos e saladas,
alguns pratos principais que poderão substituir os pratos básicos.

Entre meia hora e 40 minutos

Salgados

Salgados

Arroz de forno

INGREDIENTES E MEDIDAS (4 PORÇÕES)

2 xícaras de chá de arroz
1 cebola média ralada
4 xícaras de chá de água
2 gemas de ovo batidas
1 colher de sopa de manteiga
8 azeitonas sem caroço
1 xícara de chá de sobras de carne, frango ou peixe desfiados (ou presunto picado)
3 colheres de sopa cheias de queijo parmesão ralado
2 colheres de sopa de farinha de rosca

PREPARO

Prepare o arroz branco básico, de acordo com a receita que lhe demos no Capítulo 3. Depois de cozido, coloque o arroz numa vasilha refratária. Misture bem o arroz com as gemas batidas, a sobra escolhida, a colher de manteiga. Polvilhe com a farinha de rosca e o queijo ralado. Enfeite com as azeitonas. Leve ao forno para tostar (por uns 6 a 8 minutos).

Mjadra (arroz com lentilhas à moda árabe)

Entre meia hora e 40 minutos

Salgados

INGREDIENTES E MEDIDAS (4 PORÇÕES)

1 xícara de chá de arroz
2 xícaras de chá de lentilhas
5 xícaras de chá de água
1 cebola ralada
½ cebola em fatias bem fininhas
4 colheres de sopa de óleo
4 colheres de sopa de azeite de oliva
sal, pimenta-do-reino a gosto
½ colherzinha de café de pimenta síria (ou canela em pó)

PREPARO

Lave bem as lentilhas e escorra a água. Numa panela, esquente o óleo e doure a cebola ralada. Despeje a lentilha e mexa. Cubra com a água e deixe cozinhar em fogo alto (se você tiver pressa, cozinhe a lentilha na panela de pressão). Enquanto isso, lave o arroz. Quando a lentilha estiver cozida, mas não mole, acrescente o arroz, e coloque a gosto o sal, a pimenta-do-reino e a pimenta síria (pode ser canela em pó, se não tiver a pimenta síria). Mexa para misturar bem. Abaixe o fogo, tampe a panela e espere o arroz cozinhar. No momento de servir, esquente o azeite de oliva numa frigideira e doure as fatias da cebola. Depois de colocar a *mjadra* na travessa, cubra com as fatias de cebola douradas.

COMBINA COM

Bifes, saladas, quibe assado.

Entre meia hora e 40 minutos

Salgados

Arroz *bicherrie* (arroz com macarrõezinhos)

INGREDIENTES E MEDIDAS (4 PORÇÕES)

1 xícara de chá de arroz
4 ninhos de macarrão cabelo-de-anjo
1 ½ colher de sopa de manteiga
2 ½ xícaras de água fervente
1 cebola picadinha
sal a gosto

PREPARO

Lavar muito bem o arroz e escorrer. Numa panela, esquentar a manteiga, colocar a cebola e mexer até secar. Juntar o macarrão, quebrando-o com as mãos em pedaços pequenos. Acrescentar o sal. Mexer sem parar até dourar bem o macarrão. Acrescentar o arroz e continuar mexendo até que o arroz bem solto esteja dourado. Despejar a água, mexer, provar o sal, abaixar o fogo, tampar e esperar cozinhar.

COMBINA COM

Carne ensopada com batatas, quibe assado.

Almôndegas

INGREDIENTES E MEDIDAS (6 PORÇÕES)

½ kg de carne moída
1 ovo
miolo de 3 pãezinhos
½ xícara de chá de leite
1 colher de chá de manteiga
½ cebola ralada
sal, salsa, pimenta-do-reino a gosto
½ xícara de chá de farinha de trigo
1 xícara de chá de óleo

PREPARO

Numa vasilha coloque a carne moída, o ovo, a manteiga, a cebola ralada, a salsa picadinha, o sal, a pimenta-do-reino e o miolo de pão, que foi mergulhado no leite e espremido. Misture bem até formar uma massa homogênea. Faça bolinhas de carne. Passe as bolinhas na farinha de trigo que deve estar espalhada numa vasilha rasa para que as bolinhas possam correr sobre ela. Esquente numa frigideira o óleo e frite as bolinhas de carne, colocando-as em papel-toalha para retirar o excesso de gordura. As almôndegas podem ser servidas: aceboladas, como no bife acebolado (veja a receita neste capítulo); ou num molho de tomate do tipo *al sugo* (veja as receitas de molhos no Capítulo 3). Se você for servi-las no molho, é bom mergulhar as almôndegas no molho e deixar dar uma fervura.

Entre meia hora e 40 minutos

Salgados

Entre meia hora e 40 minutos

Salgados

Frango à passarinho

INGREDIENTES E MEDIDAS (4 PORÇÕES)

1 frango grande
sal e pimenta-do-reino a gosto
2 colheres de sopa de sumo de limão
2 cabeças de alho (*atenção*: não são 2 dentes de alho, mas 2 cabeças!)
5 xícaras de chá de óleo
1 xícara de chá de azeite de oliva

PREPARO

Você pode pedir ao vendedor que corte o frango em pedaços para fazê-lo à passarinho. Se não puder comprar o frango já cortado, limpe-o muito bem, corte-o pelas juntas ou articulações e volte a cortá-lo de maneira que os pedaços sejam pequenos. Temperar com o sal, a pimenta-do-reino e o limão. Numa panela grande funda esquentar o óleo e o azeite juntos. Quando estiver bem quente, escorrer os pedaços de frango para tirar todo o líquido e colocá-los de uma só vez na panela. Enquanto vai fritando, cortar o alho em rodelas finas e colocar na panela com o frango. Mexer de quando em quando, virando o frango de um lado para o outro para que frite por igual. Quando os pedaços estiverem bem dourados e quase marrons, tirar da panela com uma escumadeira e colocar sobre papel-toalha para tirar o excesso de gordura. Servir quente e recoberto com o alho.

COMBINA COM

Batata frita, arroz branco, salada de folhas. Também pode ser servido como lanche.

Bisteca de porco

INGREDIENTES E MEDIDAS (4 PORÇÕES)

8 bistecas de porco
4 dentes de alho
1 cebola
2 colheres de sopa de óleo
suco de 1 limão
sal, pimenta-do-reino a gosto
coentro e farinha de mandioca (opcionais) a gosto

PREPARO

Limpe as bistecas retirando a medula que está na reentrância do osso (é uma massa esbranquiçada), lave-as bem em água corrente e, com um garfo, fure-as levemente. Tempere-as com a cebola ralada, o alho amassado, o sal e a pimenta a gosto e o suco de limão. Numa frigideira, esquente o óleo. Quando estiver quente, coloque em fogo médio. Coloque as bistecas na frigideira e dê uma fritada nos dois lados. Coloque duas colheres de sopa de água e mexa. Quando começar a cozinhar e o óleo diminuir, aumente o fogo para fogo alto. Vá fritando as bistecas, virando-as dos dois lados, até que fiquem bem fritas. Se quiser, você pode colocar coentro picadinho sobre elas; ou, na gordura que ficou na frigideira, fritar farinha de mandioca, deixando-a úmida e servindo-a com as bistecas.

COMBINA COM

Arroz e feijão, feijoada, espigas de milho cozido, purê de batata, creme de milho, creme de espinafre.

Entre meia hora e 40 minutos

Salgados

Filé de pescada assado ao forno

INGREDIENTES E MEDIDAS (4 PORÇÕES)

½ kg de filé de pescada
6 tomates grandes maduros
2 dentes de alho
1 cebola média
1 colher de sopa de salsa
1 limão
1 xícara de café de farinha de rosca
½ copo de vinho branco
½ copo de óleo
sal e pimenta a gosto

PREPARO

Lavar as pescadas. Pelar os tomates (ou comprá-los já pelados, em lata). No liquidificador, colocar a cebola, o alho, o óleo, os tomates, a salsa, o sal, a pimenta-do-reino. Bater bem para formar um molho. Forrar com um pouco do molho uma assadeira ou vasilha refratária e sobre ele colocar os filés de pescada um ao lado do outro. Despejar o restante do molho sobre os filés. Polvilhar com a farinha de rosca e borrifar com o suco do limão. Levar ao forno moderado. Depois de 15 minutos, despejar o vinho branco. Deixar mais 15 minutos e servir.

COMBINA COM

Arroz branco, purê de batata ou de cenoura, suflês.

Saladas

Tabule

INGREDIENTES E MEDIDAS (2 PORÇÕES)

½ xícara de chá de trigo fino (o mesmo usado para kibe)
½ pé de alface
2 tomates grandes
3 ramos de hortelã
3 ramos de salsa
3 ramos de cebolinhas
½ xícara de vinagre
½ xícara de azeite de oliva
sal e pimenta a gosto

PREPARO

Lave bem o trigo em 4 a 5 águas e esprema bem. Deixe-o separado numa vasilha para secar mais e crescer. Lave a alface, a hortelã, a salsa, a cebolinha e os tomates. Com uma tesoura, corte bem fininhas a alface, a hortelã, a salsa e a cebolinha (tire os talos da hortelã e da salsa antes de cortá-las). Corte os tomates em cubinhos pequenos. Misture tudo numa vasilha e acrescente o trigo. Tempere com o vinagre, o azeite de oliva, o sal e a pimenta. Mexa bem. Sirva.

Entre meia hora e 40 minutos

Saladas

Salada de vagem

INGREDIENTES E MEDIDAS (2 PORÇÕES)

300 g de vagem
3 dentes de alho
1 colher de sopa de sumo de limão (ou uma colher de chá de vinagre)
5 fatias de *bacon* frito
2 colheres de sopa de azeite de oliva
sal a gosto

PREPARO

Coloque numa panela água para ferver. Enquanto a água ferve, limpe as vagens cortando as pontas e tirando os fios. Lave-as. Quando a água estiver fervendo, despeje as vagens e deixe cozinhar por 12 minutos. Enquanto as vagens cozinham, frite as fatias de *bacon* e deixe-as secar num papel-toalha. Amasse os dentes de alho e dê uma rápida fritada num pouco de azeite de oliva. Quando as vagens estiverem cozidas, escorra a água e despeje-as num prato ou numa travessa. Sobre elas acrescente o *bacon*, picando-o com as mãos, e cubra com o alho. Tempere com azeite, limão ou vinagre e sal a gosto. Coloque na geladeira até o momento de servir.

VARIAÇÃO DO MESMO TEMA: COM BATATAS OU COM CHUCHUS

Você pode repetir o preparo da salada de vagens para uma salada de batatas ou de chuchu. Nessas, talvez, se for do seu gosto, você pode temperar com pimenta-do-reino, além do sal.

Sopas

Falsa *vichyssoise*: sopa gelada de batatas

A *vichyssoise* (diga "vichiçuase") é uma sopa francesa fina cuja receita lhe daremos no Capítulo 5. Aqui, vamos ensinar-lhe uma falsa *vichyssoise*, isto é, uma sopa fria de batatas.

INGREDIENTES E MEDIDAS (4 PORÇÕES)

4 batatas de tamanho médio
1 litro de água
1 copo grande de leite fresco
½ copo de creme de leite
1 cebola média
2 colheres de sopa de manteiga
sal a gosto

PREPARO

Coloque 1 litro de água para ferver. Enquanto estiver esperando que a água ferva, descasque as batatas e corte cada uma delas em 4 pedaços. Quando a água estiver fervendo, coloque as batatas para cozinhar. Enquanto as batatas estão cozinhando, bata no liquidificador o leite, o creme de leite e metade da cebola. Rale a outra metade da cebola. Quando as batatas estiverem cozidas (entre 10 e 15 minutos), escorra a água e coloque também as batatas no liquidificador. Bata. Enquanto o creme de batata está sendo batido no liquidificador, coloque a manteiga numa panela, espere esquentar e doure a outra metade da cebola. Despeje na panela o creme de batata. Coloque sal a gosto e deixe ferver, mexendo de vez em quando. Assim que ferver, está pronta a sopa. Se você achar que a sopa está muito grossa, coloque água a gosto e prove o sal. Pode servir quente. Mas também pode levar à geladeira e servir gelada, como uma falsa *vichyssoise*. É gostosa com torradinhas.

Entre meia hora e 40 minutos

Sopas

Sopa de caldo de feijão
(aproveitando a sobra de feijão cozido)

INGREDIENTES E MEDIDAS (4 PORÇÕES)

2 copos grandes de feijão cozido sem tempero
1 cebola
4 dentes de alho
3 copos grandes de água
1 ½ xícara de chá de macarrão para sopa
3 colheres de sopa de óleo
cheiro-verde a gosto
sal a gosto

PREPARO

A sopa de caldo de feijão só é rápida, se for feita com o feijão que já estava cozido e é uma sobra de alguma outra refeição. Para fazer a sopa, recomenda-se que o feijão não esteja temperado e tenha sido conservado na geladeira. Bater o feijão no liquidificador com os 3 copos de água. Rale ou pique a cebola; amasse os dentes de alho; lave o cheiro-verde e amarre formando um macinho. Numa panela, esquente o óleo, doure o alho e a cebola e despeje o caldo do feijão. Mexa bem. Coloque o macinho de cheiro-verde e sal a gosto. Mexa de vez em quando, até ferver, para não grudar na panela. Quando o caldo estiver fervendo, despeje o macarrão e retire o macinho de cheiro-verde. Espere o macarrão cozinhar. Se você achar que o caldo está muito grosso e o macarrão não está cozido, acrescente mais água fervente (1 xícara de chá de água) e mexa. Está pronta a sopa para servir.

Algumas pessoas gostam de colocar no caldo de feijão um tablete de caldo de carne ou de galinha, antes de ferver. Se você for usar um desses caldos, preste atenção ao sal, pois tais caldos já são temperados.

Acompanhamentos

Purê de maçã

INGREDIENTES E MEDIDAS (6 PORÇÕES)

7 maçãs grandes doces
1 ½ xícara de chá de leite fresco
2 colheres de sopa de maisena
2 colheres de sopa de queijo parmesão ralado
2 colheres de sopa de manteiga
sal a gosto

PREPARO

Descascar as maçãs, cortar em 4 pedaços. Numa panela, colocar o leite e os pedaços de maçã. Deixar ferver até as maçãs ficarem moles. Desmanchar em um pouquinho de leite a maisena e juntar às maçãs, deixando cozinhar por 5 minutos, mexendo sempre. Acrescentar o queijo parmesão ralado, mexer bem amassando a mistura com um garfo para formar um purê. Colocar a manteiga e o sal e misturar bem. Está pronto.

COMBINA COM

Carne cozida ou assada, peixe assado, frango frito ou assado.

Entre meia hora e 40 minutos

Acompanhamentos

Creme de espinafre

INGREDIENTES E MEDIDAS (2 PORÇÕES)

½ maço de espinafre
1 colher de sopa de manteiga
2 colheres de sopa de leite
1 colher de sopa de maisena
sal a gosto

PREPARO

Retire a parte mais baixa e grossa do talo (aquela parte onde não há nenhuma folha). Lave bem o espinafre. Enquanto está lavando o espinafre, ponha para ferver uma panela com água. Quando a água estiver fervendo, coloque o espinafre e tampe a panela. Deixe ferver de 2 a 3 minutos (o tempo de amolecer o espinafre, sem cozinhá-lo). Escorra a água. Coloque no liquidificador o leite, a manteiga, a maisena e o sal e acrescente o espinafre. Bata bem. Despeje numa panela e cozinhe em fogo brando por alguns minutos, mexendo sempre. O creme estará pronto quando começar a borbulhar na panela.

COMBINA COM

Carnes, aves, peixes, arroz branco.

Sobremesas

Banana nanica assada

INGREDIENTES E MEDIDAS

1 banana por pessoa
1 colher de sopa de açúcar por banana
1 colher de sopa de licor (ou de suco de laranja ou de maracujá) por banana

PREPARO

Corte as bananas de comprido e vá colocando numa assadeira ou numa vasilha refratária. Quando já houver uma primeira camada de bananas, com uma colher de sopa regue-as com o licor ou com o suco de laranja ou de maracujá e coloque o açúcar. Faça uma segunda camada de bananas e repita a cobertura com suco licor ou suco e açúcar. Salpique com canela em pó a última camada. Coloque no forno por 15 minutos. Sirva quente.

Entre meia hora e 40 minutos

Sobremesas

Maçã assada

INGREDIENTES E MEDIDAS

1 maçã grande por pessoa
¼ de xícara de chá de água para cada maçã
2 colheres de sopa rasas de açúcar por maçã
2 pedacinhos de manteiga por maçã

PREPARO

Lave as maçãs e corte uma rodela no topo, como se fosse destampar a fruta. Com uma faca ou uma colherzinha de café, escave a maçã para retirar as sementes, tomando cuidado para não furar o fundo da fruta. Dentro de cada maçã coloque um pedacinho de manteiga no fundo, uma colher de sopa de açúcar, 3 colheres de sopa de água e mais um pedacinho de manteiga na parte superior. Numa vasilha refratária, coloque o restante da água e do açúcar e arrume as maçãs. Leve ao forno até amolecerem, regando, de vez em quando, com a água açucarada da vasilha. Sirva quente.

Pudim de laranja

INGREDIENTES E MEDIDAS (4 PORÇÕES)

2 xícaras de chá de leite
1 xícara de chá de açúcar
3 colheres de sopa de açúcar
5 colheres de sopa de maisena
2 xícaras de chá de suco de laranja

PREPARO

Bater todos os ingredientes no liquidificador, com exceção das 3 colheres de açúcar que serão usadas para caramelar a fôrma. Despejar numa panela a mistura que estava no liquidificador e mexer sempre até engrossar (mais ou menos 10 minutos). Com as 3 colheres de açúcar caramelar a fôrma e nela despejar o pudim. Colocar na geladeira. Depois de bem frio, virar num prato raso de bolo.

Entre meia hora e 40 minutos

Sobremesas

Entre meia hora e 40 minutos

Sobremesas

Musse de maracujá

Uma delícia especial! Finíssima e feita num abrir e fechar de olhos.

INGREDIENTES E MEDIDAS (4 A 6 PORÇÕES)

1 vidro de suco de maracujá (ou 1 lata média do suco concentrado)
1 lata de leite condensado
1 lata de creme de leite

PREPARO

Abra a lata de creme de leite e retire o soro (o melhor jeito para tirar o soro é fazer dois furos na parte inferior da lata e deixar escorrer por 1 ou 2 minutos). No liquidificador, coloque o suco de maracujá e o leite condensado e bata por 5 minutos. Acrescente o creme de leite e bata por mais 10 minutos. Pode despejar em taças, em cumbuquinhas ou numa vasilha grande de vidro ou cristal. Coloque na geladeira por 1 hora e meia e sirva.

Entre 40 minutos e 1 hora

Aqui, como no caso anterior, ofereceremos receitas de pratos principais e acompanhamentos, assim como saladas e sobremesas.

Entre 40 minutos e 1 hora

Salgados

Salgados

Tutu de feijão

INGREDIENTES E MEDIDAS (6 PORÇÕES)

½ kg de feijão
3 xícaras de chá de água
3 dentes de alho
1 cebola
6 tiras de *bacon*
½ xícara de chá de farinha de mandioca
½ xícara de chá de óleo
sal a gosto

PREPARO

Faça o feijão básico. Depois de cozido, retirar do fogo e bater no liquidificador com o alho. Numa panela à parte esquentar o óleo e fritar as tiras de *bacon* e a cebola picada. Deixar fritar bem. Acrescentar a farinha de mandioca, mexendo bem para não encaroçar até dourar. Juntar o feijão batido e continuar mexendo até começar a formar bolhas que vão soltando na panela. Servir.

COMBINA COM

Arroz branco, carnes de porco ou lingüiça frita.

Bolo de carne moída

Entre 40 minutos e 1 hora

Salgados

INGREDIENTES E MEDIDAS (4 A 6 PORÇÕES)

1 kg de carne moída bem limpinha
1 cebola média ralada
1 dente de alho amassado
5 colheres de sopa de farinha de trigo
1 ovo
3 colheres de sopa de leite
100 g de presunto fatiado e picado
100 g de queijo mozarela fatiado e picado
sal, pimenta-do-reino e orégano a gosto
manteiga

PREPARO

Numa vasilha funda, coloque a carne e tempere-a com a cebola, o alho, o sal, a pimenta-do-reino e o orégano. Quebre o ovo sobre a carne e misture. Acrescente o leite e misture bem. Acrescente a farinha de trigo e sove como se estivesse fazendo massa de pão. Sobre uma tábua de bife ou sobre uma pedra-mármore, polvilhe farinha de trigo e coloque a carne, abrindo-a com os dedos até ficar uma camada não muito grossa. No centro da carne, coloque pedacinhos de manteiga, o presunto e o queijo. Feche a carne dobrando as bordas para que fique enrolada. Unte com manteiga uma vasilha refratária e coloque a carne, cobrindo-a com pedacinhos de manteiga. Leve ao forno. Dependendo do seu forno, o bolo ficará pronto em meia hora ou 40 minutos.

COMBINA COM

Arroz branco, purês, creme de espinafre ou de milho, legumes no vapor.

Entre 40 minutos e 1 hora

Salgados

Sobrecoxas de frango com manga

INGREDIENTES E MEDIDAS (6 PORÇÕES)

12 sobrecoxas de frango
4 mangas grandes fatiadas
2 cebolas médias raladas
2 copos de vinho branco seco
6 colheres de sopa de óleo
sal e pimenta-do-reino a gosto

PREPARO

Temperar as sobrecoxas com sal e pimenta-do-reino. Descascar as mangas e fatiá-las. Batê-las no liquidificador com o vinho branco. Reservar. Numa panela, esquentar o óleo e dourar a cebola ralada. Acrescentar as sobrecoxas e mexer até dourar. Despejar a mistura de vinho e manga sobre o frango e deixar cozinhar em fogo forte até amaciar. Servir.

COMBINA COM

Arroz branco, purê de batatas, saladas de folhas, legumes no vapor.

Alcachofras

INGREDIENTES E MEDIDAS (6 PORÇÕES)

6 alcachofras
1 cebola ralada
2 dentes de alho amassados
1 pacote de tomates pelados
½ maço de cheiro-verde
3 colheres de sopa de manteiga
3 colheres de sopa de azeite de oliva
sal e pimenta-do-reino a gosto
1 ½ litro de água

Entre 40 minutos e 1 hora

Salgados

PREPARO

Veja no Capítulo 2 a indicação de como escolher e limpar as alcachofras. Limpar as alcachofras. Numa panela, derreter a manteiga, dourar a cebola e o alho, acrescentar o sal, a pimenta e a água. Arrumar as alcachofras na panela e acrescentar mais água, caso uma parte das alcachofras não esteja coberta de água. Tampar a panela. Quando ferver, abaixar o fogo. De vez em quando, espetar com um garfo o fundo de uma alcachofra para ver se já está macio e cozido. Quando estiverem cozidas, desligar o fogo. Com um garfo grande, passar as alcachofras sem o molho para uma outra panela e coar numa vasilha o molho em que foram cozidas. Numa panela, esquentar o azeite de oliva, acrescentar os tomates pelados, o cheiro-verde picadinho e o molho das alcachofras. Deixar ferver por 3 minutos. Colocar esse molho numa molheira (se as alcachofras forem servidas apenas para 2 pessoas) ou em tigelinhas individuais. Colocar as alcachofras numa travessa e servir. Cada pessoa mergulhará as folhas da alcachofra e o "coração" dela no molho colocado à sua frente.

Berinjela recheada ou abobrinha recheada (à moda árabe)

INGREDIENTES E MEDIDAS (2 PORÇÕES)

2 berinjelas grandes (ou 2 abobrinhas grandes)
200 g de carne moída bem limpa
1 xícara de café de arroz
½ cebola ralada
1 dente de alho inteiro
4 colheres de café de manteiga
água suficiente para cobrir os legumes
sal, pimenta-do-reino, pimenta síria (ou canela em pó)

PREPARO

Lave as berinjelas ou raspe as abobrinhas. Corte uma rodela na ponta mais fina da berinjela ou da abobrinha, como se fosse destampá-la. Com uma faca ou uma colher, vá retirando a polpa até que fique quase oca (não retire toda a polpa, pois além de sumir o gosto do legume no prato pronto, o recheio pode escapar). Lave em água corrente. Tempere a carne moída com cebola, sal, pimenta-do-reino e pimenta síria (ou canela em pó). Lave o arroz e junte à carne, misturando bem com as mãos. Para rechear, faça assim: coloque no fundo da berinjela ou da abobrinha, uma colherzinha de café de manteiga; em seguida, com as mãos, vá colocando a carne com arroz, deixando o recheio fofo dentro do legume, isto é, não o calque nem o aperte lá dentro (se você puser muito recheio e apertá-lo, vai virar um canudo duro e sem graça); não encha até o fim, isto é, deixe uma beirada final sem recheio porque o arroz vai crescer e se você colocar muito recheio ele vai escapar; termine com mais uma colherzinha de manteiga sobre o recheio. Numa panela funda, derreta 2 colheres de sopa bem cheias de manteiga e refogue as berinjelas ou abobrinhas, virando-as algumas vezes (faça isso por 1 ou 2 minutos). Cubra com água, coloque o dente de alho inteiro, tampe a panela. Quando começar a ferver, abaixe o fogo. Não deixe a água secar, pois é gostoso comer a berinjela ou a abobrinha com o molho em que foram cozidas. Se você notar que a água está secando, coloque mais um pouco, o suficiente para que haja molho na hora de servir. Em 20 minutos estará pronto.

Entre 40 minutos e 1 hora

Salgados

COMBINA COM

Saladas.

VARIAÇÃO DO MESMO TEMA: PIMENTÃO RECHEADO

A única diferença entre o pimentão recheado e a berinjela ou a abobrinha recheada é que nele não vai arroz e é dispensada a pimenta síria.

Se você gostar, pode colocar tomates pelados ou molho de tomate na água em que os pimentões serão cozidos, de modo que eles ficarão ensopados.

COMBINA COM

Arroz e feijão e um purê.

Entre 40 minutos e 1 hora

Acompanhamentos

Acompanhamentos

Suflê de queijo

INGREDIENTES E MEDIDAS (4 PORÇÕES)

1 xícara de chá de leite
2 colheres de sopa de manteiga
½ xícara de chá farinha de trigo
60 g de queijo *gruyère* ralado
1 colher de sopa de queijo parmesão ralado
4 ovos grandes
4 colheres de sopa de creme de leite fresco
sal a gosto

PREPARO

Vá deixando o forno preaquecido enquanto prepara o suflê (200 ºC). Separe as claras e as gemas dos ovos. Desmanche a farinha no leite. Numa panela pequena, coloque a manteiga, uma pitada de sal e o leite com farinha. Mexa sempre até ferver e formar um molho branco liso. Retire do fogo e deixe esfriar por alguns minutos. Acrescente os queijos e as gemas, misturando bem. Bata as claras em neve até ficarem bem durinhas. Despeje ¼ das claras batidas na mistura do creme com os queijos e mexa bem. Em seguida, acrescente o restante das claras, mas sem mexer muito, apenas o suficiente para misturá-las ao creme. Coloque numa vasilha refratária ou na vasilha própria para suflês. Encha somente até ¾ da vasilha porque o suflê vai crescer e se a vasilha estiver muito cheia, o suflê vai se espalhar pelo forno. Deixe de 10 a 15 minutos, até o suflê crescer e dourar. Sirva bem quente, ao sair do forno.

VARIAÇÕES NO RECHEIO DO SUFLÊ

Você pode variar o recheio do suflê, colocando, além dos queijos, 4 colheres de sopa de cenoura cozida amassada, ou pedacinhos de brócolis cozidos, ou pedacinhos de *bacon* frito, ou lascas de presunto.

Entre 40 minutos e 1 hora

Acompanhamentos

Entre 40 minutos e 1 hora

Sobremesas

Sobremesas

Pudim de leite condensado

INGREDIENTES E MEDIDAS (8 PORÇÕES)

1 copo de leite fresco
1 lata de leite condensado
4 ovos
1 xícara de chá de açúcar

PREPARO

Bater no liquidificador 4 gemas. Acrescentar 4 claras sem bater. Acrescentar a lata de leite condensado e o copo de leite fresco e bater tudo muito bem até misturar completamente. Colocar o açúcar para caramelar numa fôrma de anel (com um furo no meio). Depois de caramelado o açúcar, despejar a mistura que estava no liquidificador. Colocar numa assadeira um pouco de água e sobre ela colocar a fôrma com o pudim para cozinhar em banho-maria. Levar ao forno brando por 20 minutos e não abrir o forno. Depois de 20 minutos, desligar o forno. Esperar 5 ou 10 minutos para retirar o pudim. Depois que o pudim estiver bem frio, despejá-lo num prato raso de bolo. No fundo da fôrma, fica uma calda que você despeja sobre o pudim.

Pudim de pão

INGREDIENTES E MEDIDAS (6 PORÇÕES)

3 pãezinhos amanhecidos (ou 1 baguete amanhecida)
1 xícara de chá de açúcar
½ litro de leite fervido quente
3 ovos
½ colher de sopa de chocolate em pó
1 colher de chá de canela em pó
1 cálice de licor de cacau
2 colheres de sopa bem cheias de açúcar

PREPARO

Bater no liquidificador o pão cortado em pedaços com o leite fervido e quente. Acrescentar o açúcar, os ovos, a canela, o chocolate e o licor de cacau. Enquanto vai batendo a mistura, use as 2 colheres de açúcar para caramelar uma fôrma de anel (com um furo no meio). Quando a fôrma estiver caramelada, despejar a mistura que estava no liquidificador. Levar ao forno em banho-maria (isto é, colocar a fôrma numa assadeira com água) por 30 minutos. Desligar o forno. Deixar esfriar por uns 5 minutos. Retirar do forno, esperar mais alguns minutos e despejar num prato de bolo. Pode deixar na geladeira até o momento de servir.

Entre 40 minutos e 1 hora

Sobremesas

Doce de leite em calda (como a bisavó fazia)

INGREDIENTES E MEDIDAS (8 A 10 PORÇÕES)

1 litro de leite
1 colher de sopa de suco de limão
2 ½ xícaras de chá bem cheias de açúcar
6 pedaços de pau de canela

PREPARO

Numa panela funda despejar o leite e levar em fogo brando. Quando o leite começar a amornar, despejar o açúcar e mexer. Acrescentar a canela. Não mexer, mas ficar atento para não deixar ferver e derramar (um pires de xícara de café emborcado dentro da panela ajuda a impedir que o líquido derrame). Ao ferver, despejar o suco de limão e esperar talhar. Mexer delicadamente para diminuir os pedaços que se formam quando o líquido talha. Sempre de olho no doce, esperar que fique bem cozido. Estará no ponto quando a calda estiver líquida, fina e amarelada. Despejar numa tigela ou compoteira, deixando destampado. Servir bem frio e só tampar a vasilha para guardar o que sobrar.

Entre 1 hora e 1 hora e meia

Salgados

Lagarto

INGREDIENTES E MEDIDAS (4 A 6 PORÇÕES)

1 kg de lagarto
4 a 6 cebolas pequenas inteiras
3 batatas médias cortadas em pedaços
1 cenoura
3 colheres de sopa de óleo

PREPARO

Limpar a cenoura. Com uma faca ou com um recheador de carne, furar o lagarto no sentido horizontal e inserir a cenoura. Uma ou duas horas antes de cozinhar, temperar o lagarto em vinha-d'alho (veja a receita no Capítulo 3), furando a carne com um garfo grande para o tempero penetrar bem. Depois de 1 ou 2 horas, numa panela (de preferência, de pressão), esquentar o óleo e dourar o lagarto, despejando sobre ele o tempero da vinha-d'alho coado. Acrescentar mais ½ litro de água e deixar cozinhar por 40 minutos (se for na panela de pressão; e por 1 hora, se for na panela comum). Quando a carne estiver mole, mas ainda não completamente pronta, acrescentar os pedaços de batata e as cebolas pequenas. Tampar a panela e deixar cozinhar por mais 20 minutos (se for na de pressão; se for na panela comum, deixe por mais 40 minutos). Não deixar secar muito o molho.

COMBINA COM

Arroz de forno, arroz branco, feijão, creme de milho ou de espinafre, legumes no vapor, polenta.

Coxão duro ou mole

INGREDIENTES E MEDIDAS (4 A 6 PORÇÕES)

1 kg de coxão duro ou mole
4 batatas cortados em pedaços grandes
2 ½ litros de água
3 colheres de sopa de óleo

PREPARO

Furar a carne com um garfo grande para o tempero penetrar bem e colocá-la por 1 ou 2 horas no tempero de vinha-d'alho (a receita está no Capítulo 3). Numa panela (de preferência, de pressão), esquentar o óleo e dourar a carne, despejando sobre ela o tempero da vinha-d'alho coado e acrescentando a água. Deixar cozinhar por 40 minutos (se for em panela comum, cozinhar por 1 hora). Quando estiver mole, acrescentar os pedaços de batata e deixar cozinhar por mais 20 minutos (se for em panela comum, deixar por mais 40 minutos). Não deixar secar muito o molho.

COMBINA COM

Arroz de forno, arroz branco, feijão, creme de milho ou de espinafre, polenta, legumes no vapor.

Goulash

INGREDIENTES E MEDIDAS (4 A 6 PORÇÕES)

600 g de músculo bem limpo cortado em cubos pequenos
1 prato raso de farinha de trigo
sal e pimenta-do-reino a gosto
1 colher de café de páprica doce
½ colher de café de páprica picante
1 tablete de caldo de carne ou ½ copo de caldo de carne já preparado
2 cenouras médias picadas
3 batatas médias picadas
1 cebola ralada
1 dente de alho amassado
2 colheres de sopa de manteiga

PREPARO

Temperar o músculo com sal, pimenta-do-reino e páprica. Passar os cubos pela farinha de trigo. Numa panela grande, colocar a manteiga para esquentar e dar uma rápida fritada nos cubos de músculo. Acrescentar a cebola e o alho. Colocar 1 litro de água, tampar a panela e deixar cozinhar. De vez em quando, olhar para ver se precisa acrescentar mais água, pois o *goulash* é um ensopado. Quando a carne estiver mole, acrescentar o caldo de carne, mais 1 colher de café rasa de páprica, as cenouras e as batatas. Se necessário, colocar mais água. Deixar cozinhar até as cenouras e as batatas ficarem moles. Está pronto para servir.

COMBINA COM

Arroz branco, salada verde.

Receitas para o seu almoço de domingo

Entre 1 hora e 1 hora e meia

Almoço de domingo

Maionese de folhas e frutas

INGREDIENTES E MEDIDAS (5 PORÇÕES)

1 vidro pequeno de maionese
½ caixinha (ou lata) de creme de leite
2 colheres de sopa de mostarda em pasta
1 colher de chá de sumo de limão
1 pitada de açúcar
1 xícara de chá de azeite
1 pé de alface
1 maço de rúcula
1 colher de sopa de uva passa escura
1 colher de sopa de uva passa branca
1 maçã ácida picada
1 maçã doce picada
1 cenoura ralada
1 talo de erva-doce picado
sal e pimenta-do-reino a gosto

PREPARO

Lave a alface e a rúcula e corte-as em tirinhas finas (o melhor é cortá-las com a tesoura). Raspe e rale a cenoura. No liquidificador, misture a maionese, o creme de leite, a mostarda, o azeite e o açúcar, batendo bem até formar um creme liso e homogêneo. Numa travessa, coloque as folhas fatiadas à volta (primeiro a alface e depois a rúcula). No centro, coloque a cenoura, as maçãs, a erva-doce e as uvas passas, despejando sobre elas a maionese batida e misturando tudo muito bem.

Se quiser deixar o prato mais festivo, enfeite-o com tomate e rabanete picados.

Entre 1 hora e 1 hora e meia

Almoço de domingo

Lombo de porco assado

INGREDIENTES E MEDIDAS (6 A 8 PORÇÕES)

1 ½ kg de lombo
temperar na vinha-d'alho (ver a receita no Capítulo 3)
3 colheres de sopa de óleo
2 colheres de sopa de manteiga
½ litro de água

PREPARO

Lavar bem o lombo e despejar sobre ele uma chaleira de água fervendo para tirar o excesso de gordura, lavando novamente em água corrente. Furar com um garfo grande para o tempero penetrar bem. Deixar na vinha-d'alho por algumas horas. Numa panela, esquentar o óleo e dourar o lombo, despejando sobre ele o tempero da vinha-d'alho coado e ½ litro de água fria. Deixar cozinhar por 10 minutos (5 minutos de cada lado). Apagar o fogo. Untar com manteiga uma assadeira ou vasilha refratária e nela colocar o lombo com o caldo que está na panela, colocando sobre ele pedacinhos de manteiga. Cobrir com papel laminado e levar ao forno (alto). Depois de meia hora, virar o lombo e deixar mais meia hora. Ir regando o lombo com o molho. Espetar com o garfo para ver se já está amolecendo. Quando estiver mole, retirar o papel laminado e deixar dourar de 10 a 15 minutos de cada lado.

COMBINA COM

Arroz mais uma farofa e uma salada de folhas; arroz branco, tutu de feijão, batata frita, salada de folhas.

Também fica gostoso e sofisticado servi-lo com abacaxi e arroz branco, seguido de uma salada de folhas. Você pode comprar uma lata de abacaxi fatiado e, ao retirar o papel laminado para o lombo dourar, colocar as fatias de abacaxi à volta dele, regando-as com o molho.

Estrogonofe

INGREDIENTES E MEDIDAS (8 PORÇÕES)

1 kg de filé *mignon* bem limpo cortado em cubinhos ou tirinhas
sal e pimenta-do-reino a gosto
3 colheres de sopa de manteiga
1 xícara de chá de farinha de trigo
1 pitada de açúcar
2 dentes de alho amassados
2 cebolas raladas
3 colheres de sopa de *catchup*
1 copo de vinho branco
2 colheres de sopa de molho inglês
1 colher de sopa de mostarda
1 vidro de 250 g de cogumelos picados
250 g de creme de leite
2 cálices de conhaque

PREPARO

Ao comprar o filé *mignon* pedir que já venha bem limpo, sem gorduras, fios e fibras, cortado em tirinhas bem finas ou cubinhos. Salpicar com sal e pimenta-do-reino a gosto. Numa vasilha colocar a farinha de trigo misturada com o açúcar. Enfarinhe a carne, passando-a pela farinha de trigo até ficar bem envolvida. Dividir a carne em porções para facilitar a fritura. Sobre o fogão, deixar uma panela funda vazia. Numa frigideira, colocar parte da manteiga para esquentar e fritar uma porção da carne, mexendo sempre para ficar bem frita e sem soltar água. Depois de frita, despejar a carne na panela vazia. Repetir a operação de fritura da carne até que todas as porções estejam fritas e toda a carne esteja na panela. Acenda o fogo. Sobre a carne, despeje o conhaque e imediatamente acenda sobre ela um palito de fósforo para flambá-la.

Entre 1 hora e 1 hora e meia

Almoço de domingo

Entre 1 hora e 1 hora e meia

Almoço de domingo

Depois de flambada a carne, acrescentar a manteiga restante e a que sobrou na frigideira, a cebola ralada, o alho amassado, o *catchup*, a mostarda, o molho inglês e o vinho branco, mexendo sempre. Deixar cozinhar por 3 minutos. Acrescentar os cogumelos e deixar por mais 10 minutos. Por último, acrescentar o creme de leite, deixar esquentar sem ferver e desligar o fogo. Servir.

COMBINA COM

Arroz branco, batata frita.

Acompanhamentos

Sofisticando os legumes: *Ratatouille* (é francês; diga "ratatuiê")

INGREDIENTES E MEDIDAS (4 PORÇÕES)

1 berinjela grande cortada em rodelas
1 abobrinha grande cortada em rodelas
1 pimentão vermelho grande cortado em rodelas
2 tomates grandes, sem pele, cortados em rodelas
1 cebola grande cortada em rodelas
2 dentes de alho amassados
1 xícara de chá de azeite de oliva
sal, pimenta-do-reino, orégano, manjericão e tomilho a gosto

PREPARO

Tempere, separadamente, com alho, sal, pimenta, orégano, manjericão e tomilho a berinjela, a abobrinha, o pimentão e os tomates. Unte com uma colher de azeite o fundo de uma vasilha refratária funda. Coloque uma camada de berinjela, uma de abobrinha, uma de pimentão, uma de tomate e uma de cebola. Regue novamente com o azeite. Repita novas camadas, regando com o azeite. A última camada deve ser de tomate. Leve ao forno quente por 30 a 40 minutos.

COMBINA COM

Carne bovina e suína assada, peixe assado ou grelhado, churrasco.

1 hora e 1 hora e meia

Acompanhamentos

Badejo no leite de coco

INGREDIENTES E MEDIDAS (6 PORÇÕES)

2 kg de badejo
sumo de 1 limão
½ maço de salsinha picada
2 folhas de louro
½ xícara de vinho branco seco
1 cebola cortada em fatias finas
1 dente de alho amassado
1 pimentão verde pequeno cortado em fatias
3 tomates pelados cortados em rodelas
1 vidro de leite de coco
1 xícara de chá de azeite de oliva
sal e pimenta-do-reino a gosto

PREPARO

Lavar e temperar as postas de peixe com sal, pimenta-do-reino, salsinha, alho e limão. Em uma vasilha refratária, forrar o fundo com rodelas de tomate e ½ xícara de azeite. Sobre essa camada, colocar as postas de peixe uma ao lado da outra. Cobrir com as rodelas de cebola e de pimentão e o resto do azeite. Por cima de tudo despejar uma mistura de leite de coco e vinho branco e as folhas de louro. Levar ao forno por meia hora.

Lasanha

Acompanhamentos

INGREDIENTES E MEDIDAS (4 PORÇÕES)

½ kg de massa para lasanha
200 g de carne moída
1 caixinha de tomate pelado
150 g de mozarela fatiada (fatias finas)
150 g de presunto fatiado (fatias finas)
150 g de queijo parmesão ralado
1 dente de alho amassado
1 cebola ralada
1 colher de chá de orégano
sal e pimenta-do-reino a gosto
3 litros de água
½ xícara de chá de azeite de oliva
1 copo de leite
1 colher de chá de maisena

PREPARO

Comece com o molho de carne moída. Tempere a carne com sal, pimenta-do-reino, cebola, alho e orégano. Numa panelinha, esquente o azeite, doure os tomates e despeje a carne temperada. Mexa bem. Quando começar a ferver, abaixe o fogo e deixe cozinhar por 5 minutos. Enquanto o molho acaba de cozinhar, coloque numa panela funda a água para ferver. Passados 5 minutos, não esqueça de desligar o fogo do molho. Cuide agora da massa. Na água fervente, vá colocando a lasanha de folha em folha, cruzando cada folha sobre a outra para não grudar. Depois de 10 minutos, mexa com um garfo grande para que as folhas fiquem bem soltas. Enquanto a massa vai cozinhando, prepare o molho branco. Dissolva a maisena num pouco de leite e depois misture-a com todo o leite e coloque uma pitada de sal. Leve ao fogo, mexendo sempre até se tornar um creme bem mole. Você tem já prontos o molho branco e o de carne. Falta só preparar a massa.

223

Entre 1 hora e 1 hora e meia

Acompanhamentos

Prove um pedaço de massa para ver se está no ponto. Se estiver, retire-a do fogo e escorra a água no escorredor de macarrão. Passe água corrente na massa, para não grudar. Numa vasilha refratária, coloque uma camada do molho de carne para forrar o fundo. Sobre essa camada, coloque folhas de lasanha, uma ao lado outra. Sobre essas folhas, coloque mais molho de carne moída e salpique com o queijo ralado. Coloque nova camada de folhas de lasanha e sobre essa camada, molho de carne moída, uma camada de fatias de mozarela e uma camada de fatias de presunto. Vá repetindo o procedimento das camadas de massa, molho, mozarela e presunto até chegar à última camada de massa. Quando chegar nessa última camada, coloque o molho de carne, o presunto e, agora, o molho branco, sobre o qual deve ir uma camada de mozarela, cobrindo toda a lasanha. Leve ao forno para derreter a mozarela. Quando o queijo derreter e corar, está pronta.

Sobremesa

Musse de chocolate simples

INGREDIENTES E MEDIDAS (8 PORÇÕES)

1 barra de chocolate meio amargo de 300 g
1 lata de creme de leite
3 claras batidas em neve
5 colheres de sopa de açúcar

PREPARO

Pique o chocolate e ponha em banho-maria para derreter. Fure o fundo da lata de creme de leite para que o soro saia. Acrescente o creme de leite ao chocolate. Numa vasilha (ou na batedeira), bater as claras em neve. Quando estiverem em neve, ir adicionando aos poucos o açúcar, batendo sempre para formar um suspiro grosso e duro. Misture suavemente o suspiro à mistura de chocolate e creme de leite. Despeje numa tigela bonita ou em tigelinhas individuais e leve à geladeira por, pelo menos, 1 hora e meia antes de servir.

Lanches rápidos

Em vez de um almoço ou de um jantar, um lanche.

Sanduíches

Os sanduíches são ideais para lanches e para almoços rápidos. O segredo do sanduíche é a inventividade de cada um na escolha dos ingredientes. Vamos ensinar-lhe o preparo básico para sanduíches e você escolherá qual será o "centro" dele – queijos, frios, carnes desfiadas, etc.

Lanches rápidos

Sanduíches

Sanduíche frio

INGREDIENTES

Pão (o tipo depende de sua escolha)
temperos: maionese, mostarda, *catchup*, cebola, azeitona
verduras: alface, rúcula ou agrião
cebola
tomate
pepino
o "centro" (a escolha é sua: queijos, frios ou carnes, peixe ou frango desfiados, etc.)

PREPARO BÁSICO

Você pode aquecer o pão no forno ou numa torradeira, mas também pode deixá-lo na temperatura ambiente.

Sobre uma das fatias, passe mostarda a gosto. Sobre a outra fatia, passe, a gosto, maionese, coloque folhas da verdura que você escolheu, fatias finas de tomate, de pepino e de cebola (se gostar de cebola, evidentemente) e sobre eles coloque o "centro", isto é, os queijos, os frios, as carnes, o frango ou o peixe. Cubra com a fatia de pão em que passou a mostarda. Os sanduíches com frios e carnes ficam gostosos

Lanches rápidos

Sanduíches

se, antes de fechá-los, você puser um pouco de *catchup* sobre o "centro" (evidentemente, se você gostar de *catchup*). O "centro" pode ser misto e você escolhe o que deseja misturar (vários tipos de queijos, uma mistura de queijo e frios ou carnes, etc.).

Se levar em conta a variedade de pães, queijos, frios, carnes, aves e peixes, perceberá que a quantidade de sanduíches frios rápidos que você pode inventar é enorme.

Sanduíche quente rápido

Os sanduíches quentes são os que usam preferencialmente o queijo como um dos ingredientes. São, por isso, sanduíches de uma mistura de queijos ou sanduíches mistos, em que o queijo é misturado com algum frio (presunto, peito de peru, lombinho defumado, salame) ou alguma carne, peixe ou frango desfiados.

Esses sanduíches podem levar ou não fatias de tomate, de ovo cozido e de cebola, se isso for de seu gosto. Se você for usar tomate e cebola, ou tomate e ovo, ou tomate, ovo e cebola, é bom temperá-los à parte com sal, azeite e orégano, antes de colocá-los nas fatias.

PREPARO

O sanduíche pode ser preparado no forno, no microondas ou na sanduicheira elétrica (mas até mesmo numa frigideira, se no lugar em que você estiver não houver fornos ou torradeiras, por exemplo, numa praia ou num sítio, quando você pode estar usando um fogãozinho de duas bocas ou fogareiro).

Prepare o sanduíche passando, primeiro, uma fina camada de manteiga ou de margarina sobre as fatias de pão. Coloque sobre uma das fatias de pão o queijo ou os queijos. Se for fazer um sanduíche misto, coloque sobre o queijo a fatia ou as fatias de frios escolhidos. Coloque, agora, as rodelas finas de tomate, cebola e ovo cozido temperados. Cubra tudo com mais uma fatia de queijo. Feche o sanduíche com a outra fatia de pão. Coloque no forno, no microondas ou na sanduicheira.

O sanduíche está pronto quando: o queijo estiver derretido e o pão estiver dourado ou quase torrado.

Se for fazer o sanduíche no forno, poderá dispensar a segunda fatia de pão, deixando que a fatia de queijo seja a cobertura.

Se fizer o sanduíche numa frigideira, você deverá virá-lo para que possa esquentar dos dois lados e para que o queijo derreta dos dois lados. Nesse caso, não é recomendável o sanduíche aberto, pois, ao virá-lo, o queijo poderá grudar na frigideira.

Lanches rápidos

Sanduíches

Pastas para sanduíches

Você pode inventar pastas para o "centro" do seu sanduíche, incrementando-o com folhas de alface, fatias de tomate, pepino e ovo cozido. Ou saboreando-o apenas com a pasta.

Pasta de atum ou de sardinha

INGREDIENTES E MEDIDAS (4 SANDUÍCHES)

1 lata de atum (ou de sardinha)
½ cebola ralada
2 colheres de sopa de maionese
3 colheres de sopa de creme de leite
1 colherzinha de café de mostarda em pasta

Lanches rápidos

Pastas para sanduíches

PREPARO

Numa vasilha funda despeje o atum ou a sardinha e amasse bem com um garfo até formar uma pasta. Acrescente a cebola, o creme de leite, a maionese e a mostarda e misture muito bem até formar um creme liso e homogêneo.

VARIAÇÕES

No lugar da maionese ou do creme de leite, você pode usar iogurte natural. Se quiser, pode usar requeijão cremoso e *catchup*. E pode variar o gosto usando pimenta-do-reino ou páprica, orégano e noz-moscada.

Babaganuche (a pasta árabe de berinjela)

INGREDIENTES E MEDIDAS (4 PORÇÕES)

1 berinjela
2 dentes de alho amassados
1 colher de sopa de azeite de oliva
1 colher de sopa de azeite de gergelim (taíne ou tahine)
suco de ½ limão
sal e pimenta síria (ou pimenta-do-reino acrescida de uma pitada de canela em pó) a gosto

PREPARO

Assar a berinjela em forno quente. Ainda morna, descascá-la e amassar bem com um garfo. Temperar com o sal, o alho amassado, a pimenta síria (ou pimenta-do-reino com a pitada de canela em pó), o azeite de oliva, o óleo de gergelim batido e o suco de limão. Servir com o pão árabe.

Mansha (a pasta árabe de pimentão; diga "manra")

Lanches rápidos

Pastas para sanduíches

INGREDIENTES E MEDIDAS (4 A 6 PORÇÕES)

3 pimentões vermelhos
200 g de farinha de rosca
200 g de castanhas de caju
sal, pimenta síria (ou pimenta-do-reino) a gosto
1 xícara de chá de azeite

PREPARO

Bater no liquidificador os pimentões lavados, sem sementes, cortados em pedaços. Acrescentar a farinha de rosca, as castanhas de caju, o sal, a pimenta síria e o azeite. Bater até formar um pirão, uma pasta úmida, vermelha. Servir com pão sírio ou com torradinhas.

Lanches rápidos

Pastas para sanduíches

Homus (a pasta árabe de grão-de-bico)

INGREDIENTES E MEDIDAS (6 A 8 PORÇÕES)

1 lata (250 g) de grão-de-bico já cozido
1 colher de café de pimenta síria (ou juntar à pimenta-do-reino uma pitada de canela em pó)
1 colher de sopa de azeite de oliva
1 colher de sopa de azeite de gergelim (taíne)
sumo de 1 limão
2 dentes de alho amassados
folhas de hortelã picadas

PREPARO

Bater o grão-de-bico no liquidificador com 3 colheres de sopa da água em que veio enlatado. Acrescentar o sal, a pimenta síria (ou a pimenta-do-reino com a pitada de canela em pó), o limão, o alho, o azeite de oliva e o azeite de gergelim. Voltar a bater muito bem até formar uma pasta lisa, esbranquiçada (ou amarela bem clara) e úmida. Provar o sal. Se não estiver bem úmido, acrescentar azeite de oliva e taíne. Colocar numa tigela e salpicar com as folhas de hortelã picadas. Servir com pão sírio ou torradinhas.

Sofisticando o lanche

Batata assada

Sozinha já é um lanche dos bons.

INGREDIENTES

batatas grandes
requeijão cremoso
queijo parmesão ralado
creme de leite
manteiga
presunto fatiado picadinho (ou *bacon* frito picadinho)

MEDIDAS

As medidas variam de acordo com o número de pessoas. Calcule uma batata para cada pessoa.

PREPARO

Lavar as batatas, esfregando-as bem para tirar toda impureza. Embrulhar as batatas em papel laminado e levar ao forno por 1 hora. Se fizer no microondas, embrulhar as batatas em papel-toalha e deixar assar por 10 minutos (5 minutos de cada lado). Enquanto as batatas assam, picar o presunto ou fritar o *bacon*, picando-o em seguida. Levá-las para a mesa ainda embrulhadas, cada um desembrulhará a sua no próprio prato, onde a cortará ao meio, colocando sal a gosto, manteiga, requeijão cremoso, creme de leite, queijo ralado, presunto ou *bacon*.

Lanches rápidos

Sofisticando o lanche

Quiche Lorraine, muito elegante

A MASSA
INGREDIENTES E MEDIDAS (4 PORÇÕES)

200 g de farinha de trigo
100 g de manteiga
1 colher de sopa de óleo
1 pitada de sal
2 colheres de sopa de água filtrada

PREPARO

Derreter a manteiga e misturar com o óleo. Acrescentar a farinha e o sal, misturando bem. Acrescentar a água e sovar a massa: faça uma bola com a massa e bata duas vezes sobre a mesa para amaciar. Abrir a massa com o abridor de massa e colocar na assadeira, ou abri-la com as mãos diretamente na vasilha em que vai assar. Com a ponta de um garfo, furar a massa em diversos pontos e levar ao forno brando até assar e corar.

O RECHEIO
INGREDIENTES E MEDIDAS

150 g de queijo suíço ou *gruyère* cortado em cubinhos
5 tiras de *bacon* fritas
3 colheres de sopa de presunto cortado em pedacinhos
3 ovos
1 colher de sopa de farinha de trigo
½ lata de creme de leite
2 colheres de sopa de manteiga
1 xícara de café de leite
1 pitada de noz-moscada
sal a gosto

PREPARO

Colocar sobre a massa assada os cubinhos de queijo suíço ou *gruyère*, tiras de *bacon* frito e o presunto picado. À parte, bater os ovos até espumar e ficar amarelo-claro. Acrescentar aos ovos batidos a farinha de trigo, 1 pitada de noz-moscada e sal a gosto. Bater para misturar. Acrescentar o creme de leite, o leite e as 2 colheres de sopa de manteiga derretida. Colocar sobre o recheio da massa, cobrindo-o bem. Voltar ao forno e assar em forno médio por 25 minutos. Servir quentinha.

Lanches rápidos

Sofisticando o lanche

Usando aquelas fôrmas desmontáveis (de fundo removível) fica mais fácil para desenformar a *quiche*. Se não tiver esse tipo de fôrma, pode usar papel manteiga para forrar o fundo da assadeira. Ao desenformar, você retira a *quiche* segurando as bordas do papel.

Lanches rápidos

Sofisticando o lanche

Peixe em escabeche

INGREDIENTES E MEDIDAS (PARA COBRIR 8 A 10 POSTAS DE PEIXE FRITO)

½ copo de azeite de oliva
2 colheres de sopa de *catchup*
1 copo de água
2 cebolas em rodelas finas
3 dentes de alho amassados
2 folhas de louro
sal e pimenta-do-reino a gosto
1 xícara de café de vinagre

PREPARO

Temperar as postas de peixe com sal e pimenta-do-reino e fritá-las. Escorrer bem o óleo e deixar sobre papel-toalha enquanto prepara o molho.

Levar ao fogo o azeite numa panela e deixar esquentar. Dourar as rodelas de cebola e o alho amassado. Acrescentar o *catchup* dissolvido na água. Juntar o louro, o vinagre, o sal e a pimenta-do-reino. Deixar ferver para amaciar, mas sem amolecer demais.

Numa vasilha funda (de preferência com tampa) dispor as postas de peixe e o molho: forrar a vasilha com uma camada de molho, sobre ela colocar uma camada de peixe, a seguir nova camada de molho e outra de peixe, e assim por diante. A última camada deve ser de molho.

Pode ser servido no mesmo dia ou ficar guardado na geladeira e ser servido aos poucos durante a semana, bastando esquentá-lo na hora de servir.

Panquecas e crepes

A diferença entre a panqueca e o crepe é dupla: a panqueca é mais grossa e salgada, enquanto o crepe é mais fino e pode ser salgado ou doce. Além disso, a panqueca, geralmente, é recheada de carne moída com molho de tomate, enquanto o crepe salgado pode ser recheado apenas com queijo ralado (parmesão ou *gruyère*), requeijão, presunto. O crepe doce pode ser recheado com mel ou xarope de *maple*, geléias variadas, coco ralado, etc.

MASSA
INGREDIENTES E MEDIDAS (10 PANQUECAS)

½ xícara de chá de leite
½ xícara de chá de água
1 xícara de chá de farinha de trigo
1 colher de sopa de manteiga
1 colher de café de fermento em pó
2 ovos
sal a gosto

PREPARO

Coloque todos os ingredientes no liquidificador e bata por 3 minutos até formar uma pasta homogênea e lisa. Escolha uma frigideira pequena ou média porque ela servirá de medida ou limite para o tamanho de cada panqueca. Aqueça a frigideira, coloque um pedacinho muito pequeno de manteiga (apenas para untar a frigideira). Com uma concha, apanhe uma porção da massa e despeje no centro da frigideira, tirando-a do fogo e girando-a para que a massa a ocupe por inteiro. Deixe o fogo alto. Espere 1 minuto. Com uma espátula, vire a panqueca e espere mais 1 minuto. Retire do fogo e vá colocando num prato. Para as panquecas não esfriarem até que todas estejam prontas, coloque água numa panelinha e ponha para ferver, colocando o prato sobre ela para receber o vapor.

Lanches rápidos

Sofisticando o lanche

Lanches rápidos

Sofisticando o lanche

RECHEIO

Você pode rechear as panquecas com carne moída frita e molho de tomate. Coloque a carne e um pouco de molho no centro da panqueca e dobre as pontas. Vá colocando numa vasilha refratária. Depois de recheadas, cubra as panquecas com molho de tomate e queijo ralado e coloque no forno por uns 5 minutos. Estão prontas para servir.

Crepe

A receita da massa de crepe é a mesma que a da panqueca, com apenas uma diferença: em vez de ½ xícara de água, coloque 1 xícara, para que fique menos grosso.

Se o crepe for receber recheio doce, não coloque sal na massa. Pode colocar 1 colher de sopa de açúcar, se quiser.

Ao fritar os crepes, a medida na concha deve ser menor que a da panqueca. Ou seja, se você usa a concha cheia para a panqueca, use-a pela metade para o crepe, pois ele deverá ficar mais fino do que ela. O procedimento de fritura é igual ao da panqueca e é bom deixar o prato aquecido no vapor.

O melhor é não rechear os crepes. Sobre a mesa do lanche, coloque queijo ralado, coco ralado, mel, geléias, xarope de *maple*, pasta de chocolate, pasta de amendoim (enfim, o que tiver em casa ou o que tiver comprado especialmente para os crepes) e deixe que cada um recheie o seu crepe como desejar.

Por que não fazer um bom pastel caseiro?

Sem dúvida, é mais fácil comprar caixinhas com pastel semi-pronto, bastando fritá-los. Mas nada impede que, um belo dia, você decida fazer seus próprios pastéis. Para isso, aqui vai a sugestão da massa. E o recheio fica por sua conta, é claro.

Lanches rápidos

Pastel caseiro

Massa para pastel à Salette

INGREDIENTES E MEDIDAS (20 PASTÉIS)

2 xícaras de chá de farinha de trigo
1 colher de sobremesa bem cheia de manteiga
1 colher de chá de sal
leite frio

PREPARO

Coloque numa vasilha funda a farinha de trigo, a manteiga e o sal e misture com as mãos. Despeje vagarosamente um pouco de leite e misture com as mãos. Coloque tanto leite quanto for necessário para que se forme uma farofa homogênea e a massa fique consistente para ser amassada. Amasse bem. Deixe descansar por meia hora antes de começar a abrir para fazer os pastéis.

ABRINDO A MASSA

Polvilhe com farinha de trigo a mesa ou a tábua de bife ou a pedra-mármore. Pegue uma porção de massa e coloque sobre a farinha, abrindo-a levemente com as mãos. Com o rolo de abrir massas, vá abrindo a massa. Primeiro de um lado, depois, do outro até que a massa fique bem fina e firme. Com uma faca, corte retân-

Pastel caseiro

gulos. Coloque no centro de cada retângulo o recheio escolhido. Dobre a massa de maneira que uma ponta cubra a outra. Com um garfo, aperte bem as pontas para que grudem uma na outra, fechando bem o pastel.

FRITANDO O PASTEL

Numa frigideira, coloque bastante óleo que dê para cobrir o pastel. Espere esquentar bem. Como talvez você não tenha muita experiência, frite um pastel de cada vez (se tiver mais experiência, pode fritar até três de cada vez). Para fritar, faça assim: coloque o pastel no óleo, com uma escumadeira jogue óleo quente sobre ele e vire, repetindo a operação. Quando estiver dourado, retire-o com a escumadeira, escorrendo bem o óleo. Passe no papel-toalha antes de servir.

RECHEIOS

Podem ser de carne moída frita, de queijo (pedaço grosso), de palmito desfiado e amassado. Também podem ser doces. Nesse caso, use geléias ou compotas de frutas.

Molhos e caldos básicos

Para que dificultar se você pode facilitar? Podem ser feitos com antecedência, guardados na geladeira e usados quando houver necessidade.

Muitas vezes, a sua receita pede um molho ou um caldo e você desiste dela porque não dá tempo de prepará-los. O mais fácil é, num fim de semana, preparar vários molhos e caldos e deixá-los guardados para quando houver necessidade. Não guarde por mais de um mês porque o sabor se perde e envelhece.

Molhos e caldos básicos

Molhos

Molhos

Vinagrete simples

Misturar muito bem azeite de oliva, vinagre de vinho branco, cheiro-verde e mostarda em pasta. Sal e pimenta-do-reino branca a gosto. A quantidade para temperar uma salada de folhas para 2 pessoas é: 2 colheres de sopa de vinagre, 2 colheres de chá de mostarda, 3 ramos de cheiro-verde picados, 1/3 de xícara de chá de azeite de oliva.

Vinagrete com ovos

INGREDIENTES E MEDIDAS

2 ovos
1 cebola picada
½ xícara de chá de vinagre
½ xícara de chá de azeite de oliva
1 colher de café de mostarda em pasta
½ maço de salsa picada
sal a gosto

PREPARO

Cozinhar os ovos; separar as claras e as gemas e passá-las separadamente por uma peneira grossa para esfarelar. Numa vasilha funda, juntar as claras e as gemas ao sal e o vinagre. Misturar bem. Acrescentar a salsa picada e a mostarda. Misturar bem e ir despejando devagar o azeite, misturando-o ao restante dos ingredientes.

Molho de tomate

Molhos e caldos básicos

Molhos

INGREDIENTES E MEDIDAS

1 lata de tomates pelados
3 dentes de alho amassados
1 cebola grande batida (ou ralada)
½ maço de cheiro-verde picado
1 pitada de sal, pimenta-do-reino e orégano
5 colheres de sopa de azeite de oliva
2 colheres de sopa de vinagre
1 colher de sopa de molho inglês

PREPARO

Numa panela, esquentar o azeite de oliva, fritar o alho, a cebola e os tomates. Acrescentar sal, pimenta-do-reino, cheiro-verde e orégano. Depois de ferver, acrescentar o vinagre e o molho inglês. Deixar ferver novamente. Esperar esfriar para guardar.

Se você acrescentar alcaparras e azeitonas pretas picadas ficará uma delícia para comer com a massa de sua preferência (espaguete, penne, fusilli, etc.). Se gostar, também pode acrescentar alecrim.

Molhos e caldos básicos

Molhos

Molho bolonhês

INGREDIENTES E MEDIDAS

100 g de toucinho defumado ou de fatias de *bacon*
300 g de lingüiça calabresa sem tripa
1 ½ cebola ralada
2 dentes de alho picadinhos
½ xícara de chá de vinho tinto
1 xícara de chá de *catchup*
1 colher de chá de açúcar
1 xícara de chá de mistura de orégano e alecrim
sal a gosto

PREPARO

Picar o toucinho (ou *bacon*) bem miúdo e fritar. Na gordura com os torresmos dourar a cebola e o alho e juntar a carne da lingüiça sem a tripa e fritar bem, mexendo. Bem frita a lingüiça, juntar 1 ½ xícara de água, açúcar, sal, alecrim, orégano e *catchup*. Ao ferver, despejar o vinho e deixar cozinhar em fogo baixo. Se o molho secar muito, acrescentar ½ xícara de chá de água e ½ xícara de chá de vinho. Ao ferver, apagar o fogo. Esperar esfriar para guardar.

Caldos

Caldo de carne

INGREDIENTES E MEDIDAS

600 g de músculo de boi cortado em cubos
1 cebola grande cortada em cubos
1 cenoura grande cortada em cubos
1 alho-poró picado (parte branca e verde-clara) ou 2 talos de salsão
(com as folhas) picados
2 dentes de alho amassados
4 ramos de salsinha picados
1 folha de louro
10 grãos de pimenta-do-reino
2 cravos-da-índia
1 colher de sopa de azeite de oliva
3 litros de água fria

PREPARO

Refogue a carne rapidamente no azeite (mais ou menos 5 minutos) e se quiser um caldo mais escuro deixe a carne dourar um pouco mais (uns 7 minutos). Em seguida, acrescente a cebola, a cenoura e o alho-poró e refogue por mais alguns minutos. Acrescente o alho, a salsinha, o louro, os cravos, a pimenta e a água. Deixe ferver, abaixe o fogo e deixe cozinhar por mais ou menos 1 hora e meia. Retire a espuma que fica por cima de tempos em tempos. Coe numa peneira, deixe esfriar. Coloque na geladeira e retire a gordura que fica na superfície, após várias horas.

O verdadeiro caldo de carne, como é feito nos restaurantes, utiliza ossos de boi que ficam assando até ficarem bem dourados e depois são fervidos por várias horas.

Para uso doméstico, no entanto, você poderá fazer um caldo de carne simplificado, utilizando músculo de boi.

245

Molhos e caldos básicos

Caldos

Caldo de galinha

INGREDIENTES E MEDIDAS

1 kg de galinha com os ossos cortado em pedaços
1 cebola grande ralada
3 dentes de alho grandes amassados
10 grãos de pimenta-do-reino
2 cravos-da-índia
1 cenoura picada
1 talo de alho-poró picado (só a parte branca)
2 folhas de louro
sal a gosto
2 litros de água fria

PREPARO

O mesmo procedimento que o do caldo de carne.

Caldo de peixe

INGREDIENTES E MEDIDAS

1 kg de peixe com ossos cortado em pedaços grandes
1 cebola grande ralada
120 g de cogumelos picados
1 xícara de chá de vinho branco seco
10 grãos de pimenta-do-reino
6 ramos de salsa picados
1 folha grande de louro
2 litros de água fria
1 colher de manteiga
sal a gosto

PREPARO

Numa panela, esquente a manteiga e refogue a cebola e os cogumelos. Junte os outros ingredientes e a água. Coloque o peixe e deixe ferver por 20 minutos. Retire a gordura formada na parte superior e deixe ferver por mais 20 minutos em fogo brando. Espere esfriar para guardar.

Molhos e caldos básicos

Caldos

5

Aquelas
ocasiões
especiais

À mesa, todos
interligados
pela realidade do alimento
pelo universo único
do ser
a mesa, todos
coexistem no júbilo
comungando a oferta pura das coisas.

Orides Fontela, "Ceia"

Receber amigos é sempre uma alegria... se a gente os convidou ou os estava esperando. Quando aparecem sem avisar, é aquela correria. As sugestões que lhe fizemos nos Capítulos 3 e 4 podem ser úteis também para improvisar uma recepção inesperada.

Agora, porém, estamos na situação em que você os convidou — festa de aniversário, retribuição de algum almoço ou jantar, entrada na universidade, formatura, promoção no trabalho, aquele emprego que você tanto queria e conseguiu, ou saudade mesmo — e se prepara para recebê-los.

Vamos dar-lhe sugestões para ocasiões especiais, tais como receber amigos informal ou formalmente, oferecer um jantar ou um almoço de muita cerimônia. E, em cada seção, você encontrará sugestões de como preparar a recepção e planejar cardápios, acompanhados das receitas.

Recebendo amigos

Seja original e imbatível! Ofereça um brunch (diga "brânch")

Que é o brunch?

É uma invenção dos norte-americanos, que adoram um café da manhã (o *breakfast*) reforçado.

O *brunch* é um belo e sofisticado café da manhã que você oferece aos amigos num domingo, começando lá pelas 10 horas e estendendo-se até umas 14 ou 15 horas, pois ele é também uma espécie de almoço-lanche.

O que se serve num *brunch*?

Café com leite, chás de vários tipos, chocolate quente e/ou frio, sucos de frutas, vinho branco, champanhe, frutas e saladas de frutas, ovos preparados de várias maneiras, lingüiça frita, *bacon* frito, panquecas doces, bolos, tortas doces e salgadas, *quiches*, pães de vários tipos, manteiga, queijos, frios, geléias, cereais, iogurtes. É uma festa de variedade!

E, mais importante: dá pouco trabalho, pois você pode comprar quase tudo pronto ou semipronto.

Qualidade acima de tudo!

A primeira coisa importante num *brunch* é a qualidade dos produtos que você vai servir. Por exemplo, você pode servir pãozinho francês e pão de fôrma, mas o *brunch* ficará supimpa e elegante se você comprar pães especiais (baguete da boa, *croissant* do bom, rosca folhada). Outro exemplo: você pode servir laranjas e bananas, mas a festa será muito mais elegante se você servir morangos com *chantilly* (do bom), uvas italianas, *kiwi* e melãozinho amarelo bem doce. Outro exemplo: você pode servir ovos mexidos, mas ficará muito mais interessante se você também servir ovos à *cocotte* ou ovos à *diable*. E assim por diante. Tudo depende do quanto você quer e pode gastar e do quanto você quer ou pode trabalhar na preparação. Um *brunch* pode ser bem simples e ótimo, se você fizer as escolhas certas do que vai servir.

Beleza e elegância não custam nada!

A segunda coisa importante do *brunch* é a arrumação. Se você tiver uma varanda, um jardim ou um quintal, sirva ali o *brunch*, pois vai ser uma beleza. Mas, se não tiver, também pode fazer coisa muito bonita, sofisticada e elegante, usando flores e frutas para decorar sua sala e sua mesa.

Compre flores do campo e folhagens, coloque-as em vasilhas de barro, em cestas ou em vasos grandes e as disponha no chão, perto da mesa, e sobre vários móveis. E, se não tiver nada disso, não se preocupe: coloque-as em panelas, tigelas de plástico, garrafas velhas de vinho e de água – ficará bonito, porque flor é bonita de todo jeito. Se sua festa for no jardim ou no quintal, distribua as flores em vários cantos.

Cuidando das mesas

Agora, é como no churrasco: mesa festiva.

Escolha uma toalha de cor viva ou bem estampada. Pode ser uma toalha de papel e os guardanapos também podem ser de papel. Ou pode ser daquelas toalhas xadrezes, clássicas. Se for uma toalha assim e você não tiver guardanapos suficientes para todos, não hesite: belos guardanapos de papel ficam ótimos.

Se a sua mesa for pequena, pegue outras mesas de sua casa – mesa da cozinha, mesa da copa, mesinhas de centro, criados-mudos dos quartos – cubra-as com toalhas variadas e sobre elas distribua copos, pratos, xícaras, talheres, reservando a mesa maior e mais alta para as comidas. Se você tiver duas mesas de tamanho médio – uma da sala de jantar e outra da cozinha ou da copa, por exemplo –, reserve uma para os salgados e outra para os doces. Se você tiver um carrinho, nele coloque as bebidas (sucos, vinho, champanhe, café, leite, chocolate, etc.). Em resumo, a idéia é a seguinte: você não precisa pôr tudo num lugar só, mas pode (e é mais divertido) distribuir objetos, comidas, frutas e bebidas em vários lugares e as pessoas vão se servindo conforme desejarem.

Se você não tiver jardim nem quintal, pode usar, além da sala, a copa, um *hall*, uma varandinha. Invente e improvise. Só lhe recomendamos que não use a cozinha para os convidados porque você vai estar nela preparando várias coisas e pode dar confusão. Mas, se não tiver jeito, use a cozinha também e a área de serviço, por que não?

brunch

Americana

Marilena de Souza Chaui, professora de Filo-

sofia, formada em 1965 pela Universidade de São Paulo (USP), inicialmente lecionou no antigo curso colegial do Instituto de Educação Professor
Alberto Levy (além de ganhar a vida lecionando geografia numa Escola de
Comércio e num cursinho de preparação ao vestibular) e, a partir de 1967,
passou a lecionar no Departamento de Filosofia da Faculdade de Filosofia
da USP, onde ensina História da Filosofia Moderna, Ética e Filosofia
Política. Autora de vários livros de filosofia e de outros dedicados a questões
brasileiras, colabora em jornais e revistas nacionais e internacionais e tem
participado ativamente da vida política do país, tendo sido Secretária Muni-
cipal de Cultura de São Paulo, de 1989 a 1992, durante a gestão de
Luiza Erundina. Filha de Laura e Nicolau Alberto, é mãe de José Guilherme e Luciana e avó de Daniel, Gabriela e Diego.

Laura de Souza Chaui, professora normalista,

formada em 1934, lecionou no antigo curso primário, inicialmente nas cha-
madas escolas isoladas (existentes nos sítios e fazendas do interior de São
Paulo) e, posteriormente, nos Grupos Escolares de Pindorama e de
Catanduva (no estado de São Paulo), além de ministrar cursos preparató-
rios de admissão ao antigo ginásio. Por concurso público de provas e títulos,
tornou-se diretora escolar, exercendo o cargo na pequena vila de Pedranópolis
(próxima de Votuporanga e Fernandópolis, onde foi da direção da LBA) e
mais tarde, nas cidades paulistas de Elisiário e Paraíso, vindo depois a exercê-
lo na Capital, onde se aposentou, em 1967. Fez cursos de aperfeiçoamento
e de administração escolar no Instituto de Educação Caetano de Campos.
Por seis anos, foi Presidente da Liga do Professorado Católico e é acadê-
mica da Academia Paulista de Educação. Dedicou-se também à alfabetização de adultos e realizou trabalhos de fisioterapia para crianças deficientes
do Hospital Cruz Verde, em São Paulo. Viúva do jornalista Nicolau Alberto
Chaui, mãe de Marilena e Alberto Francisco, tia de Heloisa e Francisco
José, avó de José Guilherme, Luciana, Ana Maria, Renato, Cristiano e
Carlos Alberto, é bisavó de Daniel, Gabriela e Diego.

COLABORADORAS

Juracy Martins Mil Homens, professora normalista e bacharel em Pedagogia, iniciou a carreira na Escola do Bairro das Abelhas, em Cedral (interior de São Paulo). Diretora escolar por concurso público de títulos e provas, teve sua primeira diretoria no Grupo Escolar Casa Grande, em Diadema. Desde que se aposentou dedica-se a trabalhos sociais na Paróquia de São Luiz Gonzaga, onde também integra o Coral São Luiz.

Heloísa Bicudo, professora de Biologia, formada pela USP, lecionou durante vários anos no segundo grau. Em 1991 fez cursos na California Culinary Academy. Desde 1992 vem trabalhando em restaurantes e bufês e, atualmente, é chefe-executiva do Buffet Viko.

Marita Prado, professora normalista formada em Belém do Pará, ao mudar-se com a família para São Paulo passou a dedicar-se à alfabetização de adultos, lecionando em cursos de igrejas paroquiais da periferia de São Paulo.

Valkiria Roza Vicentini, professora normalista, formada na Escola Normal Barão do Rio Branco, de Catanduva (estado de São Paulo), bacharel em Pedagogia e em Direito, iniciou sua carreira no interior de São Paulo (na Escola Isolada da Jacuba), prosseguindo na Capital. Diretora escolar por concurso público de provas e títulos, dirigiu o Grupo Escolar Casa Grande, em Diadema, onde se aposentou. Desde 1992 vem participando ativamente da Apampesp, associação que luta pelos direitos dos professores aposentados no estado de São Paulo.

A turma

Cerimônia

Faça um arranjo de frutas para um canto da mesa principal. E as outras frutas podem ser colocadas numa cesta, no chão. Se não tiver uma cesta, coloque-as numa bandeja ou numa travessa grande, ou até mesmo numa bacia, disfarçando-a com folhagens.

Se não quiser colocar as frutas sobre a mesa para não tomar muito espaço, pode substituí-las por um arranjo com salada de frutas.

Embeleze a salada de frutas

Tire a polpa de uma melancia e de um abacaxi (usando-as na salada de frutas) e coloque a salada dentro deles, deixando-os num canto da mesa, e rodeando a melancia e o abacaxi com algumas folhagens.

Parecendo um arco-íris

A mesa (ou as mesas) fica linda com as jarras de sucos porque estes enchem o ambiente de cor. Suco de melancia, uva, acerola, laranja, manga, etc. fazem sua mesa parecer um arco-íris. Se tiver jarras de vidro ou de plástico transparente, use-as. Se não as tiver em número suficiente, use garrafas de plástico branco transparente. Faça o seguinte: com uma tesoura, corte fora o bico da garrafa para que a abertura fique mais larga e para que não pareça uma garrafa comum.

É só usar a imaginação

Não pense que para fazer um lindo *brunch* você precisa comprar objetos de decoração e de mesa. Não precisa, não. Invente com o que tiver em casa. Flores, folhagens, toalhinhas bonitas bem engomadas transformam qualquer objeto em coisa bonita e alegre.

Se puder e se quiser

Nas cidades maiores, existem lojas que alugam coisas para festas. Os preços variam conforme a qualidade escolhida (prata é mais cara do que inox, porcelana é mais cara do que louça, cristal é mais caro do que vidro, etc.). Se quiser pode alugar pratos, copos, talheres, travessas, jarras. Mas é divertido no *brunch* usar tudo que se tenha em casa, misturando louça, porcelana, plástico, cristal, vidro, barro. Você decide.

Onde acomodar os convidados?

Deixe que eles se espalhem por toda parte: jardim, varanda, quintal, salas, degraus de escadas; se for apartamento não muito grande, inclua os quartos na festa e mesmo o *hall* de entrada. Mas evite que fiquem na cozinha, pois ali eles podem atrapalhar. Você pode espalhar almofadas pelo chão, combinar bancos e cadeiras, e não se importar se muitos quiserem sentar-se no chão mesmo. Mas se não quiser e preferir ter tudo um pouco mais organizado, e tiver espaço para isso, pode alugar cadeiras e mesinhas para todos os convidados. Faça de seu gosto. Não há regras. Se você for usar mesinhas para os convidados se acomodarem, enfeite-as com flores e folhagens.

Em plástico e papel

Muitas pessoas acham mais prático usar copos e pratos de papel ou de plástico e talheres de plástico. Nada contra.

Se você tiver muitos convidados e seus copos, xícaras, pratos e talheres não forem suficientes, use os de papel e de plástico.

Porém, se você misturar todos os tipos de pratos, copos, xícaras e talheres que tiver em casa (de uso diário e de festa, de louça, vidro, cristal, porcelana, plástico, prata, inox) e o número for suficiente, prefira isso. A mistura fica divertida. E você ganha em elegância.

O que servir primeiro? E depois?

Não se preocupe com a seqüência dos serviços, pois não há regras.

Você coloca todas as comidas, bebidas e frutas sobre a(s) mesa(s) e cada um escolhe por onde quer começar e onde quer terminar.

O importante é que pratos, copos, talheres e guardanapos estejam à mão e que as mesas estejam bem arrumadas para facilitar a escolha de cada convidado.

O que servir?

Vamos, agora, lhe dar sugestões do que você pode comprar pronto, do que pode comprar semipronto e do que pode preparar na hora (e para esse preparo, vamos lhe dar algumas receitas gostosas).

O que se pode comprar pronto

Pães, tortas doces e salgadas, roscas, sucos, queijos, frios, vinhos, champanhe, frutas, bolos, *quiches*, iogurtes, cereais são comprados já prontos.

O mais recomendável, no caso dos pães, roscas, tortas, bolos e *quiches*, é encomendá-los e ir buscá-los na manhã do *brunch*.

Sucos, vinhos, champanhe, chás, chocolate em pó, cereais podem ser comprados com antecedência.

Frios, queijos, leite e frutas é bom comprar na noite da véspera ou bem cedinho na manhã do *brunch*.

O que se pode comprar semipronto

Lingüiças, *bacon* fatiado, tortas salgadas congeladas, *quiches* congeladas, pãozinho de queijo congelado.

Essas são coisas que você também pode comprar com antecedência, guardando-as no congelador ou no *freezer* (se você tiver um). Na manhã do *brunch*, você pode descongelar as peças e levá-las ao forno para concluí-las.

O que você tem que preparar

Os ovos, as panquecas, o café com leite, os chás e chocolates devem ser preparados por você na manhã do *brunch*.

Se, em vez de comprar prontas ou semiprontas as tortas e *quiches*, você preferir fazê-las, deve prepará-las na véspera e somente esquentar na hora de servir.

As lingüiças e o *bacon* devem ser fritos pouco antes do início da recepção. Se você tiver um *rechaud* (diga "rêchô"), pode ir colocando as frituras à medida que vão ficando prontas, mantendo-as secas e quentinhas durante todo o *brunch*.

Você também pode preferir preparar os sucos em casa. Faça-os na véspera, à noite, e deixe-os na geladeira.

Também pode deixar prontas desde a véspera as saladas de frutas e os arranjos de frutas.

Pode ser que você prefira fazer uma rosca, um bolo, um doce. Nesse caso, é bom que estejam prontos na véspera.

Resumindo: você pode optar entre comprar quase tudo pronto ou semipronto, ou preparar tudo em casa, dando um sabor mais familiar e tradicional aos pratos. Nada contra. Aliás, tudo a favor, se você tiver tempo, disposição e ajuda.

Dicas para conservar quentes algumas das comidas

Fogareiros e *rechauds* são muito bons nessa ocasião, pois sobre eles você coloca as bebidas quentes, as panquecas, os ovos preparados de várias maneiras, além das lingüiças e do *bacon*. Você pode colocá-los sobre as mesas.

Mas se não os tiver, não se afobe. Você pode usar dois recursos: 1) terminando o que tinha para assar, baixe o fogo para quase nada e deixe no forno os alimentos que devem ser servidos quentes, olhando de vez em quando para ver se deve apagar totalmente o fogo; 2) coloque panelas com um pouco de água no fogo e sobre elas, travessas e pratos com os alimentos que devem ser servidos quentes; o vapor da água as conservará quentinhas. Como você vê, tudo tem jeito.

Se tiver condições para alugar dois ou três *rechauds*, também não hesite em fazê-lo.

Dicas para conservar geladas as bebidas

Se você tiver poucos convidados, não há problema: a sua geladeira dá conta do recado.

Mas, se você tiver muitos convidados, é bom fazer o seguinte: 1) além da geladeira, encha o tanque de lavar roupas com gelo seco (que se compra em supermercados, postos de gasolina e lojas de conveniência) e coloque uma parte das bebidas ali; 2) no local em que o *brunch* for servido, tenha uma geladeira de isopor com gelo, na qual você vai colocando bebidas à medida que vão sendo consumidas.

Se você estiver servindo o *brunch* no quintal, lá certamente há um tanque de lavar roupas e, nesse caso, você não precisa da geladeira de isopor. Se você estiver servindo o *brunch* num apartamento pequeno, bastam a geladeira e o tanque com gelo, não sendo preciso a geladeira de isopor. Ela é necessária para apartamentos grandes, casas grandes ou quando o *brunch* é servido num jardim ou numa varanda, longe da geladeira e do tanque de lavar roupas.

Arrumando pratos, bandejas e travessas

Como dissemos, não é preciso comprar objetos para se fazer um *brunch*. Use o que tiver em casa e não se importe em misturar madeira, louça, porcelana, plástico, metal. Vale tudo. O essencial é a arrumação. Se o que você tiver em casa não for suficiente e precisa ser completado, então, se for possível alugar algumas travessas, tigelas, jarras, bules e bandejas, alugue. Mas também pode pedir emprestado para mãe, pai, tia, tio, primos, amigos.

Não coloque os frios nas travessas como se tivessem acabado de chegar das compras. Arrume-os, dispondo-os por tamanho e cor, fazendo rolinhos com alguns, dobrando ao meio outros, deixando abertos outros. Invente.

Não amontoe os queijos de qualquer jeito. Se tiver tábuas para queijos, arrume-os nelas. Se não tiver, use a tábua de cortar carne, colocando em volta dela ramos de salsa e cebolinha e uma flor.

Não esparrame os pães sobre as mesas. Coloque-os em cestinhas com toalhinhas bonitas. Se não tiver cestinhas, coloque uma bela toalha de bandeja numa assadeira e nela distribua os pães.

Bolos e tortas ficam bonitos em pratos redondos de vidro, cristal, louça, porcelana, cerâmica ou até mesmo de plástico.

As comidas que devem permanecer aquecidas devem ser colocadas em vasilhas refratárias ou metálicas, para que não haja problemas.

Sugestão para o cardápio do brunch

1) BEBIDAS
leite
café
chocolate quente
chás
sucos de frutas
vinho branco
champanhe

2) SALGADOS
lingüiça frita
bacon frito
quiche Lorraine
ovos à *diable*
ovos mexidos
omelete de presunto
panqueca com queijo
parmesão ralado
torta de frango
frios (presunto, salame, lombinho de porco, peito de peru, pastrami, *carpaccio*)
queijos

3) DOCES
bolos
cheese cake
torta de maçã
torta de ameixa ou de morango
rabanada
crepes com xarope de *maple* e geléias

4) PÃES E TRANÇAS
pão francês
baguetes
pão preto
pão integral
pão de fôrma para torradas
croissants

pão de damascos e nozes
pão italiano
rosca de frutas
trança

5) COMPLEMENTOS
cereais
fibras
iogurtes

6) FRUTAS
frutas da estação
salada de frutas
morangos com *chantilly*
bananas assadas com calda de laranja
mamão papaia

Incrementando o *brunch*

Brunch

Ovos à *diable*

INGREDIENTES E MEDIDAS (CALCULE UM OVO POR PESSOA)

ovos duros
maionese
catchup
azeitonas verdes ou pretas (a gosto)
presunto picadinho
chutney de manga
curry em pó
cheiro-verde picadinho
cebola picadinha

PREPARO

Cozinhe os ovos por 8 minutos para que fiquem duros. Descasque-os. Corte cada ovo na metade, no sentido horizontal. Retire a gema, misture-a com maionese e *catchup* e recheie a clara, como se voltasse a gema para o lugar de onde saiu. Cubra com azeitonas picadinhas.

Variações criativas: misturar maionese, *catchup*, *chutney* de manga, *curry* em pó e a gema de ovo.

Em vez de azeitonas, pode usar picles bem picadinhos, cebola bem picadinha, cheiro-verde bem picadinho ou presunto picadinho.

Nada impede que você prepare algumas gemas com um tipo de mistura e de cobertura e prepare outras com outra mistura e outras coberturas. Vá inventando.

Recebendo amigos

Brunch

Cheese cake

A CROSTA
INGREDIENTES E MEDIDAS

1 ½ xícara de chá de biscoito de leite moído
6 colheres de sopa de manteiga derretida
1 colher de chá de canela em pó

PREPARO

Com o rolo de abrir massas, esmigalhar os biscoitos até encher 1 ½ xícara (não esmigalhar muito, pois senão o biscoito, ao ser misturado aos outros ingredientes, virará uma pasta mole, em vez de uma massa consistente, como é necessário). Numa vasilha, misturar bem os biscoitos com a manteiga e a canela para formar uma massa firme. Colocar numa vasilha refratária redonda a massa, abri-la com as mãos e pressioná-la para que vá se distribuindo firmemente e por igual sobre o fundo e pelas bordas, cobrindo toda a assadeira. Levar ao forno médio por 10 minutos. Tirar do forno e esperar esfriar para rechear. Não retirar da vasilha.

O RECHEIO
INGREDIENTES E MEDIDAS

2 ovos batidos
350 g de *cream cheese*
½ xícara de chá de açúcar
1 xícara de café de sumo de limão
½ colher de chá de sal

PREPARO

Misturar os ovos batidos, o *cream cheese*, o açúcar, o sumo de limão e o sal. Mexer bem para formar uma pasta cremosa. Despejar sobre a crosta já assada e fria. Levar ao forno médio por 20 minutos. Tirar do forno e deixar esfriar. Não retirar da vasilha.

A COBERTURA
INGREDIENTES E MEDIDAS

¾ de xícara de chá de iogurte natural
¾ de xícara de chá de creme de leite
2 colheres de sopa de açúcar
½ colher de chá de essência de baunilha

PREPARO

Misturar e mexer muito bem o iogurte, o creme de leite, o açúcar e a baunilha. Despejar sobre a outra camada de recheio que já está na crosta. Levar ao forno médio por 5 minutos. Retirar do forno. Deixar esfriar e levar à geladeira por 6 horas ou mais antes de servir.

Recebendo amigos

Brunch

Recebendo amigos

Brunch

Pão de damascos e nozes

INGREDIENTES E MEDIDAS

1 ½ xícara de chá de farinha de trigo
2 colheres de chá de fermento em pó
½ colher de chá de sal
¼ de colher de chá de bicarbonato de sódio
½ xícara de chá de açúcar (se quiser, pode ser açúcar mascavo)
ou ⅓ de xícara de chá de mel
½ xícara de chá de damasco seco picado
½ xícara de chá de nozes picadas
1 ovo
¾ de xícara de chá de leite (ou de suco de laranja)
¼ de xícara de chá de óleo

PREPARO

Preaquecer o forno (forno médio). Numa vasilha, misturar a farinha, o sal, o fermento e o bicarbonato de sódio. Acrescentar o açúcar, os damascos e as nozes. Misturar bem. Acrescentar o ovo, o leite (ou o suco de laranja) e o óleo. Misturar bem para formar uma pasta lisa e homogênea. Untar uma assadeira retangular ou quadrada (ou 2 assadeiras pequenas retangulares, do tipo usado para assar pão) e despejar a massa. Levar ao forno por 45 minutos. Apagar o fogo, esperar 2 minutos e retirar do forno. Esperar 10 minutos para esfriar e retirar da assadeira, colocando no prato em que será servido.

Bolo da tia Isabel

A MASSA
INGREDIENTES E MEDIDAS (10 A 12 PORÇÕES)

1 ½ xícara de chá de manteiga
2 xícaras de chá de açúcar peneirado
1 xícara de chá de leite fervido e frio
1 xícara de chá de maisena
3 xícaras de chá de farinha de trigo
7 claras em neve
1 colher de sopa rasa de fermento em pó

PREPARO

Numa vasilha ou numa batedeira, bater a manteiga e o açúcar peneirado até formar uma pasta esbranquiçada. Acrescentar o leite e mexer bem para desmanchar a pasta no leite. Acrescentar a maisena e a farinha de trigo peneiradas. Misturar muito bem. À parte, bater as claras em neve. Depois de batidas, juntar à massa. Bater bem. Colocar o fermento e misturar sem bater. Despejar a massa numa assadeira bem untada com manteiga (se quiser, pode forrar a assadeira com papel-manteiga, untando também o papel, pois, como explicamos no Capítulo 3, isso ajuda a retirar o bolo sem grudar e sem quebrar). Não encher muito a assadeira, pois o bolo vai crescer. Assar em forno brando. Depois de uns 25 minutos, experimentar com um palito a massa para ver se está assada (ver a explicação no Capítulo 3, no qual falamos dos segredos de assar bolo). Apagar o fogo, esperar 5 minutos e retirar o bolo do forno. Esperar esfriar antes de prepará-lo para o recheio.

Recebendo amigos

Brunch

Recebendo amigos

Brunch

O RECHEIO

INGREDIENTES E MEDIDAS

1 lata de leite condensado para cada assadeira de bolo
200 g de coco fresco ralado para cada lata de leite condensado
150 g de nozes moídas para cada lata de leite condensado
2 copos de água
5 colheres de sopa de açúcar

PREPARO

Enquanto o bolo assa, coloque água numa panela de pressão (até a metade da panela) e ponha a lata de leite condensado fechada para cozinhar. Quando começar a pressão, conte meia hora. Depois de meia hora, desligue o fogo e retire a lata da panela. O leite condensado não deve cozinhar demais para não ficar duro nem escuro, pois o recheio não se espalhará pelo bolo se o leite condensado tiver virado doce de leite. Abra a lata, despeje o leite condensado cozido e meio mole numa panelinha. À parte, misture o coco ralado e as nozes moídas. Em fogo brando e mexendo sempre, vá despejando a mistura de coco e nozes moídas no leite condensado. Não deixe ficar muito grosso, pois isso dificultará o uso do recheio. Deve ficar um creme que possa ser espalhado sobre o bolo com uma colher ou uma espátula. Por isso, não despeje toda a mistura de coco e nozes de uma só vez, mas vá colocando aos poucos, mexendo e verificando o ponto do creme. Se achar que o creme está bom e ainda não usou toda a mistura, não faz mal. Não precisa usá-la toda.

Numa outra panelinha ou numa caneca, coloque os copos de água e as colheres de açúcar, mexa bem e deixe ferver para que o açúcar se dissolva na água. Não é preciso ferver muito, pois essa calda deve ser fininha mesmo.

RECHEANDO O BOLO

Antes de retirar o bolo da assadeira, com uma faca retire a crosta que se formou sobre o bolo assado. Descascado, vire o bolo numa tábua de carne ou numa travessa rasa. Novamente, com a faca, retire a crosta inferior. Essa crosta inferior é bem mais fina que a superior e, por isso, se preferir, raspe-a com a faca até que só fique o bolo limpinho. Corte o bolo na metade horizontal. Agora, vem o mais delicado: com uma faca grande, você deve cortar cada metade do bolo também na metade e no sentido horizontal, isto é, você vai produzir duas camadas de bolo com cada metade, ficando, portanto, com quatro camadas finas para rechear. Coloque uma primeira camada no prato em que o bolo será servido. Com uma colher de sopa, regue essa camada com um pouco da calda fininha de água e açúcar que é para o bolo ficar úmido. Com uma espátula, espalhe um pouco do recheio cobrindo toda essa camada. Pegue a camada seguinte, coloque-a sobre a primeira, regue com a calda e cubra de recheio. Repita a operação com a terceira camada. Nessa altura, você já deve ter usado todo o recheio e vai colocar a quarta e última camada, que cobrirá o bolo. Sobre esta última camada, coloque o restante da calda de açúcar e não coloque nenhum recheio.

Brunch

NÃO SE AFLIJA

Muitas vezes (ou quase sempre), ao transferir uma camada da tábua ou travessa para o prato de bolo, ela se quebra em alguns pedaços, pois é fina. Não faz mal. Junte os pedaços, recomponha a camada e ela se juntará bem no momento em que for recheada, pois o recheio solda as partes que se separaram.

TAMBÉM NÃO SE AFLIJA

A menos que você tenha uma incrível habilidade com as mãos, o normal é que as camadas sejam irregulares, isto é, haverá lugares em que ela ficará mais grossa e outros em que ficará mais fina. Não faz mal. Você acertará essas diferenças com o recheio: 1) coloque mais recheio onde a camada está mais fina e mais baixa e coloque menos recheio onde estiver mais grossa e mais alta; 2) combine as camadas: uma vez que elas são camadas de uma mesma metade de bolo, o que foi para uma faltou para outra, mas basta colocar a

Recebendo amigos

Brunch

segunda camada virada sobre a primeira como se fosse recompor a metade cortada, que elas se ajustam novamente e o recheio se encarregará de arrumá-las direitinho. Pense que está esculpindo o bolo e vá acertando todo ele, à medida que recheia. Recheado, olhe para o seu bolo. Se ele estiver muito irregular, com uma faca corte bordas e cantos, para que ele fique com a forma adequada. Veja se ele está mais baixo de um lado. Isso acontece freqüentemente. Pegue as sobras que ficaram quando acertou as bordas e os cantos e as enfie entre as camadas para acertar a altura do bolo.

Não pense que um lindo bolo, todo regular, foi conseguido quando ele saiu da assadeira. Essa regularidade é obra de confeiteiro, isto é, de você esculpindo o bolo.

A COBERTURA

Esse bolo fica delicioso se você o cobrir com suspiro e não com creme *chantilly*. Bata as claras em neve. Pingue três gotas de limão e coloque 2 colheres de sopa de açúcar para cada clara, e mais uma depois de todas as que colocou (ou seja: se, por exemplo, forem 2 claras, você colocará 4 colheres de açúcar, mexerá e acrescentará mais uma colher de açúcar). Bater bem até o suspiro ficar durinho (o ponto do suspiro é visto assim: levante o batedor, se o suspiro ficar preso no batedor e demorar para cair na vasilha, está bom). Feito isso, com uma espátula, cubra o bolo. Espalhe primeiro uma camada fina de suspiro que cubra todo o bolo. Espere uns 5 minutos e cubra com uma segunda camada, agora espessa e grossa. Se quiser, pode polvilhar com coco ralado fresco. Dica: o suspiro fresco é absorvido por tudo o que caia sobre ele. Se você puser o coco logo depois de cobrir o bolo, o coco vai absorver o suspiro e deixar o bolo como se não estivesse coberto. Por isso, espere 1 hora ou até 2 horas para polvilhar com o coco.

Este é um bolo finíssimo para festas de aniversário e para uma recepção da tarde em que são servidos chás e chocolate. E é um lindo prato para as ceias de Natal e Ano novo.

Bolo de Violeta Nassar

INGREDIENTES E MEDIDAS

1 ovo grande (ou 2 ovos pequenos)
2 xícaras de chá rasas de açúcar
3 xícaras de chá de farinha de trigo
2 colheres de chá de bicarbonato de sódio
1 colher de chá de baunilha
1 colher de chá de sal
2 copos de salada de frutas: ½ xícara de chá de maçã, ½ xícara de chá de banana nanica, ½ xícara de chá de laranja, ½ xícara de chá de abacaxi
¼ de xícara de chá de nozes picadas
¼ de xícara de chá de coco ralado fresco
¼ de xícara de chá de açúcar mascavo
½ lata de creme de leite
1 xícara de chá de açúcar refinado
¼ de xícara de chá de manteiga

PREPARO

Preaquecer o forno. Preparar a salada de frutas e reservar. Misturar a farinha e o bicarbonato de sódio, peneirá-los e reservar. Numa vasilha funda, bater os ovos, clara e gema juntas e, depois de batidos, acrescentar o açúcar peneirado e misturar bem. Acrescentar a mistura de farinha e bicarbonato e misturar bem para formar uma pasta homogênea. Aos poucos, despejar a salada de frutas na massa e misturar bem. Untar a assadeira (que pode ser redonda, retangular ou quadrada), polvilhar o fundo com farinha de trigo e despejar a massa. Sobre ela, já na assadeira, polvilhar com as nozes picadas, o coco ralado e o açúcar mascavo.

Enquanto o bolo termina de assar, levar ao fogo uma panela com o creme de leite, o açúcar refinado, a manteiga e a baunilha. Deixar ferver e engrossar um pouco para formar uma calda. Retirar o bolo do forno, mas não retirá-lo da assadeira e regá-lo com a calda quente. Esperar o bolo esfriar. Depois de frio, despejá-lo numa tábua e, imediatamente, virá-lo no prato onde será servido. É preciso virar o bolo porque o recheio e as frutas devem ficar na parte de cima como uma cobertura.

Recebendo amigos

Brunch

Recebendo amigos informalmente

Para receber amigos informalmente na hora do almoço, sugerimos churrasco, feijoada, uma bacalhoada ou uma moqueca de peixe.

Por que essas sugestões? Porque essas refeições são simples de preparar e de servir para um número grande de pessoas (de 6 a 12 pessoas).

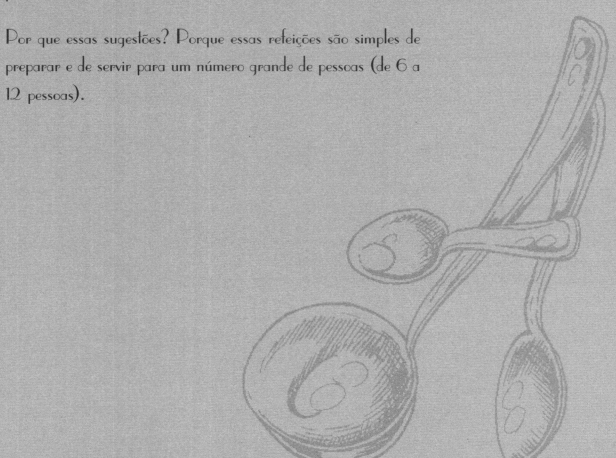

Sugestões para o churrasco

Se você mora em apartamento ou numa casa cujo quintal ou jardim são muito pequenos, o melhor é não escolher o churrasco. Mas se seu apartamento ou sua casa tem uma boa varanda, ou se você tem um bom quintal ou jardim, o churrasco é uma pedida interessante.

Churrasco é para comer carne, aves e peixes, não é? É. Mas não é só isso.

O churrasco é uma forma alegre e descontraída de receber amigos e uma arte na preparação das carnes, aves e peixes. Pergunte a um gaúcho ou a uma gaúcha se churrasco é só comer. Não é, não. É preparar, conversar, comer, beber e se alegrar. É um momento festivo.

Veja no Capítulo 2 as indicações das carnes mais interessantes para o churrasco.

Onde servir

É mais agradável e divertido servir o churrasco perto da churrasqueira, porque, assim, não só quem o estiver preparando participa da conversa, como também se come a carne bem quentinha.

Se você tem uma churrasqueira de alvenaria ou de tijolos, certamente a mesa e as cadeiras ou bancos já estão lá perto. Mas se, para fazer um churrasco, você monta a churrasqueira de ferro, monte-a num local em que poderá colocar por perto uma mesa e lugares para sentar.

Como servir

Arrume o local de maneira a deixá-lo alegre e agradável, pois os convidados já ficarão ali desde o começo e as conversas podem se prolongar pela tarde toda.

É bonita uma mesa com uma toalha florida ou uma toalha lisa e um pequeno arranjo de flores do campo no centro ou num dos cantos. Sobre ela, já coloque a cesta de pães, forrada com uma toalhinha fina, e também já pode deixar sobre ela os pratos (de louça, cerâmica ou de plástico bem colorido), os copos (para cerveja, sucos e refrigerantes, podendo ser de vidro, cristal ou plástico bem colorido, acompanhando os pratos), os talheres e os guardanapos (que podem ser de tecido como a toalha ou de papel e bem coloridos). Com esse tipo de arranjo, cada convidado vai se servindo e escolhendo um lugar para sentar.

O que é bom ter

Se você é amante de churrasco, é bom que tenha facas e garfos próprios para assar carnes, aves e peixes.

Para a mesa, tenha um jogo de talheres adequados: são aqueles de cabo de madeira em que as facas têm serrinha. Se você tiver que comprar esses talheres, aproveite para comprar também, no mesmo estilo, um garfo grande (para servir as carnes), uma colher grande (para servir o arroz), uma colher média (para servir a farofa) e um par de talheres próprios para servir a salada.

Fica muito bonito e elegante servir a carne sobre tábuas e servir a salada, o arroz, a farofa, a batatinha frita também em vasilhas de madeira ou barro.

Mas, se você fizer churrasco só muito de vez em quando, use talheres e vasilhas que já tiver em casa.

O que beber

Nada impede que você sirva vinho tinto, mas, em geral, as pessoas preferem cerveja estupidamente gelada.

Se a sua cozinha ou copa ficar distante do local do churrasco, tenha perto da mesa uma geladeira de isopor com bastante gelo onde ficarão as latas ou garrafas de cerveja e de refrigerante, pois, assim, você não terá que ficar pra cá e pra lá trazendo bebidas. Afinal, você também quer conversar e se divertir, não é?

Lembretes

1. Lembre-se de que o braseiro está no ponto quando já não houver fogo e chamas altas, mas apenas brasas bem vermelhas. Por isso, comece a preparar o fogo 40 minutos antes da hora em que os convidados vão chegar. Se a idéia é churrasquear por várias horas, não se esqueça de ter, pelo menos, mais dois pacotes de carvão, para ir colocando no braseiro à medida que for necessário. Imagine só, ter que sair às pressas para comprar mais carvão! Nem pensar!

Dica: hoje em dia, existem produtos especiais para acender fogo de churrasco (e de lareira). Se onde você mora houver esses produtos, compre-os porque facilitam sua vida; se não encontrá-los, ou se você se esquecer de comprá-los, aqui vão duas dicas para ajudar a fazer o fogo: 1) pegue pão amanhecido e corte em três ou quatro pedaços; embeba cada pedaço no álcool e distribua-os por entre o carvão, começando a acender o fogo ali onde estão; 2) pegue um trapo, corte em dois ou três pedaços, amasse-os como se fosse fazer bolas de pano, mergulhe-os no álcool e distribua-os por entre o carvão, começando o fogo por eles. Na fase inicial de formação do braseiro, é importante que haja muito fogo. Você pode fazer o fogo crescer, abanando forte-mente o carvão. Pode abanar com um abanador de palha, um jornal ou até uma tampa de panela. Depois que o fogo pegar e altear, deixe sem abanar para que as brasas se formem. Após a formação do braseiro, abane de vez em quando para que as brasas permaneçam vermelhas. Ao acrescentar mais carvão, também abane para ajudar a pegar fogo nos novos pedaços.

2. Lembre-se de que lingüiça, frango e cebola assam muito mais devagar do que carnes e peixes. Por isso, se for servi-los, coloque-os no braseiro pelo menos meia hora antes de os convidados chegarem. E deixe as carnes e peixes para fazer quando eles já estiverem em sua casa.

3. Ao fazer as carnes, lembre-se de que, para permanecerem macias, devem estar cortadas na direção do fio e que, para conservá-las suculentas, o melhor é uma primeira assada mais próximo do braseiro porque, assim, guardam internamente o suco. Depois que assaram um pouquinho de cada lado, pode-se, então, colocá-las mais distantes das brasas e escolher o ponto em que serão servidas (malpassadas, ao ponto, bem-passadas).

4. Os vários assados, sobretudo carnes e peixes, devem ir para o braseiro sem tempero. Se você gosta de sal grosso, pode envolver a carne ou o peixe nele. Mas se for usar sal fino, só o coloque depois que a carne ou o peixe tiverem começado a assar. Os molhos e outros temperos devem estar prontos numa vasilha separada, sobre a mesa, e cada um se serve como quiser. Os churrasqueiros costumam ter ao lado da churrasqueira uma vasilha com água e sal, que vão aspergindo sobre os assados durante o preparo. Alguns gostam de colocar um pouco de óleo ou de azeite na água e sal e, outros, um pouco de vinho (tinto ou branco seco). Fica a seu critério.

Recebendo amigos informalmente

Churrasco

Sofisticando o churrasco

Picanha à Zé Gui

INGREDIENTES E MEDIDAS (6 A 8 PORÇÕES)

1 ½ kg de picanha (uma peça)
1 cabeça média de alho
sal grosso, o necessário para envolver a picanha
1 saco de carvão
2 ou 3 cebolas pequenas para cada pessoa (opcional)

PREPARO (40 MIN)

Preparar o braseiro e colocar a grelha numa distância de 30 centímetros.

Colocar em espetos as cebolas pequenas, sem descascá-las, e colocá-las sobre o braseiro para já começarem a assar (elas levarão de 30 a 50 minutos para assar).

Enquanto as cebolas estão assando, preparar a carne: lavar em água corrente, enxugar com papel-toalha e deixá-la reservada sobre uma tábua. Descascar e espremer o alho. Esfregar o sal grosso na picanha toda. Levar ao braseiro deixando a gordura para cima. Dourar por mais ou menos 10 minutos. Virar a picanha para o lado da gordura e assar por mais ou menos 10 minutos, até ficar levemente tostada. Se, ao virar a picanha, os respingos de gordura sobre a brasa fizerem o fogo subir, jogar um pouco de água no braseiro. Retirar a peça do braseiro, colocá-la sobre a tábua e cortar em fatias bem finas (de 0,5 a 1 centímetro), no sentido do fio da carne. Voltar a picanha para o braseiro. Na hora de voltar para o braseiro, espalhar somente em um dos lados de cada fatia o alho amassado e uma camada de sal grosso. Levar ao fogo primeiro o lado não temperado de cada fatia, por 1 ou 2 minutos. Virar as fatias e deixar o lado temperado assar por 2 ou 3 minutos. Nessa segunda e última etapa o braseiro deve estar bem forte.

VARIANTE

Fatiar a peça de picanha em pedaços mais grossos, 3 a 4 centímetros, temperar com alho e sal grosso em ambos os lados das fatias na hora de levar ao fogo. Fazer em fogo alto por uns 10 minutos de cada lado das fatias.

LEGUMES NA BRASA

Pimentão amarelo e vermelho (cortar de comprido), cebola (cortar em rodelas grossas ou ao meio ou não cortar), abobrinha (cortar de comprido), tomate (cortar ao meio, tirar as sementes), alho (colocar os dentes sem tirar a casca). Colocar os legumes cortados no braseiro formado. Assar de ambos os lados.

Recebendo amigos informalmente

Churrasco

Os legumes são diferentes das carnes no preparo, pois eles assam bem mais lentamente; porém, se você não prestar atenção eles queimam.

Recebendo amigos informalmente

Churrasco

Molho à Mike (para churrasco de frango)

INGREDIENTES E MEDIDAS (6 A 8 PORÇÕES)

1 cebola grande picada em pedacinhos
1 dente de alho amassado
4 colheres de sopa de molho inglês
2 colheres de sopa de vinagre
4 colheres de sopa de açúcar mascavo
1 xícara de chá de *catchup*
1 colher de chá de mostarda em pasta
½ xícara de chá de suco de limão
½ lata de molho de tomate
1 copo de água
1 cubo de caldo de galinha
molho de pimenta a gosto
2 colheres de sopa de azeite de oliva

PREPARO

Numa panela, colocar o azeite e dourar a cebola picada e o alho amassado. Acrescentar todos os outros ingredientes e deixar cozinhar em fogo brando por meia hora.

Molho à Lelê (para peixes e carnes)

INGREDIENTES E MEDIDAS (6 A 8 PORÇÕES)

2 colheres de sopa de manteiga
1 cebola grande ralada
2 dentes de alho grandes amassados
sal a gosto
1 colher de sopa de orégano
1 pitada de noz-moscada em pó
1 colher de chá de páprica doce
1 colher de sopa de mostarda em pasta
2 colheres de sopa de creme de leite
½ copo de água
½ copo de vinho tinto (ou branco seco)

PREPARO

Numa panelinha, dourar na manteiga a cebola e o alho. Acrescentar o orégano, a pitada de noz-moscada e a páprica. Acrescentar a mistura de água, sal e vinho. Quando estiver fervendo,
acrescentar a mostarda em pasta e o creme de leite. Mexer bem e
retirar do fogo antes de ferver.

A pedida é feijoada

Como você sabe, feijoada é almoço de sábado (e, em São Paulo, é também almoço das quartas-feiras). Mas nada impede que você sirva feijoada num domingo ou num jantar informal de sexta-feira.

A feijoada tradicional é aquela em que se serve o feijão com os "pertences" (as várias carnes nas quais ele é cozido), arroz branco, farinha de mandioca, pedaços de laranja e couve à mineira.

Em muitos restaurantes, serve-se a feijoada com farofa, bisteca de porco, lingüiça, batata e mandioca fritas. Não cremos recomendável, pois esses acompanhamentos, além de não fazer parte da velha e boa feijoada, tendem a deixá-la muito pesada. Não há impedimento em servi-los, mas é mais autêntico não fazê-lo.

A feijoada é antecedida pela caipirinha, que é muito digestiva, além de maravilhosa, é claro. E é servida com cerveja bem gelada, sucos (de preferência, de laranja ou abacaxi, que são digestivos e "quebradores" de gordura) ou refrigerantes.

Uma toalha clara (lisa ou com estampas claras), um pequeno arranjo de flores do campo, pratos claros, copos e talheres tinindo de brilhantes, vasilhas de barro: eis o belo arranjo para servir essa refeição tão brasileira.

Mas não se afobe. Se não tiver vasilhas de barro, sirva nas que você possui.

Segredinhos da boa feijoada

- Deixar os pertences de molho desde a véspera, para que saia o excesso de sal.
- Feijão novo, bem pretinho.
- Couve cortada com tesoura em fatias fininhas como um fio de cabelo (nada mais triste do que a couve cortada em fatias grossas).
- Laranja meio azedinha para dar um tom picante.
- Pimenta vermelha da boa, de preferência já envelhecida no azeite de oliva.

- Farinha de mandioca torradinha. Em geral, os pacotes de farinha indicam se está crua ou torrada. Você deve comprar a torrada. Porém, mesmo quando torrada, ainda não está no ponto. Por isso, um pouco antes de servir a feijoada, despeje a farinha de mandioca numa frigideira e torre-a, mexendo-a sempre. Quando ela estiver amarelo-escura ou marrom-clara, estará boa.

Feijoada da vovó Lala

Essa feijoada é preparada evitando as carnes muito gordas e por isso você notará que algumas delas não entrarão nos ingredientes.

Recebendo amigos informalmente

Feijoada

INGREDIENTES E MEDIDAS (8 A 10 PORÇÕES)

1 kg de feijão preto
8 xícaras de chá de água
3 paios
3 lingüiças defumadas
½ kg de carne seca
200 g de lombo de porco defumado
200 g de costeleta de porco
100 g de *bacon*
1 pacote de farinha de mandioca
2 limões
3 laranjas cortados em pedaços
2 maços de couve bem lavadas e cortadas bem fininhas
3 cebolas grandes picadas (ou raladas)
7 dentes de alho amassados
1 pimenta vermelha picadinha (ou amassada)
½ maço de salsa picadinha
4 colheres de sopa de óleo

Recebendo amigos informalmente

Feijoada

PREPARO

O FEIJÃO E SEUS "PERTENCES"

Lavar, em diversas águas, todos os pertences (lingüiça, lombo, carne seca, costeleta, paio, etc.). Cortá-los em pedaços não muito grandes e reservar.

Ralar as cebolas, amassar os dentes de alho. Separar uma colher de sopa de cebola ralada e 1 colher de chá bem cheia de alho e reservar (você vai usar essa parte separada de cebola e alho na couve).

"Escolher" e lavar o feijão. Colocá-lo para cozinhar numa panela de pressão com as 8 xícaras de água, acrescentando os pedaços de pertences.

Depois de 40 minutos, retirar a panela do fogo, colocar sob uma torneira para tirar a pressão, abrir e verificar se o feijão já está cozido. Estando cozido, reservá-lo na panela de pressão, sem fechá-la, apenas tampando-a.

Numa panela à parte, esquentar 2 colheres de óleo e dourar o alho amassado e as cebolas raladas. Despejar sobre o feijão. Verificar o sal e a consistência do caldo, vendo se está grosso e se cobre todos os pertences. Se o caldo for pouco (os pertences estão descobertos e meio secos), acrescentar 3 xícaras de água quente e deixar ferver. Quando ferver, apagar o fogo.

Para facilitar ao servir, separe em duas panelas: numa colocar os pertences e um pouco de caldo e na outra o feijão com o caldo grosso. Reservar até o momento de servir.

OS ACOMPANHAMENTOS

Enquanto o feijão está cozinhando, fazer o arroz branco (veja a receita no Capítulo 3).

Enquanto o arroz e o feijão cozinham, lavar e cortar as couves. O melhor e mais fácil é comprá-las já cortadinhas, deixando para lavá-las no momento em que preparar a feijoada. Nesse caso, lavá-las em água corrente, colocando-as no escorredor de macarrão e sacudindo-o bem para que fiquem bem sequinhas.

Depois que o arroz e o feijão estiverem prontos, que o feijão estiver separado nas duas panelas e a couve estiver secando no escorredor de macarrão, cuidar dos outros acompanhamentos.

Descascar as laranjas e cortá-las em pedaços não muito grandes. Reservar até o momento de servir. Já se pode deixá-las na travessa em que irão à mesa.

Numa frigideira, fritar o *bacon* em pedacinhos. Quando ele estiver frito, despejar sobre ele a farinha de mandioca para torrá-la e fazer uma farofa. Estando úmida e dourada, está pronta. Reservar até o momento de servir. Também já pode ficar na tigela em que será levada à mesa.

Numa tigelinha, que irá à mesa, colocar ½ xícara de chá do caldo do feijão, uma pimenta vermelha amassada ou picadinha, suco dos limões e salsinha bem picadinha. Reservar até o momento de servir. É esse o molho.

Por último, a couve à mineira.

A couve deve ser preparada quando tudo já está pronto para ir à mesa: o feijão, os pertences e a farofa já estão nas respectivas tigelas, o arroz e as laranjas já estão nas travesssas, o molho já está na tigelinha. Por quê? Porque o preparo da couve leva 1 minuto e ela deve ser servida fumegante.

Tudo pronto para servir. Agora, numa frigideira grande, esquente 2 colheres de sopa de óleo. Quando estiver quente, dourar aquela parte de cebola e alho que havia sido reservada. Despejar a couve bem sequinha, mexer bem e, depois de uns 30 segundos, retirá-la do fogo, pois a couve não deve cozinhar e sim ficar verdinha e bem quente. Colocar na travessa em que vai ser servida.

Servir a feijoada.

Recebendo amigos informalmente

Feijoada

Preferimos bacalhau

Uma bacalhoada de preparo rápido também é uma boa pedida para um almoço ou jantar informal porque, além da simplicidade do preparo, para acompanhá-la basta um arroz branco simples e, para fechá-la, basta uma salada verde.

Como na feijoada, a bacalhoada pede uma mesa arrumada com simplicidade e tons claros. Toalha clara ou com estampa clara, pratos claros de louça ou porcelana, talheres e copos tinindo de brilhantes, vasilhas de porcelana ou de louça, um arranjo de flores vermelhas: eis a bela mesa para receber o bacalhau.

Embora seja peixe, o bacalhau pode ser preferencialmente servido com vinho tinto ou, ainda melhor, com o vinho verde português. Nada impede que você o sirva com cerveja e refrigerantes, mas não é a mesma coisa...

No churrasco e na feijoada, não é preciso anteceder a refeição com aperitivos, a não ser a caipirinha, mas no caso da bacalhoada, você pode servi-los. Prefira azeitonas, sementes (como pistache e amendoim), alguns picles. Evite patês e queijos, pois a refeição será vigorosa e aperitivos fortes acabam atrapalhando o apetite, em vez de prepará-lo para o prato principal. Como bebida, você pode servir suco de tomate, vinho do Porto, martíni seco e/ou uísque. Não sofistique muito as bebidas do aperitivo para não interferir no vinho que acompanhará o bacalhau.

Segredinhos da bacalhoada

- Limpar tanto quanto possível o sal do bacalhau, para que reste apenas a quantidade necessária ao preparo.
- Abundância de azeite de oliva, pois é ele que reforça o sabor do peixe e dos outros ingredientes.
- Batatas, tomates, pimentões, ovos e cebolas cortados em fatias bem fininhas para que o prato, além de saboroso, seja elegante.
- Deixar a bacalhoada pronta com algumas horas de antecedência para que o sabor "pegue" bem.

Uma bacalhoada rápida

Recebendo amigos informalmente

Bacalhau

INGREDIENTES E MEDIDAS (6 A 8 PORÇÕES)

1 kg de bacalhau
6 batatas grandes
3 tomates grandes
2 pimentões verdes
3 ovos
2 cebolas grandes
5 dentes de alho
2 copos de azeite de oliva
azeitonas a gosto
pimenta-do-reino a gosto

Importantíssimo: Deixar o bacalhau de molho na água. Se for servido no almoço, deixá-lo de molho desde a véspera; se for servido no jantar, deixá-lo de molho desde a manhã bem cedo. De vez em quando, escorrer a água, lavar o bacalhau em água corrente e voltá-lo para a vasilha com água limpa. Esse cuidado deve ser tomado para que o peixe não conserve excesso de sal. Quando for iniciar o preparo, escorrer toda a água. Se ainda houver muito sal, ferver uma chaleira de água e despejar sobre o peixe. Escorrer toda a água.

PREPARO

Retirar o bacalhau da água. Desfiar, retirar ossos, espinhos e peles. Reservar. Cozinhar os ovos. Enquanto os ovos cozinham, descascar e cortar em rodelas finas as batatas. Lavar e cortar em rodelas finas o tomate e o pimentão. Cortar uma cebola em rodelas bem finas. Ralar a outra cebola e amassar os dentes de alho. Depois de cozidos, cortar os ovos em rodelas bem finas e reservar. Numa panela, colocar um copo de azeite de oliva. Deixar

Recebendo amigos informalmente

Bacalhau

esquentar em fogo alto e nele dourar a cebola ralada e o alho amassado. Acrescentar o bacalhau, mexendo bem. Acrescentar as batatas, os tomates e os pimentões. Colocar pimenta-do-reino a gosto. Acrescentar meio copo de água e mexer bem. Provar o sal. Se ainda estiver muito salgado, colocar um copo de leite fresco e uma batata inteira. Depois que ferver por uns 10 minutos, retirar essa batata. Deixar por mais 5 minutos em fogo brando. Provar para ver se as batatas, os tomates e os pimentões estão cozidos. Assim que estiverem cozidos, apagar o fogo.

Numa frigideira, aquecer meio copo de azeite de oliva e dourar a cebola cortada em rodelas. Despejar na panela onde está o bacalhau cozido.

Despejar o conteúdo da panela na vasilha em que a bacalhoada será levada à mesa. Sobre ela, colocar as rodelas de ovos e as azeitonas. Regar com o meio copo restante de azeite de oliva. Servir.

Se você dispuser de tempo, prepare o bacalhau algumas horas antes de servir, deixando-o na panela. No momento de servir, esquente-o em fogo brando até começar a ferver. Apague o fogo e despeje a bacalhoada na vasilha em que irá à mesa. Enfeite com os ovos e as azeitonas e regue com o azeite de oliva.

Queremos moqueca de peixe

A moqueca de peixe fica saborosa dependendo do peixe escolhido. Os mais indicados são o bonito, o namorado ou o badejo.

Como na bacalhoada, a moqueca fica mais gostosa se você puder fazê-la com alguma antecedência, deixando-a descansar até o momento de servir.

Moqueca de peixe

INGREDIENTES E MEDIDAS (6 PORÇÕES)

1 ½ kg de peixe (bonito ou namorado) em postas

4 tomates maduros

3 cebolas

3 dentes de alho

3 limões

sal e pimenta-do-reino a gosto

1 garrafa média de leite de coco

2 colheres de sopa de azeite de oliva

3 ramos de coentro (opcional)

1 pimenta vermelha (opcional)

1 colher de sopa de azeite de dendê (opcional)

Recebendo amigos informalmente

Moqueca

PREPARO

Lavar as postas de peixe, escorrer e temperar com alho amassado, cebola ralada, sal e pimenta-do-reino a gosto, sumo dos limões. Numa panela grande funda esquentar o azeite de oliva e

Recebendo amigos informalmente

Moqueca

colocar as postas de peixe uma ao lado da outra e nunca uma sobre a outra. Sobre o peixe, colocar os tomates cortados em rodelas e o leite de coco (e, se quiser, acrescentar o coentro picadinho, a pimenta vermelha inteira e o azeite de dendê). Não tampar a panela e deixar cozinhar lentamente em fogo brando de 15 a 20 minutos, deixando secar a água que o peixe soltou. A água não deve secar totalmente, e sim sobrar um pouco como um molho grosso no qual o peixe fica mergulhado para servir.

Recebendo com um pouco mais de formalidade: a meia cerimônia

Há ocasiões em que você recebe amigos, mas com um pouco mais de formalidade, seja porque está comemorando alguma data festiva, seja porque está retribuindo algum almoço ou jantar que lhe ofereceram, seja porque, entre os convidados, alguns não são amigos íntimos.

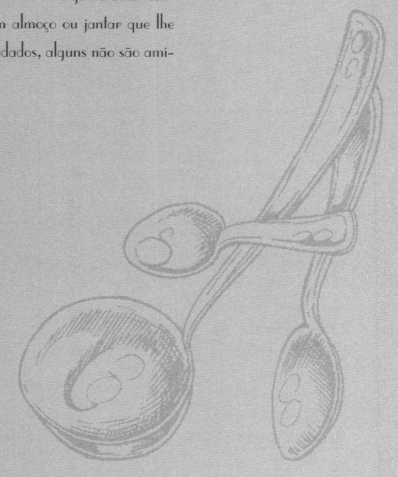

Regras básicas

Agora, há algumas regras a seguir na escolha do cardápio e na arrumação da mesa.

Um almoço ou jantar mais formal, ou de meia cerimônia, deve ter os seguintes serviços (*serviços* são os pratos que compõem o cardápio): 1) aperitivos; 2) entrada; 3) prato principal com guarnições ou acompanhamentos; 4) salada; 5) sobremesa; 6) café e licor.

Nesse tipo de recepção, a bebida deve ser o vinho (pois a cerveja é muito informal), e também sucos e refrigerantes para quem não toma bebida alcoólica.

Como você verá mais adiante, a diferença entre um almoço ou jantar de meia cerimônia e de muita cerimônia está no número de serviços e de vinhos, na sofisticação dos pratos e das sobremesas e na arrumação da mesa.

Entretanto, algumas regras básicas de arrumação da mesa valem sempre, seja na recepção informal, na formal e na de muita cerimônia. Aliás, várias dessas regras valem também para o cotidiano.

As regras básicas de arrumação da mesa são:

* toalha e guardanapos de tecido fino, e os guardanapos, dobrados, do lado esquerdo do prato;
* pratos e copos sempre virados para cima, jamais emborcados; garfos do lado esquerdo do prato, colheres de sopa e facas do lado direito, talheres de sobremesa na frente do prato;
* copos de vinho e de água (ou para refrigerante e sucos), dispostos da esquerda para a direita;
* jarra de água sobre a mesa antes do início da refeição e os copos de água já com água antes do início da refeição;
* duas ou três cestas pequenas com pães, de modo que os convidados possam servir-se sem que se precise "passar o pão";
* à direita do dono da casa, a convidada mais importante e à direita da dona da casa o convidado mais importante. Se você for uma pessoa que vive só, os dois convidados sentam-se ao seu lado, um à esquerda e outro à direita;
* arranjo de flores no centro da mesa (o arranjo deve ser baixo para não cobrir os rostos das pessoas e não atrapalhar a conversa, e deve ser pequeno para não tomar muito espaço);

- opcionalmente, se você tiver e quiser, pode colocar um candelabro central ou dois candelabros, um de cada lado do arranjo de flores, e acender as velas no início do jantar;

- o vinho tinto deve ser servido à temperatura ambiente, jamais gelado; convém abrir as garrafas meia hora antes do jantar para que você o prove (imagine descobrir que o vinho não está bom na horinha de servir!) e para que o buquê (o perfume) se solte e suavize o sabor. Nunca encha o copo, mas sempre coloque uma quantidade que ocupe até um pouco mais da metade do copo, pois assim o buquê se conserva;

- o vinho branco seco deve ser servido gelado; gele-o 1 hora antes de servir o jantar e abra-o meia hora antes, como o vinho tinto, deixando-o aberto na geladeira. Também não encha o copo, mas sirva até um pouco acima da metade dele;

- a entrada deve ser servida num prato que deverá: ou já estar colocado sobre o prato raso para ser preenchido no momento da refeição, ou deverá vir da cozinha já servido individualmente para cada convidado; nos dois casos, deve ser retirado antes do serviço principal;

- a salada final também deverá ser servida num novo prato, que será posto para cada convidado quando estiver terminado o serviço principal; e a sobremesa, evidentemente, também será servida em prato próprio;

- as xícaras de café e o licor devem ser trazidos à mesa em bandejas depois que o serviço de sobremesa foi retirado. Não traga as xícaras já contendo o café, mas traga o bule para servir na hora, e é a dona da casa ou o dono da casa quem serve cada convidado. O mesmo vale para o licor: os cálices virão vazios, a garrafa (ou garrafas) de licor virá aberta e você serve os convidados.

Como servir

Existem duas possibilidades para servir o almoço ou jantar mais formais ou de meia cerimônia: numa delas, você tem uma copeira ou um copeiro que servirá a refeição; na outra, é você mesma quem irá servi-la (e, freqüentemente, você também preparou a refeição!).

Com uma copeira ou um copeiro

Aqui também há duas possibilidades: ou a copeira traz à mesa os serviços à medida que a refeição vai transcorrendo e você serve os convidados, ou a copeira serve à francesa.

Servir à francesa é o seguinte: a copeira ou o copeiro traz os serviços sobre bandejas e serve os convidados, colocando-se sempre à esquerda deles. E pode servi-los de duas maneiras: ou já traz na bandeja os pratos individualmente prontos e, pela esquerda, os coloca na frente de cada convidado, ou traz o serviço em travessas e terrinas sobre uma bandeja e com os talheres próprios para servir, coloca-se à esquerda do convidado e este se serve.

Você serve

Cremos que, nos dias de hoje, este será o caso mais freqüente, sobretudo entre os mais jovens. Por isso lhe fazemos a seguinte sugestão: se você tiver poucos convidados (uns quatro ou cinco), poderão todos sentar-se à mesa e você dará conta do recado, mas, se tiver entre 6 e 12 convidados, o mais prudente é servir à americana.

Vamos por partes

Almoço ou jantar com poucos convidados: você irá à cozinha e trará para a mesa os serviços, à medida que a refeição for transcorrendo (entrada, prato principal com acompanhamentos, salada, sobremesa, café e licor). E um dos amigos mais íntimos poderá ajudar na retirada e troca dos pratos, enquanto você vai preparando e trazendo os novos serviços.

Dicas para ajudar você a servir:

- ajuda muito ter um móvel (pode ser uma mesa pequena, um carrinho, um bufê, uma prateleira), próximo à mesa do almoço ou jantar, no qual você já deixou os pratos que irão ser trocados durante a refeição, bem como a vasilha já contendo a salada final, a sobremesa (se forem frutas ou algum doce que não precisa permanecer na geladeira), a bandeja com as xícaras do café e o açucareiro, a bandeja com os cálices de licor e a garrafa de licor;

- escolha um cardápio que seja fácil para servir. Assim, por exemplo, uma entrada de sopa facilita as coisas porque você já a serve nos pratos fundos, antes que os convidados se sentem à mesa, e só terá de retirá-los quando for passar ao prato principal. Também facilita servir uma entrada que você, na cozinha, já deixa servida em cada prato individual, colocando-os numa bandeja para trazer à mesa; você deixa a bandeja ao seu lado e vai distribuindo os pratos aos convidados. Fica mais fácil servir se escolher um prato principal cujos acompanhamentos venham na mesma travessa: uma massa rodeada com uma carne já fatiada, uma carne já fatiada ou um peixe em postas rodeados de legumes, porque assim você serve de uma só vez cada convidado. Se escolher um arroz como acompanhamento, a travessa deve ficar próxima de você para que o sirva juntamente com o prato principal.

Almoço ou jantar para muitos convidados. Como dissemos, se você tiver de 6 a 12 convidados, e não contar com uma copeira ou um copeiro, o melhor será servir o almoço ou o jantar à americana. Nesse caso, você terá mais liberdade para compor o cardápio, estará mais à vontade para conversar com os convidados e, evidentemente, terá menos trabalho e menos cansaço.

No *jantar ou almoço à americana*, a mesa é arrumada de maneira que cada pessoa se sirva como desejar, depois de haver saboreado os aperitivos. O arranjo deve ser com toalha e guardanapos de tecido fino, você usará os melhores pratos, copos e talheres, fará um arranjo de flores, se quiser, candelabros com lindas velas, mas a disposição dos objetos será bem mais prática:

- coloque a mesa numa posição que permita aos convidados circular à volta dela, isto é, não a encoste em nenhuma parede;

- reserve a parte central para os serviços, colocando apoios para os serviços quentes e os talheres próprios para servir;

- na parte inicial da mesa (isto é, naquela parte que é a primeira a que os convidados chegam), coloque os guardanapos dobrados, os pratos para entrada, serviço principal e salada, os talheres para a fase salgada da refeição e os copos de vinho, água e sucos/refrigerantes;
- na parte final da mesa (isto é, naquela em que os convidados chegam por último), coloque os pratos e talheres de sobremesa;
- o arranjo de flores e as velas podem ficar bem no centro da mesa ou no canto em que estão os pratos e talheres de sobremesa;
- num móvel à parte (carrinho, mesa, bufê, prateleira ou algum apoio que você pode improvisar, cobrindo-o com uma bela toalha), coloque as bebidas (vinhos, água, sucos, refrigerantes);
- depois de terminados os serviços salgados, recolha os pratos dos convidados, retire as comidas da mesa e traga a sobremesa, deixando, novamente, que cada convidado se sirva;
- terminada a sobremesa, traga a bandeja de café, na qual você colocou uma linda toalhinha e xícaras, bule de café, açucareiro, colherzinhas. Agora, é você quem serve os convidados;
- terminado o café, coloque sobre a mesa a bandeja com o licor e os cálices e convide as pessoas a se servir.

Fácil, não é?

Sugestões de cardápios para almoço ou jantar mais formal ou de meia cerimônia

Se você não oferece esse tipo de recepção com muita freqüência, vamos lhe dar uma dica: escolha um ou dois dos cardápios que vamos lhe sugerir e faça deles a sua "especialidade", quer dizer, toda vez que tiver que fazer uma recepção desse tipo, você já terá escolhido o cardápio e adquirido prática para executá-lo bem e rapidamente.

Entretanto, se você precisa fazer esse tipo de recepção com freqüência e várias vezes alguns dos convidados serão os mesmos, escolha uns quatro cardápios e "especialize-se" neles.

Além dessa "especialização" facilitar sua vida, como dissemos, ela também vai se tornando a sua "marca registrada" e os amigos dirão: "Hoje vou saborear o bobó de camarão da minha amiga X."; "Ah! Hoje é dia do rosbife do meu amigo Y".

Sugestões para montar o cardápio

APERITIVOS

Sementes: amendoim e pistache
Frutas secas: uva passa, nozes, maçã e/ou damasco
Patês: de galinha e/ou de fígado; pastas de queijo
Canapés: uma ou duas variedades
Azeitonas
Torradinhas e pães variados para os patês e as pastas de queijo
Bebidas não alcoólicas e alcoólicas

Lembre-se de que:
- os queijos devem estar desembrulhados e fora dos invólucros. Evite cortá-los. Sirva-os sobre uma tábua e com uma faca para que cada convidado corte o pedaço que quiser;
- as frutas secas, as sementes e as azeitonas devem ser servidas em tigelinhas de louça, cristal ou madeira;
- os patês podem ser servidos em pequenas tábuas ou em tigelinhas de louça, cristal ou madeira, em cada uma das quais deve haver uma ou duas faquinhas ou espátulas para o serviço;
- os canapés podem ser arrumados com arte em travessas ou bandejas de louça, cristal ou metal (prata, aço inoxidável);
- torradinhas e pães devem ser colocados em cestinhas forradas com toalhas finas. *Dica:* não retire torradinhas e pães de seus pacotes ou embalagens até o momento de servir, pois, se tirados com muita antecedência, as torradinhas podem ficar moles e úmidas e os pães podem ficar duros e secos;

- no local do serviço de aperitivos sempre deve haver guardanapos. Podem ser de papel ou pequenos guardanapos finos de tecido.

ENTRADAS

Salpicão de galinha
Ovos à *cocotte*
Coquetel de camarões
Laranjas gratinadas
Gaspacho
Vichyssoise
Sopa de mandioca
Salada de maçã
Melão com vinho do Porto e prosciutto (presunto cru italiano)
Figo com prosciutto
Salada parisiense

PRATO PRINCIPAL

Estrogonofe acompanhado de arroz branco e batata palha
Bobó de camarão, acompanhado de arroz branco
Camarão na moranga, acompanhado de arroz branco
Rosbife com aspargos gratinados, acompanhado de arroz branco ou arroz colorido
Galinha do Paulo Botas, acompanhada de arroz branco ou arroz à grega
Salmão da Marilena, acompanhado de arroz branco e creme de espinafre
Lombo de porco, acompanhado de arroz branco e farofa, ou com arroz colorido
Macarrão à parisiense
Arroz marroquino
Peito de carneiro assado, acompanhado de arroz branco
Vitela assada, acompanhada de purê de maçãs
Bœuf bourguignon, acompanhado de arroz branco
Bacalhau à Lelê, acompanhado de arroz branco
Xinxim de galinha, acompanhado de coco ralado fresco e arroz branco
Arroz com cordeiro

SALADAS

Salada de folhas com nozes
Salada Waldorf

SOBREMESAS

Musse de maracujá
Musse de chocolate
Sorvete com calda quente
Pudim de claras da dona Laura
Tarte tatin de maçã
Tarte tatin de manga
Frutas da estação

Harmonia do cardápio, sinal de elegância

O cardápio deve ser harmonioso. Por isso saiba compor a entrada, o prato principal e a salada, evitando repetições (por exemplo, evite uma entrada de coquetel de camarões e como prato principal o bobó de camarões) ou o que não combina, mesmo servido em seqüência (por exemplo, se o prato principal for macarrão parisiense, não faça salpicão de galinha como entrada). Se escolher o carneiro ou a vitela, a *vichyssoise* ou o gaspacho são entradas interessantes, se o tempo estiver quente; o *borsch* será interessante, se o dia estiver frio. Em resumo, combine de maneira que haja legumes (na sopa ou na entrada fria), carne, ave ou peixe/frutos do mar (no prato principal) e folhas e frutos (na salada final). Ao ler as receitas, você perceberá o que vai bem com o quê.

Observação: como a recepção de meia cerimônia e a de muita cerimônia podem ter cardápios semelhantes (como você verá, a diferença entre elas está em alguns detalhes do arranjo da mesa e no número de serviços), daremos as receitas, desde os aperitivos até as sobremesas, no final do capítulo, e você montará tanto o cardápio da meia cerimônia como o de muita cerimônia.

É de cerimônia.
É de muita cerimônia!

Não teve jeito. Você quis fugir, negacear, mas não deu. Vai ter mesmo que oferecer um jantar de muita cerimônia. Afinal, a ocasião pede e, lá no fundo, bem no fundo, você quer mostrar que é capaz de oferecê-lo.

Você vai ver que pompa e cerimônia não são complicadas e que, quando seus convidados partirem, haverá em você um sentimento de orgulho e triunfo, pois tudo saiu às mil maravilhas.

Sugestões

Os primeiros cuidados que você precisa ter quando for oferecer um jantar ou almoço de muita cerimônia são:

- escolher com antecedência o cardápio, lembrando de ter opções alternativas para o caso de não conseguir encontrar algum produto para preparar um prato;
- verificar se possui toalhas, guardanapos, copos, talheres, pratos, xícaras, travessas, terrinas e bandejas adequados para a ocasião. Faça uma lista de tudo que será necessário e veja o que precisa completar, pedindo emprestado à família ou aos amigos mais íntimos, ou alugando numa loja especializada;
- compor a lista de convidados de maneira a convidar alguns amigos que são bons de papo – para que o ambiente seja interessante e animado – e evitar pessoas cujas relações não andam boas (ou nunca são boas), pois ficarão embaraçadas e causarão embaraço aos outros.

Se no *brunch* predominam o improviso, as cores alegres, a informalidade, na recepção de muita cerimônia predominam a elegância, a discrição e a fineza.

Elegância na maneira de receber os convidados

Você deve recebê-los pessoalmente e levá-los à sala de visitas ou ao local onde estão sendo servidos os aperitivos, apresentando-os aos outros, caso nem todos se conheçam.

Discrição na maneira como os serviços são apresentados e servidos

Os serviços devem estar belamente arrumados nas bandejas, travessas, terrinas ou nos pratos individuais de cada convidado; a seqüência dos serviços, a troca de pratos e copos, o serviço de vinhos devem acontecer sem pressa, sem atropelo e sem confusão.

Fineza na maneira como a mesa está arrumada

Prefira toalha e guardanapos brancos ou adamascados (levemente bege ou creme), use porcelanas, cristais, prata (ou inox muito fino e bom); o arranjo de mesa deve ser de flores naturais; as velas dos castiçais devem ser de boa qualidade para durar todo o jantar.

Convidando

Ao oferecer um jantar ou um almoço de cerimônia, os convites devem ser feitos com uns 15 dias de antecedência ou, pelo menos, uma semana, no mínimo. O convite pode ser impresso ou até por telefone, dependendo do grau de intimidade com os convidados.

Recebendo

Como dissemos, receba pessoalmente os convidados. Mesmo que algum auxiliar esteja à porta ou atendendo à campainha, você logo deve vir para cumprimentar os que chegam; providenciar para que agasalhos, bolsas, pertences, etc. sejam guardados; e conduzi-los ao local em que os aperitivos estão sendo servidos, apresentando as pessoas que ainda não se conhecem. Ajuda muito ter um amigo ou amiga íntimos que cheguem mais cedo e possam ir fazendo as honras da casa enquanto você recebe novos convidados.

O momento dos aperitivos é muito importante porque é nele que velhos amigos se reencontram, novos amigos se fazem, as conversas se iniciam, pessoas que não se conheciam podem descobrir que possuem interesses comuns. E assim por diante.

Sentando-se à mesa

Terminados os aperitivos, você convida as pessoas para a mesa e as conduz até ela.

A distribuição dos convidados à mesa deve ser: o convidado mais importante senta-se ao lado direito da dona da casa e a convidada mais importante senta-se à direita do dono da casa. Se houver mais de um convidado importante, é preciso decidir o grau da importância e colocar o mais importante logo ao lado direito e o outro à esquerda, ficando cada um deles de um lado da mesa.

Se você vive só, e for mulher, o convidado senta-se à sua direita e a convidada à sua esquerda; se você for homem, a convidada senta-se à sua direita e o convidado à sua esquerda. E se houver mais de um convidado importante, você pode fazer assim: coloque-se numa ponta da mesa e na outra coloque o(a) convidado(a) mais importante. À sua direita e esquerda ficarão dois convidados e à direita e esquerda do(a) outro(a) convidado(a) ficam mais dois. Se o(a) convidado(a) que estiver na outra ponta da mesa vier acompanhado (marido, esposa, namorado, namorada), esse acompanhante ficará à direita dele ou dela.

Se, enfim, não houver diferença entre os convidados, você pode distribuí-los livremente, tendo o cuidado de colocar próximo pessoas que têm o que conversar.

Se forem muitos os convidados (mais de 8), é interessante colocar, apoiado no copo de água ou sobre o prato raso, um cartão com o nome da pessoa, indicando o lugar em que se sentará.

Arrumando a mesa

Não é só Anthony Hopkins que sabe arrumar a mesa perfeita!

Será que você viu um filme chamado *Vestígios do dia*, em que Anthony Hopkins é o mordomo de uma mansão inglesa? Se você viu, lembra-se de como ele arrumava a mesa e de como ensinava o aprendiz a arrumá-la? Pois é, é assim que você vai fazer.

Para um almoço ou jantar de cerimônia, a toalha é sempre escolhida com cuidado, de preferência, como já observamos, branca com rendas ou bordados, ou lisa adamascada. Os guardanapos devem pertencer ao jogo de mesa, isto é, de mesmo tecido, cor e bordado da toalha.

Sobre a mesa, no centro, coloca-se uma jardineira baixa com flores naturais e de cada lado um castiçal com lindas velas que combinem com a cor das flores.

O arranjo do centro de mesa deve ser baixo, de modo a não atrapalhar a comunicação entre os convidados.

Algumas regras são as mesmas que as do almoço ou jantar de meia cerimônia, havendo, porém, mais algumas a respeitar.

Mesmo repetindo as observações que já fizemos, vamos apresentar-lhe as regras indispensáveis do jantar ou almoço de grande cerimônia:

1. os pratos rasos marcam os lugares e a distância entre um lugar e outro; os guardanapos ficam ao lado do prato raso, sem cobrir os talheres, apenas dobrados. Não os coloque sobre o prato nem, muito menos, no interior de um copo;

2. sob cada prato raso, há um outro, um pouco maior (de prata, inox ou porcelana) que permanece até a hora da sobremesa. Esse prato permanente chama-se *sous-plat* (é francês; diga: "suplá");

3. à esquerda de cada prato e um pouco mais à frente do que ele, deve haver um pratinho com uma faca e que será retirado somente na hora da sobremesa. Esse pratinho é para o pão e a manteiga, que já podem estar nele antes do início do jantar ou do almoço;

4. quando os convidados se sentam à mesa, os copos de água devem estar cheios (²/₃ de água);

5. quanto às facas e colheres: ficam sempre à direita do prato raso. As colheres com a parte côncava para cima se sucedem na ordem em que serão usadas, a última devendo ser a colher de sobremesa, que ficará, portanto, mais próxima do prato raso. As facas têm os gumes virados para o lado do prato e a seqüência é a de seu uso, indo da esquerda para a direita: faca de sobremesa, faca de carne ou ave, faca de peixe. A seqüência é a seguinte: faca de sobremesa, colher de sobremesa, faca para carnes e aves, faca para peixe, colher de sopa. A colher e a faca de sobremesa poderão ficar à frente do prato raso, no caso de o espaço entre os pratos ser pequeno para conter todos os talheres; porém esse é um arranjo deselegante, pois numa recepção de grande cerimônia os talheres de sobremesa devem ficar na seqüência dos demais;

6. quanto aos garfos: com a parte côncava para cima, são colocados à esquerda do prato. Se for servir peixe, o garfo para peixe deve ficar à esquerda do garfo comum, pois o peixe será servido antes da carne ou da ave. Porém, se for servir ostras, o garfo para ostra ficará à extrema direita, após a faca e a colher de sopa. A seqüência dos garfos vai da direita para a esquerda, na ordem do uso: mais distante do prato, o garfo de peixe, a seguir, o garfo de massas, que será o mesmo usado para carne ou ave, depois o de sobremesa, mais próximo do prato. O garfo de sobremesa ficará mais próximo do prato, caso você prefira (como já dissemos, é mais chique) manter os talheres de sobremesa na seqüência dos outros, em vez de colocá-los à frente do prato raso; mas, se você achar que a distância entre os pratos é pequena para colocar todos os talheres um ao lado do outro, pode colocar os de sobremesa à frente (colher, garfo e faca);

7. a seqüência dos copos é a seguinte: o copo de água (que é o maior) fica à direita, acima das facas, e a seguir virão os copos de vinho Madeira (sopa), vinho tinto (carnes ou aves escuras), rosê (opcional) e branco seco (peixes e carnes brancas de aves). As taças de champanhe e os cálices de licor ou conhaque virão no momento em que essas bebidas forem servidas;

8. depois da mesa posta, você deve fazer uma verificação importante: todos os pratos e copos devem estar à mesma distância do centro da mesa (não pode haver alguns mais distantes e

outros mais próximos) e todos os talheres devem estar com a parte inferior (os cabos) na mesma altura. Os dois lados da mesa (se retangular ou quadrada) devem estar paralelos, isto é, pratos, copos e talheres de cada lado devem corresponder aos do outro lado.

Os serviços
Ah! A Festa de Babette...

Será que você viu um filme maravilhoso, chamado *A festa de Babette*, em que é servido o mais elegante, sofisticado, deslumbrante e perfeito jantar da história do cinema? Se viu, lembre-se, é assim que você vai fazer!

Um jantar ou almoço de cerimônia compõe-se de 6 a 8 serviços (serviços, como já lhe dissemos, é o nome para os pratos que compõem um cardápio numa seqüência determinada).

A seqüência dos serviços é a seguinte:

- aperitivos;
- entrada;
- sopa (no verão, pode ser uma sopa gelada), ou massa leve;
- peixe (com um acompanhamento ou guarnição);
- carne ou ave (com um acompanhamento ou guarnição);
- salada verde;
- sobremesa doce;
- frutas e queijos;
- café;
- licor ou conhaque e bombons.

Observe, portanto, que, além do *sous-plat*, você irá precisar dos seguintes pratos: para o pão e a manteiga, para a entrada, para a sopa, para o peixe, para a massa, para a carne ou ave, para a sobremesa de doce e para as frutas e os queijos. Sete pratos: 4 rasos, 1 fundo e 2 de sobremesa.

Os serviços não precisam obrigatoriamente ser decorados, mas uma boa apresentação é sempre importante.

O que determina a escolha de travessas e terrinas a serem usadas é o tipo de iguaria e o número de convidados. Existem vasilhas especiais para peixes, carnes, sopas, legumes, suflês, molhos ou caldos. Uma regra importante é a seguinte: comidas secas (o arroz, por exemplo, ou legumes no vapor) são sempre servidas em travessas rasas e nunca em vasilhas fundas.

Para facilitar na hora de servir, a carne deverá vir fatiada e a ave trinchada da copa ou da cozinha; o peixe virá sem espinhas (sem perder a forma).

Depois da sobremesa de doce, é servida a de frutas, acompanhada de queijos e, opcionalmente, podem vir pães para quem preferir comer o queijo com pão e não com fruta.

O café deve ser servido na hora, isto é, jamais as xícaras deverão vir cheias para a mesa.

Após o café, serve-se o licor ou o conhaque, acompanhados de bombons.

O serviço de vinhos

Os vinhos são indispensáveis no acompanhamento de um jantar ou de um almoço de cerimônia. Nada de cerveja, por favor!

Os vinhos brancos são servidos antes dos tintos. Acompanham conservas, peixes, frutos do mar, ostras. Devem ser servidos gelados, como já lhe explicamos. A exceção é o bacalhau, que é servido com vinho tinto (de preferência, o vinho verde português).

Os vinhos tintos são servidos em temperatura ambiente e acompanham massas, carnes escuras, aves, caças, queijos. Como lhe dissemos antes, devem ser abertos com antecedência para serem provados por você e para que desenvolvam o buquê, suavizando o sabor.

O vinho rosado, embora nem todos o apreciem, pode ser servido, e acompanha praticamente qualquer tipo de prato.

Sopas pedem vinho Madeira.

Com a sobremesa, serve-se champanhe bem gelado, que é desarrolhado na hora de servir.

Na sobremesa de frutas, usa-se vinho do Porto ou xerez doce.

A seqüência dos vinhos é, portanto, a seguinte:

- branco seco com a entrada;
- Madeira com a sopa ou tinto com a massa;
- branco seco com o peixe;
- tinto com a carne ou ave;
- champanhe com a sobremesa doce;
- vinho do Porto ou xerez doce com a sobremesa de frutas;
- tinto com os queijos;
- licor ou conhaque para o encerramento de seu belo almoço ou jantar.

Só você? Não vai dar, não

Para um jantar ou almoço de cerimônia, mesmo que você tenha ido para a cozinha e feito as comidas, precisará de, no mínimo, dois auxiliares, isto é, de alguém que fique na cozinha preparando os serviços que serão levados à mesa e de alguém – uma copeira ou um copeiro – que sirva a mesa.

Como no caso da recepção de meia cerimônia, a copeira ou o copeiro poderá servir à francesa, colocando-se à esquerda do convidado no momento de servi-lo. Também como no caso da meia cerimônia, os serviços já podem vir nos pratos individuais, que serão colocados à frente de cada convidado, ou em travessas e terrinas sobre bandejas para que cada convidado se sirva. Enquanto os convidados comem, a copeira ou o copeiro enche os copos do vinho do serviço respectivo e verifica se alguém precisa de mais água ou vinho, voltando a encher os copos. Quando cada serviço está terminado, os pratos usados são retirados (sempre pela esquerda do convidado) e substituídos pelo prato seguinte, se os serviços estiverem vindo em travessas e terrinas; caso contrário, retirados os pratos usados, a nova seqüência já virá nos novos pratos, individualmente arrumados na copa ou na cozinha.

 Veja, no Capítulo 2, as explicações sobre os vinhos e os copos adequados para servi-los. Veja também naquele capítulo as explicações sobre os queijos.

Sugestões de cardápios para a recepção de muita cerimônia

APERITIVOS
Sementes e frutas secas
Caviar
Canapés com pastas de queijos e patês
Canapés com frutas e frios
Bebidas não alcoólicas e alcoólicas

ENTRADAS
Musse de salsão com carne na cerveja ou
lombinho defumado
Laranjas gratinadas
Abacaxi à Edgar Allan Poe
Coquetel de camarões
Salada parisiense
Coquilles saint-jacques

SOPAS
Vichyssoise
Borsch
Canja de galinha
Sopa de amendoim
Sopa de mandioca

MASSAS (SE NÃO QUISER SERVIR SOPA)
Espaguete ao molho branco
Penne aos quatro queijos
Penne com salmão desfiado

PEIXES OU FRUTOS DO MAR
Bobó de camarão com arroz branco
Camarão na moranga com arroz branco
Ostras
Salmão assado com creme de espinafre
Filé de pescada em papel laminado com creme
de espinafre ou de palmito

CARNES OU AVES
Frango à moda do Haiti, acompanhado de
arroz branco ou arroz à grega
Coq au vin, acompanhado de arroz branco
Peito de peru com acompanhamentos especiais
Carneiro assado, acompanhado de arroz
branco
Vitela assada com molho de hortelã, acompa-
nhada de arroz branco ou colorido
Tender com frutas e fios de ovos

GUARNIÇÕES OU ACOMPANHAMENTOS
PARA O PRATO PRINCIPAL
Arroz à grega
Arroz colorido
Purê de maçãs
Aspargos gratinados
Suflê de queijo
Creme de espinafre
Creme de palmito
Batatas estufadas
Batatas *sautées*
Legumes no vapor com molhos variados

SALADAS
Suas opções podem ser as mesmas da recepção
de meia cerimônia.

SOBREMESAS
Podem ser as mesmas da recepção de meia
cerimônia, acrescentando-se as seguintes
opções:
Savarin à Hubert e Enydes Dubois
Figos à Laura
Musse de chocolate

Os aperitivos

Se você não quiser servir apenas uísque, martíni ou vinho do Porto e também quiser preparar alguns aperitivos, aqui vão algumas sugestões de aperitivos não alcoólicos e alcoólicos.

Bebidas

Suco de tomate (não alcoólico)

INGREDIENTES E MEDIDAS (6 A 8 PORÇÕES)

2 garrafas de suco de tomate natural
½ vidro de molho inglês
suco de 1 limão
pimenta-do-reino a gosto
sal a gosto
vodca (opcional)

PREPARO

Misturar o suco de tomate com o molho inglês, o suco de limão, a pimenta-do-reino e o sal. Acrescentar cubos de gelo.

Se todos os seus convidados gostam de bebida alcoólica, você pode alcoolizar o suco de tomate, acrescentando à mistura um cálice de vodca (nesse caso, o aperitivo se chama Bloody Mary, diga "blud méri"). Serve-se em cálices de aperitivo ou em copos de uísque.

Recebendo com muita cerimônia

Aperitivos

Recebendo com muita cerimônia

Aperitivos

Abacaxi com hortelã (não alcoólico)

INGREDIENTES E MEDIDAS (6 A 8 PORÇÕES)

1 abacaxi
½ vidro de suco de abacaxi
1 maço de hortelã fresca
rum (opcional)

PREPARO

Descascar o abacaxi, cortar em pedaços e bater no liquidificador. Coar e voltar para o liquidificador acrescentando o suco em vidro e as folhas de hortelã sem os talos. Bater de 3 a 4 minutos. Despejar na jarra em que vai ser servido. Deixar na geladeira até o momento de servir. Serve-se em copos de uísque.

Se todos os seus convidados apreciam bebida alcoólica, você pode alcoolizar o suco de abacaxi, acrescentando 2 cálices de rum, no momento de bater pela segunda vez.

Meia-de-seda (alcoólico)

INGREDIENTES E MEDIDAS (6 A 8 PORÇÕES)

1 lata de leite condensado
1 copo de licor de cacau
1 cálice de vodca ou rum (a preferência é sua)

PREPARO

Colocar todos os ingredientes no liquidificador e bater de 3 a 5 minutos. Despejar na jarra em que vai ser servido. Deixar na geladeira até o momento de servir. Serve-se em cálices de aperitivo.

Festa de fruta (alcoólico)

INGREDIENTES E MEDIDAS

2 folhas de hortelã
2 partes de Aqua Vitae
1 dose de suco de abacaxi
1 dose de suco de laranja gelado
1 dose de licor de mandarine
1 colher de chá de açúcar para cada dose de Aqua Vitae

PREPARO

Bater todos os ingredientes no liquidificador. Bater mais uma vez.
No momento de servir, coloque em cada copo uma cereja e um
cubo de gelo.

Recebendo com muita cerimônia

Aperitivos

Drinque tropical (alcoólico)

INGREDIENTES E MEDIDAS (10 DRINQUES)

2 cálices de rum
1 copo de suco de abacaxi gelado
1 copo de suco de melão gelado
1 colher de chá de açúcar
3 colheres de sopa de suco de limão
1 copo de champanhe gelado

PREPARO

Bater todos os ingredientes no liquidificador. No momento de
servir, enfeitar cada copo com um raminho de hortelã. Servir com
canudinho (opcional).

Recebendo com muita cerimônia

Aperitivos

Piña colada (alcoólico)

INGREDIENTES E MEDIDAS (10 DRINQUES)

Suco de 1 abacaxi
1 vidro de leite de coco
3 cálices de rum
1 colher de sopa de açúcar
gelo

PREPARO

Bater no liqüidificador todos os ingredientes, incluindo o gelo. Servir em copos compridos ou em taças.

Petiscos

Além de sementes e frutas secas, patês e pastas de queijo, na recepção de muita cerimônia vale a pena servir:

Caviar simples

É servido com manteiga sobre pão preto. Para dar mais sabor ao caviar, sobre cada 100 g despeje e misture sumo de limão a gosto. O mais elegante é ter o caviar numa tigelinha de cristal, a manteiga num pratinho de prata com facas pequenas e o pão preto cortado em quadrados dispostos numa cestinha ou numa travessa. Cada convidado se serve. Nada impede, porém, que você sirva o canapé de caviar já pronto.

Caviar incrementado

Para cada 100 g, corte 1 cebola bem picadinha; rale 1 gema de ovo cozido. Misture ao caviar a cebola, a gema e 1 colher de sopa de creme de leite. Sirva sobre o pão preto.

Camafeu de ameixa preta seca e/ou de damasco seco

Retirar o caroço das ameixas pretas secas (ou comprá-las já descaroçadas). Numa vasilha, misturar presunto picado, queijo ralado e manteiga até formar uma pasta. Fazer bolinhas e achatar ligeiramente. Sobre cada bolinha colocar meia noz descascada. Rechear cada ameixa com uma bolinha de pasta. A mesma mistura serve para rechear os damascos.

Canapés usando pães

Corte o pão preto e o pão de fôrma branco em quadrados (cada fatia dá para 4 pedaços). Passe levemente manteiga nos pedaços de pão. Enrole meio damasco numa lasca de presunto e coloque sobre um pedaço de pão preto. Enrole meia ameixa preta numa lasca de queijo prato e coloque sobre um pedaço de pão branco. Sobre um pedaço de pão preto, coloque uma lasca de queijo *brie* e sobre ela coloque um pedacinho de figo seco. Sobre um pedaço de pão de fôrma branco, coloque uma lasca de queijo *camembert* e sobre ela coloque meia cereja em calda. Sobre um pedaço de pão preto, coloque uma lasca de gema de ovo cozida e sobre ela uma lasca de azeitona verde e outra de azeitona preta.

Recebendo com muita cerimônia

Aperitivos

Recebendo com muita cerimônia

Aperitivos

DICA

Usando esse princípio (frios, frutas, queijos), invente quantos canapés quiser! Você pode arrumar travessas ou pequenas bandejas, cada uma com um tipo de canapé ou combinar canapés de pão preto e de pão branco. Evidentemente, você não precisará fazer todos esses tipos de canapés! Escolha alguns.

Palitinho ao forno

Num palito, espete na seguinte ordem: 1 rodela de salsicha, 1 cubinho de queijo parmesão, 1 cubinho de pão amanhecido com uma leve camada de manteiga. Coloque todos os palitos prontos numa assadeira e leve ao forno para derreter o queijo. Sirva quente.

As receitas

Ao escolher o cardápio, leve em conta a maneira como a refeição será servida. Se for servi-la à americana, escolha pratos que facilitem o manuseio fora da mesa.

Entradas

Salpicão de galinha

INGREDIENTES E MEDIDAS (12 PORÇÕES)

2 kg de galinha cortada em pedaços
4 cenouras grandes
1 tomate grande
⅓ de maço de cheiro-verde
2 cebolas médias raladas
2 dentes de alho amassados
2 folhas de louro
suco de 1 limão
½ kg de batata
1 maçã doce picada
2 maçãs ácidas picadas
½ talo de salsão cortado em tirinhas finas
½ talo de erva-doce cortado em tirinhas finas
200 g de nozes picadas
250 g de uvas passas
sal e pimenta-do-reino a gosto
1 vidro pequeno de maionese
4 colheres de sopa de azeite de oliva

Recebendo com muita cerimônia

Entradas

2 colheres de sopa de creme de leite sem soro
1 colher de chá de mostarda em pasta

PREPARO

Na véspera (se a recepção for um almoço) ou de manhã (se a recepção for um jantar), temperar a galinha com sal, pimenta-do-reino, alho, cebola, limão, cheiro-verde e louro. Cortar 2 cenouras em pedaços. Numa panela, colocar os pedaços de galinha temperada e de cenoura e cobrir com água. Espremer o tomate nessa água. Cozinhar até ficar bem mole. Picar as 2 cenouras restantes e as batatas em cubinhos. Enquanto a galinha cozinha, numa panela cozinhar as cenouras e as batatas. Depois de cozidas, escorrer e deixar esfriar. Cozida a galinha, escorrê-la e, ainda morna, desfiá-la (o caldo em que foi cozida não será usado para nada). Enquanto a galinha e os legumes esfriam, preparar a maionese: colocar a maionese pronta numa vasilha funda e acrescentar, misturando bem, o creme de leite, a mostarda, o azeite de oliva e as uvas passas. Descascar e picar as maçãs. Picar o salsão e a erva-doce em tirinhas bem finas. Numa vasilha funda, colocar a galinha, as cenouras, as batatas, as maçãs, as nozes, o salsão e a erva-doce e sobre eles despejar metade da maionese com as passas. Misturar muito bem. Colocar na vasilha que vai à mesa e despejar o restante da maionese, sem misturar (apenas para cobrir).

Ovos à *cocotte*

INGREDIENTES E MEDIDAS

1 ovo para cada pessoa
30 g (mais ou menos) de presunto picado para cada ovo
1 colher de sopa de creme de leite sem soro para cada ovo
3 uvas passas sem caroço para cada ovo
1 colher de sopa de queijo ralado para cada ovo
manteiga que dê para untar cada tigelinha

PREPARO

Untar com manteiga uma tigelinha para cada pessoa. Numa assadeira com um pouco de água para banho-maria, colocar as tigelinhas. Em cada tigelinha, quebrar um ovo sem desmanchá-lo (a
clara e a gema não devem misturar) e sobre ele colocar o creme
de leite, o presunto, as uvas passas e o queijo ralado. Levar ao
forno por 15 minutos. Ao servir, cada pessoa mistura, em sua
tigelinha, os ingredientes.

Recebendo com muita cerimônia

Entradas

Recebendo com muita cerimônia

Entradas

Laranjas gratinadas

INGREDIENTES E MEDIDAS (12 PORÇÕES)

12 laranjas maduras
1 cebola grande ralada
4 colheres de sopa de manteiga
4 colheres de sopa de farinha de trigo
3 xícaras de chá de vinho branco seco
600 g de queijo parmesão ralado
250 g de cogumelos picados
6 colheres de sopa de *catchup*
2 latas de creme de leite sem soro
6 ovos batidos
pimenta-do-reino a gosto

PREPARO

Lavar e enxugar as laranjas. Cortar uma tampa de maneira que caiba uma colher de sobremesa para limpar a polpa. Com a colher, retirar a polpa sem danificar as laranjas. Reservar a polpa, limpando-a bem (sem sementes e sem pele). Numa panela, esquentar a manteiga e refogar a cebola. Juntar aos poucos a farinha de trigo, mexendo para não encaroçar. Mexer até dourar e acrescentar a pimenta. Despejar, aos poucos, o vinho, mexendo bem para não encaroçar. Escorrer a água dos cogumelos picados e juntá-los à mistura que está na panela. Acrescentar o *catchup* e mexer. Acrescentar o creme de leite e mexer. Não deixar ferver para não talhar o creme de leite. Quando estiver bem quente, mas sem ferver, retirar a panela do fogo e juntar a polpa das laranjas que ficaram reservadas. Rechear as laranjas: colocar as laranjas numa assadeira com um fundinho de água. Dentro de cada laranja, colocar uma colher de sopa cheia da mistura, mas sem chegar à borda. Bater os ovos, juntar sal a gosto e o queijo ralado e cobrir, cada uma das laranjas, agora sim, deixando que chegue às bordas. Leve ao forno por 25 minutos para gratinar. Servir em pratinhos individuais.

Salada de maçã

INGREDIENTES E MEDIDAS (6 A 8 PORÇÕES)

6 maçãs
1 frasco grande de creme de leite fresco
2 colheres de sopa de mostarda em pasta
sumo de 1 limão
2 pitadas de *curry* em pó
sal a gosto

PREPARO

Misturar o creme de leite, a mostarda, o limão, o *curry* e o sal, até formar um creme fino e liso. Descascar as maçãs e cortá-las em fatias finas. Numa tigela, colocar as maçãs e sobre elas despejar o creme. Misturar bem. Levar à geladeira por meia hora. Servir.

Recebendo com muita cerimônia

Entradas

Recebendo com muita cerimônia

Entradas

Salada parisiense

INGREDIENTES E MEDIDAS (6 PORÇÕES)

1 abacaxi maduro
1 maçã doce
100 g de presunto
100 g de chucrute
½ maço de cheiro-verde
2 colheres de sopa de maionese
2 colheres de sopa de creme de leite
1 pitada de sal
1 pitada de açúcar

PREPARO

Lavar o abacaxi e secar. Não retirar a coroa. Cortar o abacaxi no sentido horizontal (isto é, de comprido), dividindo-o em duas partes e conservando a coroa em cada parte. Esvaziar cada parte do abacaxi tirando a polpa e cortando-a em cubinhos. Lavar a maçã e cortar em cubinhos (não precisa descascar). Numa vasilha, colocar a maionese, o creme de leite, o presunto picado, o chucrute, o cheiro-verde picadinho (ou cortadinho com a tesoura), a pitada de sal e a de açúcar e mexer bem. Acrescentar ao tempero os cubinhos de abacaxi e de maçã. Misturar bem. Com essa mistura, encher as duas partes do abacaxi e levar à geladeira até a hora de servir.

Coquetel de camarão

Recebendo com muita cerimônia

Entradas

INGREDIENTES E MEDIDAS (6 PORÇÕES)

500 g de camarões pequenos
800 g de camarões grandes
4 gemas cozidas
2 gemas cruas
1 colher de sopa de mostarda
4 colheres de sopa de *catchup*
5 colheres de chá de vinagre bom
¼ de lata de azeite de oliva
2 colheres de sopa de azeite de oliva
2 colheres de chá de molho inglês
2 colheres de sopa de conhaque
sal a gosto

PREPARO

Limpar os camarões e fervê-los em água e sal por 4 minutos. Reservar. Cozinhar os ovos, descascar e separar as 4 gemas. Numa tigela funda, colocar a mostarda, o *catchup*, o vinagre, o molho inglês, o conhaque e o sal. Mexer bem e acrescentar os camarões pequenos, as gemas cozidas e as cruas e levar tudo para o liquidificador. Bater bem no liquidificador, colocando o azeite aos poucos até formar um creme firme. Se perceber que o creme está meio duro, acrescentar mais uma xícara de chá de azeite e continuar batendo. Deve ficar um creme róseo, firme e liso. À parte, temperar os camarões grandes numa mistura de 2 colheres de sopa de azeite e 1 colher de sopa de vinagre. Colocar o creme batido em taças individuais (se não tiver as taças próprias para esse tipo de coquetel, use taças para sorvete ou gelatinas; as de pé são mais bonitas) e enfeitar com os camarões grandes. Deixar na geladeira até a hora de servir.

Se for servir em taças próprias para esse prato, lembre-se de que elas são colocadas sobre uma travessa funda na qual deve ir gelo picado. Por isso, não se esqueça de preparar o gelo com alguma antecedência para não ter que prepará-lo na última hora.

Recebendo com muita cerimônia

Entradas

Musse de salsão com carne na cerveja (ou com lombinho defumado)

A MUSSE
INGREDIENTES E MEDIDAS (8 PORÇÕES)

1 maço grande de salsão
1 cebola grande
2 caixas de gelatina de limão
2 xícaras de chá de água
250 g de maionese
25 g de requeijão
1 colher de sopa de mostarda em pasta
1 colher de sopa de molho inglês
sal e pimenta-do-reino a gosto

PREPARO

Lavar e limpar o salsão, retirando as folhas e todos os fios dos talos. Bater no liquidificador com uma cebola grande. Juntar o requeijão, a mostarda, a maionese, o molho inglês, a pimenta-do-reino e o sal. Bater bem até formar uma pasta lisa. Reservar. Numa panela, dissolver as 2 caixas de gelatina de limão em 2 xícaras de água fria e levar ao fogo, mexendo sempre. Quando ferver e engrossar, despejar sobre a pasta que está no liquidificador. Bater bem. Colocar numa fôrma de anel e levar à geladeira, onde deverá ficar por pelo menos 3 horas. Na hora de servir, despejar num prato redondo grande (pode ser de cristal ou de louça). Em volta, se quiser, pode colocar a carne cozida na cerveja ou o lombinho defumado.

A CARNE COZIDA NA CERVEJA
INGREDIENTES E MEDIDAS (6 PORÇÕES)

1 kg de alcatre (ou de contra-filé)
1 garrafa de cerveja preta
1 cebola
2 dentes de alho
sal, pimenta-do-reino e orégano a gosto
1 colher de sopa de manteiga
1 colher de sopa de óleo

PREPARO

Cortar a carne em cubos e temperar com a cebola ralada, o alho amassado, a pimenta-do-reino, o sal e o orégano. Esquentar o óleo e a manteiga numa panela. Refogar a carne mexendo bem. Despejar a cerveja e, em fogo médio, cozinhar com a panela tampada até a carne ficar mole e o caldo grosso. Pode ser colocada à volta da musse ou, se preferir, numa vasilha funda à parte. Se for colocá-la à volta da musse, lembre-se de colocá-la apenas no momento de levar à mesa, pois se o fizer antes, a carne quente amolecerá a musse. Para não correr esse risco, recomendamos que enfeite o prato da musse com alface picadinha em volta. Coloque a carne numa outra vasilha.

Lombinho defumado

Se você quiser, em lugar da carne na cerveja, pode servir a musse com fatias bem finas de lombinho defumado, colocadas em volta da musse. Nesse caso, você pode colocar o lombinho sem problemas, porque ele também é frio.

317

Recebendo com muita cerimônia

Entradas

Abacaxi à Edgar Allan Poe

INGREDIENTES E MEDIDAS (6 A 8 PORÇÕES)

1 abacaxi grande maduro cortado em rodelas
½ kg de presunto fatiado (fatias finas)
2 colheres de sopa de açúcar
3 cravos-da-índia
1 xícara de chá de água
½ kg de ameixa preta seca sem caroço
1 lata de creme de leite
1 colher de sopa de manteiga

PREPARO

Descascar o abacaxi e cortar em rodelas calculando 1 rodela por pessoa. Numa panela, ferver por 4 minutos as rodelas de abacaxi com 1 xícara de chá de água, a colher de açúcar e os cravos-da-índia. Retirar do fogo. Untar com a manteiga uma vasilha refratária. Com um garfo, retirar cada rodela de abacaxi da panela e ir colocando na vasilha, uma ao lado da outra. No centro de cada rodela, colocar uma ameixa. Fazer rolinhos com as fatias de presunto e colocar dois sobre cada rodela, um de cada lado da ameixa. Abrir a lata de creme de leite, verter numa vasilha e mexer bem para ficar liso e fino. Juntar o creme de leite à calda que ficou na panela em que ferveu o abacaxi. Regar as rodelas de abacaxi com essa mistura e levar ao forno quente. Quando começar a borbulhar (depois de uns 10 minutos), desligar o forno. Servir quente em pratinhos individuais.

Você pode comprar abacaxi fatiado em lata ou em vidro. Nesse caso, dê a fervura nele com a água em que vier e mais os cravos-da-índia e guarde essa mistura para juntar ao creme de leite, no momento de regar as rodelas. Se for fazer com abacaxi fresco, veja se apenas 1 abacaxi será suficiente para o número de convidados, pois as rodelas não devem ser muito finas e para cada pessoa será preciso uma fatia.

Coquilles saint-jacques (diga "coquíe sén jac")

INGREDIENTES E MEDIDAS (10 PORÇÕES)

1 kg de filé de robalo
1 kg de camarões médios
1 lata de ostras congeladas (mais ou menos 30 ostras)
½ kg de cogumelos
1 ½ lata de mariscos
1 ½ colher de sopa de manteiga
3 colheres de sopa farinha de trigo
½ xícara de chá de caldo de galinha
2 colheres de sopa de vinho branco
½ xícara de chá de creme de leite
1 ½ xícara de chá de leite
3 colheres de sopa de parmesão ralado
1 colher de chá de páprica
3 colheres de sopa de farinha de rosca
1 tomate grande picado
2 rodelas de cebola
½ xícara de chá de maisena
sal e pimenta a gosto
conchas abertas, limpas e vazias

PREPARO

Cozinhar o tomate e a cebola na manteiga. Juntar o robalo, refogar e acrescentar o caldo de galinha. Cozinhar em fogo brando por 10 minutos, tirar o peixe e coar o caldo. Ao caldo (sem o peixe) juntar a farinha de trigo e ½ xícara de leite, acrescentar os camarões bem limpos, os cogumelos, a páprica, as ostras e os mariscos. Cozinhar por 5 minutos. Juntar o vinho e o creme de leite. Mexer e apagar o fogo. Reservar.

À parte, fazer o molho branco com maisena, sal e o resto do leite. Dissolva a maisena no leite e coloque sal a gosto. Cozinhe em fogo brando, mexendo sempre para não encaroçar.

Recebendo com muita cerimônia

Entradas

Preparar as conchas: colocar primeiro o peixe dividido em pedacinhos, uma porção em cada concha. Sobre o peixe, colocar os outros ingredientes misturados, dividindo-os em porções iguais para cada concha. Polvilhar cada concha já cheia com o molho branco, farinha de rosca, queijo ralado e pedacinhos de manteiga. Levar as conchas ao forno numa assadeira para gratinar. Para que as conchas não fiquem balançando na assadeira ou mesmo correndo o risco de virar e espalhar o conteúdo, firmá-las na assadeira: misturar um pouco de farinha de trigo ou de mandioca com um pouco de água, formando uma pasta; colocar pequenas porções dessa pasta no fundo da assadeira e sobre cada uma delas colocar uma concha, apertando bem para grudar. Na hora de retirar as conchas da assadeira, passar uma faca por baixo de cada uma, separando-as da pasta em que ficaram presas.

Servi-las em pratinhos individuais, enfeitando-as com folhas de alface e um ramo de salsinha.

Sopas

Recebendo com muita cerimônia

Sopas

Gaspacho

INGREDIENTES E MEDIDAS (6 PORÇÕES)

3 pimentões vermelhos
1 pimentão verde
½ kg de tomates maduros
2 pepinos
1 pé de alface
3 colheres de sopa de azeite
2 cebolas
2 dentes de alho
sal e pimenta a gosto

PREPARO

Limpar 1 pimentão verde e 1 vermelho, tirando as sementes. Cortar em pedacinhos e dar uma fervura rápida. Escorrer e levar à geladeira. Por uns 10 minutos, bater no liquidificador os outros 2 pimentões vermelhos sem sementes, os tomates, as cebolas, os dentes de alho, os pepinos descascados, pondo sal e pimenta a gosto e esperando que fique um caldo grosso e homogêneo. Despejar na vasilha funda em que será servido. Com a tesoura de cozinha, cortar a alface em tirinhas finas e juntar ao caldo, mexendo sem bater. Provar o sal. No momento de servir, misturar ao caldo os pimentões picados que estavam na geladeira. Pode ser servido com torradinhas.

Recebendo com muita cerimônia

Sopas

Borsch (sopa russa de beterraba)

INGREDIENTES E MEDIDAS (8 PORÇÕES)

3 beterrabas grandes cortadas em pedaços
1 ½ cebola média ralada
2 copos de iogurte natural
4 colheres de sopa de manteiga
1 tablete de caldo de carne (ou 1 copo de caldo de carne preparado em casa – veja a receita no Capítulo 4)
sal e pimenta-do-reino a gosto
4 litros de água

PREPARO

Descascar as beterrabas tirando só a pele e cortar em quatro pedaços. Colocar numa panela a água e cozinhar a beterraba (será mais rápido cozinhá-las na panela de pressão). Não deixe secar a água, e se isso acontecer enquanto a beterraba está cozinhando, acrescente mais água, pois ela é importante para o sabor e a cor da sopa. Depois de cozidas as beterrabas, batê-las no liquidificador com uma parte da água. Despejar as beterrabas batidas de volta na panela onde está a água em que foram cozidas acrescentando o caldo de carne. Numa frigideira, esquentar a manteiga e dourar a cebola, despejando-a na panela das beterrabas. Colocar sal a gosto e deixar ferver. Enquanto o creme ferve, colocar numa cumbuca ou numa tigela o iogurte, mexendo-o bem para ficar cremoso; levar à mesa. Colocar o creme de beterraba numa sopeira e levar à mesa. Cada um, ao se servir, colocará sobre o creme de beterraba algumas colheres de iogurte, mexendo bem no próprio prato, antes de saborear o borsch. Pode servir com torradinhas.

Sopa de mandioca

Uma delícia brasileira da bisavó Dindinha. Se você tiver convidados estrangeiros, sirva esta delícia brasileira (que, aliás, você poderá incluir no seu cardápio do dia-a-dia).

INGREDIENTES E MEDIDAS (10 PORÇÕES)

1 kg de músculo cortado em pedaços médios
2 kg de mandioca cortada em pedaços médios, bem limpa, sem os fios centrais
2 cebolas picadas
3 dentes de alho amassados
2 tomates maduros
1 pitada de noz-moscada
2 folhas de louro
sal e pimenta-do-reino a gosto
2 colheres de sopa de manteiga

PREPARO

Limpar o músculo e temperar com sal, pimenta-do-reino, noz-moscada e louro. Numa panela funda, esquentar a manteiga e dourar muito bem a cebola e o alho. Refogar o músculo. Cobrir com água, espremer com as mãos os tomates sobre a carne e deixar cozinhar por várias horas, colocando mais água de vez em quando para que o caldo fique grosso e suculento. Estará pronto quando a carne estiver desmanchando. Retirar do fogo e da panela. Quando a carne estiver morna, cortar em pedaços pequenos. Coar o caldo numa peneira. Recolocar os pedaços de carne no caldo e voltar para a panela. Reservar.

Lavar e cortar a mandioca, tendo o cuidado de retirar todos os fios. Colocar no fogo numa panela funda com água e acrescentar a mandioca, que deve ficar coberta pela água. Espere ficar cozida (espete um pedaço com um garfo para ver se está mole e cozida).

Recebendo com muita cerimônia

Sopas

A mandioca tende a absorver tudo o que é líquido. Por isso, ao cozinhá-la, assegure-se de que haja bastante água. Ao amassá-la, acrescente a água em que foi cozida, para ficar um creme bem fino. Depois de juntá-la à carne, fervê-la e deixar repousar, verifique novamente para saber se deve colocar mais um pouco de água no momento de esquentar a sopa para servir. Quem gostar e quiser, pode pingar molho de pimenta no momento de ingerir a sopa.

Recebendo com muita cerimônia

Sopas

Depois de cozida, espere esfriar um pouco e bata a mandioca no liquidificador com a água em que cozinhou. Despeje o creme assim formado na panela de carne, misturar bem e deixar ferver. Desligar e deixar repousar por meia hora para pegar o gosto. Esquentar na hora de servir.

Canjá de galinha

INGREDIENTES E MEDIDAS (8 A 10 PORÇÕES)

1 galinha limpa
3 dentes de alho amassados
1 cebola grande ralada
1 colher de sopa de manteiga
3 batatas médias
1 xícara de chá de arroz
3 tomates pelados
½ xícara de chá de vinagre (ou vinho branco)
sal e pimenta-do-reino a gosto
água quente o suficiente
queijo ralado

PREPARO

Cortar, pelas juntas, a galinha em pedaços. Lavar muito bem cada pedaço.

Descascar e amassar o alho. Descascar e picar a cebola. Descascar e picar em quadradinhos a batata. Lavar o arroz. Pelar os tomates ou usar tomates já pelados, cortá-los em pequenos pedaços. Fazer um tempero com sal, cebola, alho, pimenta-do-reino, vinagre ou vinho branco. Mergulhar nesse tempero a galinha e deixar descansar por 10 minutos. Em uma panela funda, dourar a cebola na manteiga, acrescentar os pedaços da galinha e deixá-los dourar bem. Colocar as batatas e continuar dourando. A seguir, acrescentar água quente, o suficiente para cobrir tudo. Deixar ferver e mexer de vez em quando. Assim que a galinha estiver cozida, apagar o fogo. Com cuidado, retirar os ossos de cada pedaço. Voltar a canja ao fogo e misturar ao caldo o arroz e os tomates. Deixar cozinhar em fogo brando até que tudo fique bem cozido e haja um bom caldo, grosso e saboroso. Ao servir, se quiser, acrescentar queijo ralado.

Recebendo com muita cerimônia

Sopas

Recebendo com muita cerimônia

Sopas

Vichyssoise (diga "vichiçuase")

INGREDIENTES E MEDIDAS

3 talos de alho-poró (somente a parte branca)
2 xícaras de chá de aipo (a parte branca)
1 dente de alho amassado
1 cebola ralada
5 batatas médias cortadas em pedaços
2 tabletes de caldo de carne ou de galinha (ou um copo de um desses dois caldos que você já tenha prontos em casa)
2 colheres de chá de manteiga
1 lata de creme de leite
1 ½ xícara de leite
2 colheres de sopa de iogurte natural
½ litro de água
1 colher de sopa de molho inglês
1 maço de cebolinha verde picada
Sal e pimenta-do-reino a gosto

PREPARO

Picar o alho-poró, o aipo, a cebola e as batatas. Amassar o alho. Refogar na manteiga o alho e a cebola, juntar o alho-poró, o aipo e continuar o refogado. Acrescentar as batatas e o tablete de caldo dissolvido na água (ou 1 copo do caldo já pronto). Tampar a panela e deixar cozinhar até tudo ficar macio. Retirar do fogo e juntar o molho inglês, o sal, a pimenta-do-reino, o creme de leite, o iogurte e o leite. Bater no liquidificador. Pode ser servida quente ou gelada, enfeitada com cebolinha verde picada.

Sopa picante de amendoim à Michael

INGREDIENTES E MEDIDAS (6 A 8 PORÇÕES)

2 cebolas médias raladas ou picadas
2 dentes de alho amassados
2 colheres de sopa cheias de manteiga
400 g de amendoim torrado e sem pele
2 litros de água
2 tabletes de caldo de galinha (ou 1 copo de caldo já preparado)
sal a gosto
2 pitadas de manjericão
gotas de molho de pimenta a gosto

PREPARO

Numa panela, esquentar a manteiga e dourar a cebola e o alho. Acrescentar os outros ingredientes e a água. Cozinhar por 15 minutos. Bater no liquidificador (você pode bater bastante para ficar um creme ou pode bater menos e deixar pedacinhos minúsculos de amendoim). Servir quente.

Recebendo com muita cerimônia

Sopas

Se quiser, poderá acrescentar aos ingredientes 1 colher de chá de *curry* em pó, 1 colher de sopa de creme de leite e 1 colher de sopa de iogurte. O gosto do amendoim ficará menos forte.

Recebendo com muita cerimônia

Massas

Massas

Macarrão parisiense

INGREDIENTES E MEDIDAS (6 A 8 PORÇÕES)

500 g de macarrão fino (pode ser talharim ou espaguete)
250 g de creme de leite
1 colher de sopa de manteiga
2 gemas
200 g de presunto fatiado
150 g de queijo parmesão ralado
1 colher de sopa de sal
1 colher de sopa de óleo

PREPARO

Ferver 3 litros de água numa panela funda, juntar o sal e o óleo. Sobre a água fervente, despejar vagarosamente o macarrão para ficar bem distribuído. Separar os fios com um garfo longo e deixar cozinhar (veja nossas indicações sobre o tempo de cozimento, no Capítulo 2). Depois de cozido, escorrer e provar o sal. Enquanto a massa está cozinhando, untar com a manteiga uma vasilha refratária e aí misturar o presunto picado, o creme de leite e as gemas. Depois de escorrido o macarrão, acrescentá-lo à mistura mexendo bem para que fique homogênea. Espalhar por cima o queijo ralado. Levar ao forno brando por 10 minutos. Depois de 10 minutos, aumentar a temperatura do forno, para gratinar. Pode ser servido na vasilha em que foi ao forno.

Penne aos quatro queijos

INGREDIENTES E MEDIDAS (6 A 8 PORÇÕES)

2 pacotes (250 g cada um) de *penne* italiano
1 cebola média ralada
1 xícara de vinho branco seco
2 colheres de sopa de manteiga
1 litro de creme de leite fresco
1 copo de requeijão
150 g de queijo parmesão ralado
200 g de queijo *gruyère* ralado
200 g de queijo *roquefort* amassado

Recebendo com muita cerimônia

Massas

PREPARO

Numa panela funda, colocar água com 2 colheres de sopa de sal para ferver. Enquanto a água ferve, preparar o molho. Derreter a manteiga e refogar a cebola até ficar transparente. Acrescentar o vinho e deixar ferver em fogo alto. Ferver por 3 minutos. Acrescentar o creme de leite, mexendo sempre até ferver. Abaixar o fogo e juntar os queijos: primeiro o requeijão, mexendo bem, depois os outros, sempre mexendo até que o molho fique liso e homogêneo. Reservar.

Quando a água da panela ferver, colocar o *penne* para cozinhar seguindo o tempo indicado na embalagem. Depois de cozido, escorrer a água. Colocar na vasilha em que será servido e misturar o creme de quatro queijos. Servir fumegante.

Se o molho ficar pronto bem antes de o *penne* cozinhar, esquente-o (sem ferver) para colocar sobre a massa.

Recebendo com muita cerimônia

Massas

Penne com salmão e alho-poró

INGREDIENTES E MEDIDAS (6 A 8 PORÇÕES)

2 pacotes (250 g cada um) de *penne* italiano
300 g de filé de salmão fresco, sem pele e sem espinhas
2 talos de alho-poró (somente a parte branca e a verde bem clara) picadinho
250 g de creme de leite fresco
1 colher de sopa bem cheia de azeite de oliva
3 colheres de sopa de manteiga
sal e pimenta-do-reino a gosto

PREPARO

Tempere o salmão com sal, pimenta-do-reino e azeite. Em forno médio preaquecido, coloque para assar. Depois de uns 12 minutos estará bom. Deixe ficar esfriando.

Numa panela funda, coloque água para ferver com 1 colher de sopa de sal. Enquanto espera a água ferver, lave muito bem o alho-poró e pique em pedacinhos. Numa frigideira, derreta a manteiga e doure o alho-poró por uns 5 minutos, com uma pitada de sal e outra de pimenta-do-reino. Acrescente o creme de leite, mexa bem e desligue o fogo. Na água fervente da panela, coloque o *penne* para cozinhar, seguindo o tempo da embalagem do pacote. Enquanto o *penne* cozinha, desfie o salmão e misture-o com o alho-poró na frigideira em que este foi preparado. Cozido o *penne*, escorra e coloque na vasilha em que será servido. Esquente a frigideira com o molho de salmão e alho-poró e despeje sobre o *penne*, misturando muito bem. Sirva fumegante. *Lembrete*: este prato não é servido com queijo ralado.

Talharim ao molho branco com queijos

INGREDIENTES E MEDIDAS (10 PORÇÕES)

2 kg de talharim fresco
½ xícara de leite
1 lata de creme de leite
200 g de queijo *roquefort*
650 g de queijo parmesão ralado
1 vidro de requeijão
1 pitada de noz-moscada
1 pitada de pimenta-do-reino
½ copo de vinho branco seco
sal a gosto

PREPARO

Numa panela funda, coloque água para ferver com 1 colher de sopa de sal. Quando estiver fervendo, coloque o talharim para cozinhar. Enquanto a massa está cozinhando, prepare o molho. Numa panela, coloque o leite, o *roquefort* cortado em pedaços, o requeijão de vidro e o queijo parmesão. Mexa para que se misturem e derretam formando um creme fino e liso. Acrescente o vinho. Salpique com noz-moscada e pimenta-do-reino. Prove o sal. Se estiver faltando, coloque a gosto. Escorra o macarrão e coloque na vasilha em que será servido. Sobre ele, despeje o molho bem quente. Misture bem e sirva.

Recebendo com muita cerimônia

Massas

Recebendo com muita cerimônia

Peixes e Frutos do Mar

Peixes e frutos do mar

Camarão na moranga

INGREDIENTES E MEDIDAS (8 PORÇÕES)

1 kg de camarões pequenos e médios
10 camarões grandes
sal a gosto
1 cebola ralada
2 dentes de alho amassados
1 maço de cheiro-verde picado (e coentro opcional)
1 copo de leite
1 ½ colher de chá de maisena
1 vidro de requeijão
1 colher de chá de suco de limão
½ xícara de chá de azeite de oliva
1 colher de chá de vinagre
2 tomates maduros

PREPARO

Comprar os camarões limpos (se não for possível, lembre-se de que a receita levará mais de 40 minutos de preparo porque você terá que limpar os camarões). Temperá-los com o alho amassado, ½ cebola ralada, vinagre, limão e cheiro-verde. Reservar. Lavar a moranga e colocá-la numa vasilha grande com água fervente. Tampar a vasilha e deixar a moranga cozinhar no vapor por 10 minutos. Retirar a moranga do fogo, cortar a tampa (isto é, a parte de cima da moranga) e com uma colher escavar a polpa, tirando as sementes e parte da polpa, sem furar a casca e sem escavar demais (deve permanecer uma camada de polpa à volta da parede interna da moranga). Com uma colher, espalhar a metade do requeijão nas paredes do interior da moranga. Retirar somente os camarões grandes do tempero. Esquentar o azeite numa panela e por 4 minutos fritar somente os camarões grandes. Depois de 4 minutos, retirá-los da panela e reservá-los. Escorrer os camarões pequenos e médios do tempero em que estavam e fritá-los também por 4 minutos no azeite em que foram fritos os camarões grandes. Depois de fritos, despejar na panela em que se encontra o tempero em que estiveram (e do qual foram escorridos antes de fritar). Acrescentar nessa panela: o resto da cebola, a maisena misturada no leite (sempre que for usar maisena, convém desmanchá-la no leite frio para evitar que encaroce), os tomates maduros e o restante do requeijão. Mexer muito bem em fogo brando por 10 minutos e provar o sal. Retirar do fogo. Colocar essa mistura ainda bem quente na moranga como recheio. Levar a moranga recheada e tampada com sua própria tampa ao forno por 2 minutos. Retirar do forno. Se você estiver bem adiantada no preparo desse prato e, por alguma razão, não for servi-lo imediatamente, deixe a moranga tampada dentro do forno aquecido, mas com o fogo apagado. No momento de servir, destampe a moranga e enfeite-a com os camarões grandes. Para servir, coloque folhas de alface num prato redondo ou numa travessa e ponha a moranga no centro, com a tampa ao lado.

Recebendo com muita cerimônia

Peixes e Frutos do Mar

Recebendo com muita cerimônia

Peixes e Frutos do Mar

Bobó de camarões

Ingredientes e medidas (6 a 8 porções)

2 kg de camarões grandes e médios
1 kg de mandioca
sal e pimenta-do-reino a gosto
3 folhas de louro
2 xícaras de chá de caldo de carne
suco de 2 limões
1 pimenta meio ardida
3 vidros de leite de coco
1 copo de leite
2 cebolas grandes raladas
5 dentes de alho grandes
3 tomates grandes maduros
1 xícara de chá de amendoim
ramos de coentro
cheiro-verde
2 xícaras de chá de azeite de oliva

Preparo

Lavar e escorrer os camarões comprados limpos. Temperar com suco de limão, sal, pimenta-do-reino, 2 colheres de sopa de cebola ralada, os alhos esmagados, louro, cheiro-verde e deixar repousar. Enquanto isso, cuidar da mandioca.

Descascar a mandioca e cortá-la em pedaços (ou comprar já descascada e cortada), retirando o fio do centro e lavar. Refogar 3 colheres de azeite com parte da cebola, do sal, do caldo de carne e da mandioca. Cobrir com 2 copos de água e o copo de leite. Deixar cozinhar mexendo sempre para não grudar na panela e não queimar. Juntar o leite de coco. Provar o sal. Quando a mandioca começar a se desfazer, apagar o fogo. Amassar a mandioca até formar um pirão.

Esquentar o resto do óleo, o resto dos temperos, os tomates sem pele e refogar os camarões por 5 minutos. Juntar os amendoins picados e mexer. Separar os camarões menores e misturar à mandioca.

Montar o prato: a mandioca com os camarões menores no centro e, em volta, enfeitando o prato, os camarões maiores. Cobrir com o molho.

Recebendo com muita cerimônia

Peixes e Frutos do Mar

Recebendo com muita cerimônia

Peixes e Frutos do Mar

Salmão da Marilena

INGREDIENTES E MEDIDAS (4 PORÇÕES)

1kg de filé de salmão ou 4 postas grandes e grossas
manteiga
1 cebola
3 dentes de alho
1 lata (ou caixinha) de creme de leite
2 colheres de sopa de mostarda
sal, pimenta-do-reino, noz-moscada a gosto
½ copo de vinho branco

PREPARO

Lave o salmão. Unte uma assadeira com bastante manteiga e co-loque o filé ou as postas de salmão. Coloque pedacinhos de mantei-ga sobre o salmão de modo que, ao derreter, a manteiga o cubra por inteiro. Coloque no forno por 20 minutos. Enquanto o sal-mão está assando, prepare o molho: numa vasilha, junte o creme de leite, a mostarda, o sal, a pimenta-do-reino, a noz-moscada e o vinho branco (o vinho é opcional; se você tiver um vinho bran-co já aberto ou se for servir o salmão com vinho branco, use ½ copo para o molho). Rale a cebola e amasse o alho. Numa pane-linha, esquente o azeite de oliva, doure o alho e a cebola e despeje a mistura de creme de leite, mostarda e vinho. Deixe ferver em fogo brando e desligue o fogo assim que o molho ferver. Você pode despejar o molho sobre o salmão, deixando-o por mais al-guns minutos no forno, e servir; ou colocar o salmão numa tra-vessa e o molho na molheira, deixando que cada um regue o sal-mão em seu próprio prato. *Lembrete*: se você não for usar o vi-nho branco e, ao ferver, o molho ficar muito grosso para o seu gosto, você pode acrescentar ½ copo de água, mexer bem, deixar ferver e desligar o fogo.

Bacalhau à Lelê

INGREDIENTES E MEDIDAS (8 A 10 PORÇÕES)

2 kg de bacalhau
5 batatas grandes cortadas em cubos
3 cebolas grandes (1 ralada e 2 em rodelas finas)
4 tomates pelados amassados
2 pimentões vermelhos sem sementes cortados em rodelas
4 dentes de alho amassados
1 pitada de noz-moscada
1 pitada de manjericão
1 vidro de leite de coco
1 lata (ou caixinha) de creme de leite
pimenta-do-reino a gosto
2 folhas de louro
2 copos de azeite de oliva
½ copo de água (ou 1 copo de água)

PREPARO

Deixar o bacalhau de molho na água fria para retirar o excesso de sal (se a recepção for um almoço, deixar de molho desde a véspera; se for um jantar, deixar de molho desde a manhã). Ralar 1 cebola, cortar em rodelas finas as outras 2 cebolas, amassar os dentes de alho, cortar em rodelas bem finas os pimentões. Lavar e desfiar o bacalhau. Esquentar 1 copo de azeite de oliva numa panela funda, dourar a cebola ralada e o alho, acrescentar o bacalhau e as batatas cortadas, mexer bem e refogar. Acrescentar o manjericão, a noz-moscada, a pimenta-do-reino e as folhas de louro. Despejar ½ vidro de leite coco e deixar cozinhar por uns 5 minutos. Se achar que está muito seco, pode acrescentar ½ copo de água. Acrescentar os tomates pelados amassados e as rodelas de pimentão. Deixar ferver por mais uns 4 minutos. Acrescentar

Recebendo com muita cerimônia

Peixes e Frutos do Mar

o restante do leite de coco e ½ copo de água. Deixar ferver por mais uns 3 minutos. Acrescentar as cebolas fatiadas, mexer bem. Acrescentar o outro copo de azeite de oliva e deixar cozinhar com a panela tampada até as batatas amolecerem. Deixar descansar por pelo menos 2 horas antes da recepção. No momento de servir, colocar o creme de leite e provar para ver se está bom de sal. Se quiser, depois de colocar o bacalhau na vasilha em que irá à mesa, verter mais um pouco de azeite de oliva sobre ele.

Aves e carnes

Galinha à Paulo Botas

INGREDIENTES E MEDIDAS (6 A 8 PORÇÕES)

1 galinha de 3 kg
sal a gosto
1 colherzinha de café de pimenta-do-reino
1 colher de sopa de manteiga
1 ½ cebola picada (ou ralada)
3 dentes de alho amassados
1 colher de chá de páprica
1 colher de chá de coentro em pó
3 folhas de louro (ou louro em pó)
1 lata de creme de leite
1 garrafa de champanhe
250 g de cogumelos frescos
1 cálice de conhaque
1 colher de sopa de mostarda
300 g de queijo ralado

PREPARO

Limpar e lavar muito bem uma galinha. Ao cortá-la, tirar a pele e os excessos de gordura. Cozinhar em água e sal, numa quantidade que a cubra. Não deixe secar porque a água usada será aproveitada no cozimento do arroz. Cozida a galinha, desfiá-la em pedaços não muito miúdos. Derreter a manteiga com a cebola picada ou ralada e os dentes de alho amassados. Acrescentar a

Recebendo com muita cerimônia

Aves e carnes

páprica, o coentro, o louro, a pimenta-do-reino e metade do creme de leite. Ferver em fogo baixo, incluindo o champanhe. Antes de começar a ferver, juntar os cogumelos frescos picados e passados no conhaque. Tampar a panela e deixar reduzir. Quando o molho estiver no ponto, juntar o resto do creme de leite e a colher de mostarda. Mexer bem.

Colocar numa vasilha refratária, galinha e molho cobertos com uma boa camada de um queijo ralado bom. Levar ao forno para gratinar.

Servir com arroz branco que foi feito aproveitando a água do cozimento da galinha. Se quiser, também pode servir com o purê de maçãs, além do arroz.

Coq au vin (diga "coq ô van")

Recebendo com muita cerimônia

Aves e carnes

INGREDIENTES E MEDIDAS (6 A 8 PORÇÕES)

1 frango limpo cortado pelas juntas (será mais fácil comprar o frango já cortado e contar dois ou três pedaços para cada pessoa, mas nada impede que você compre o frango inteiro e o corte em casa)
150 g de toucinho magro
½ copo de azeite
50 g de manteiga
2 dentes de alho amassados
200 g de cebolinha verde picada
sal e pimenta-do-reino a gosto
1 colher de chá de manjerona ou de cerefólio
½ colher de chá de tomilho
1 folha de louro
1 garrafa de vinho tinto
18 cebolas pequenas descascadas
250 g de cogumelos picados
1 prato raso de farinha de trigo

PREPARO

Limpar o frango, cortá-lo pelas juntas e dividir o peito em quatro partes. Ou lavar e limpar os pedaços já cortados. Temperar com sal e pimenta-do-reino. Passar os pedaços pela farinha de trigo. Refogar o toucinho cortado em pedacinhos no azeite e na manteiga. Dourar o frango nessa gordura. Adicionar agora todos os outros ingredientes, menos os cogumelos. Mexendo com uma colher de pau, derramar todo o vinho tinto. Tampar a panela e deixar cozinhar por 30 a 40 minutos, e, nos últimos 5 minutos, adicionar os cogumelos picados.

Este prato fica mais saboroso se puder "descansar". Se sua recepção for um almoço, faça o coq au vin na véspera. Se for um jantar, faça-o logo pela manhã.

Recebendo com muita cerimônia

Aves e carnes

Xinxim de galinha à Marilena

INGREDIENTES E MEDIDAS (8 A 10 PORÇÕES)

1 galinha (ou frango) cortada nas juntas (ou, para facilitar, comprar pedaços de frango já cortados, calculando 2 pedaços por pessoa)
sal e pimenta-do-reino a gosto
4 colheres de sopa de óleo
2 copos de água
1 folha de louro
1 vidro de leite de coco
3 colheres de sopa de azeite-de-dendê
½ kg de camarões pequenos
100 g de amendoim torrado sem a pele
1 pimentão vermelho cortado bem miudinho
2 tomates pelados amassados
1 cebola grande ralada
2 dentes de alho amassados
200 g de coco ralado

PREPARO

Limpar bem a galinha ou os pedaços de frango e temperar com sal, pimenta-do-reino e alho. Numa panela funda, esquentar o óleo e dourar a cebola. Acrescentar os pedaços de galinha ou frango e a folha de louro. Deixar refogar por alguns minutos. Acrescentar a água, os tomates e o pimentão e deixar cozinhar por 15 minutos. Acrescentar o azeite-de-dendê. Deixar cozinhar. Quando a carne estiver mole e macia, acrescentar os amendoins e o leite de coco. Esperar ferver e desligar o fogo. Quando servir, colocar o coco ralado numa tigela e levar à mesa para que cada convidado o coloque sobre a galinha ou sobre o arroz.

Este prato fica mais saboroso se puder "descansar". Se sua recepção for um almoço, prepare a galinha na véspera. Se for um jantar, deixe-a preparada desde a manhã. No momento de esquentar, veja se precisa de um pouco de água, para que possa ser servida com o molho bem suculento.

Frango à moda do Haiti

INGREDIENTES E MEDIDAS (8 A 10 PORÇÕES)

2 kg de pedaços de frango
2 dentes de alho amassados
1 cebola grande ralada
sal e pimenta-do-reino a gosto
2 colheres de sopa de vinagre bom
1 ½ copo de sumo de laranja
2 colheres de sopa de manteiga
1 copo de suco de tomate
4 maçãs ácidas descascadas e fatiadas
300 g de presunto fatiado
1 colher de sopa de farinha de trigo
1 lata de creme de leite

PREPARO

Limpar bem e lavar o frango em água corrente. Temperar com sal, pimenta-do-reino, vinagre, cebola e alho. Deixar descansar por 1 ou 2 horas para o tempero pegar. Numa panela, derreter a manteiga e cozinhar muito bem o frango, mexendo para que todos os pedaços fiquem refogados. Misturar o sumo de laranja com o suco de tomate e 1 copo de água. Despejar sobre o frango. Deixar ferver, abaixar o fogo e cozinhar em fogo brando. Quando estiver cozido, apagar o fogo. Retirar os pedaços de frango da panela, esperar esfriar um pouco, desossar. Dividir cada fatia de presunto na metade (no sentido do comprimento) e enrolar nelas cada pedaço de frango. Coar o caldo que ficou na panela. Se estiver ralo, engrossar com a farinha de trigo (dissolver a farinha de trigo num pouco de água fria e despejar no caldo, mexendo sempre até ferver), mas se não estiver ralo, não precisa engrossar. Numa vasilha refratária, forrar o fundo com fatias de maçãs ácidas. Sobre elas, arrumar os pedaços de frango enrolados no presunto. Cobrindo tudo, despejar o molho coado misturado com o creme de leite. Levar ao forno por 15 minutos. Servir.

Recebendo com muita cerimônia

Aves e carnes

Peito de peru à dona Laura

INGREDIENTES E MEDIDAS (10 A 12 PORÇÕES)

1 peito de peru grande
2 cebolas raladas
5 dentes de alho amassados
pimenta-do-reino e sal a gosto
2 colheres de sopa de molho inglês
300 g de manteiga
raspas de casca de 1 laranja
1 copo de vinho branco seco
manjericão, orégano, tomilho
¾ de uma garrafa de champanhe (nacional)

PREPARO

Descongelar o peito de peru na véspera. Limpá-lo e lavá-lo bem. Numa vasilha funda, juntar todos os temperos, menos a manteiga e o champanhe. Temperar o peru e deixá-lo mergulhado nesse tempero. No dia seguinte, no momento de iniciar o preparo do peru, untar uma assadeira com manteiga e aí despejar o molho do tempero. Reservar.

Colocar o peito de peru numa panela funda e cobrir com ¾ da garrafa de champanhe (o champanhe amacia a carne, que assa mais rápido). Assim que ferver, retirar do fogo e colocar na assadeira já untada e na qual já está o molho do tempero do peru. Cobrir com o resto da manteiga. Cobrir com papel laminado e levar ao forno.

Enquanto o peru no forno vai assando, preparar os acompanhamentos.

ACOMPANHAMENTOS DO PEITO DE PERU

O peito de peru é servido com arroz branco e pode ser acompanhado por um purê de castanhas e maçãs recheadas cujas receitas damos a seguir.

Purê de castanhas

INGREDIENTES E MEDIDAS

2 kg de castanhas portuguesas (ou outras boas castanhas)
2 litros de água
1 colher de sopa de manteiga
1 copo de leite
1 lata de creme de leite sem soro
1 colher de sopa de açúcar
100 g de uvas passas escuras
100 g de uvas passas claras
2 colheres de sopa de Nescau
½ copo de nozes picadinhas
sal a gosto

PREPARO

Lavar as castanhas em água corrente. Cozinhá-las em uma panela de pressão com os 2 litros de água. Depois de 30 minutos de pressão, tirar a panela do fogo, colocar sob água corrente para tirar a pressão, abrir e verificar se as castanhas já estão cozidas, tirando uma delas e provando-a. Se não estiverem cozidas, voltar por mais 10 minutos de pressão. Apagar o fogo, tirar a pressão, escorrer a água e descascar as castanhas. Depois de descascadas, passar no processador ou no liquidificador com o leite, o creme de leite, o sal, a manteiga e o Nescau. Tirar do liquidificador ou do processador, despejando a massa numa vasilha funda. Juntar metade da porção de uvas passas escuras e metade da porção de uvas passas claras e o açúcar. Misturar bem e levar ao fogo mexendo sempre para formar o purê, que estará pronto quando começar a borbulhar. Colocar em volta do peru ou num prato separado e enfeitar com o restante das uvas passas e com as nozes picadinhas.

Recebendo com muita cerimônia

Aves e carnes

Recebendo com muita cerimônia

Aves e carnes

Maçãs assadas recheadas

INGREDIENTES E MEDIDAS

8 maçãs
8 colheres de chá de açúcar
8 colheres de sopa de água
600 g de damascos secos
1 xícara de chá de leite
1 xícara de chá de manteiga

PREPARO

Lavar as maçãs e secá-las. Cortar uma rodela na parte de cima de cada maçã, como se tirasse uma tampinha. Com uma colher de chá, retirar as sementes e parte da polpa de cada maçã, sem furá-las e sem deformá-las. Reservar as maçãs.

Bater no liquidificador o damasco seco com 4 colheres de sopa de água, 4 colheres de sopa de leite e 2 colheres de açúcar. Reservar.

Rechear as maçãs: encher cada maçã com uma colherzinha de café de açúcar, uma colherzinha de chá de água, 1 pedacinho de manteiga e uma colher de sopa do purê de damasco. Colocar todas as maçãs numa assadeira com 2 xícaras de chá de água e levá-las ao forno para assar. Quando as cascas das maçãs murcharem ou estiverem vermelho-escuras estarão boas. Apagar o fogo. No momento de servir, colocar numa travessa.

Fica muito bonito servir o purê de castanhas e as maçãs recheadas numa única vasilha (pode ser uma travessa ou um prato redondo grande). Colocar no centro o purê de castanhas enfeitado com as nozes e uvas passas e, em volta, colocar as maçãs.

Estrogonofe

Veja a receita no Capítulo 4.

Lombo de porco assado

Veja a receita no Capítulo 4.

Vitela assada com molho de vinho e hortelã

INGREDIENTES E MEDIDAS (8 PORÇÕES)

8 filés de vitela (não muito finos)
4 colheres de sopa de manteiga
1 cebola média ralada
2 dentes de alho amassados
1 copo de vinho branco seco
1 maço de hortelã picadinha
suco de 1 limão
sal, pimenta-do-reino e noz-moscada a gosto

PREPARO

Numa vasilha, colocar a cebola, o alho, o sal, a pimenta, a noz-moscada e ½ copo do vinho. Misturar bem e marinar os filés de vitela por 2 horas. Numa vasilha refratária, colocar os filés e regá-los com o tempero, cobrindo-os com 3 colheres de sopa de manteiga. Cobrir a vasilha com papel laminado. Levar ao forno. Depois de 10 minutos, retirar o papel laminado e deixar assar, regando, de vez em quando, os filés com o molho. Enquanto os filés assam, numa panelinha esquentar 1 colher de manteiga, dourar a hortelã e despejar o restante do vinho branco. Dar uma rápida fervura. Reservar. Quando os filés estiverem assados, colocá-los na travessa em que irão à mesa e regá-los com o molho de hortelã.

Recebendo com muita cerimônia

Aves e carnes

Purê de maçãs (um acompanhamento para a vitela)

INGREDIENTES E MEDIDAS (8 PORÇÕES)

7 maçãs grandes doces
1 ½ xícara de chá de leite
2 colheres de sopa de maisena
2 colheres de sopa de queijo parmesão ralado
2 colheres de sopa de manteiga
sal a gosto

PREPARO

Descascar as maçãs, cortar em 4 pedaços. Numa panela, colocar o leite e os pedaços de maçã. Deixar ferver até as maçãs ficarem moles. Desmanchar em um pouquinho de leite a maisena e juntar às maçãs, deixando cozinhar por 5 minutos, mexendo sempre. Acrescentar o queijo parmesão ralado, mexer bem amassando a mistura com um garfo para formar um purê. Colocar a manteiga e o sal e misturar bem. Está pronto.

Peito de carneiro na panela

INGREDIENTES E MEDIDAS (6 A 8 PORÇÕES)

2 kg de peito de carneiro
3 colheres de sopa de manteiga
½ xícara de chá de vinagre de estragão (ou balsâmico)
½ xícara de chá de caldo de limão
1 copo de vinho tinto
1 cebola ralada
coentro, sal, salsa, pimenta, cebolinha-verde a gosto
½ colher de chá de *curry*
3 tomates pelados e sem sementes
½ kg de batatas pequenas
1 colher de café de pimenta-do-reino
2 colheres de sopa de *snubar* (é a semente síria)

PREPARO

Lavar bem e secar a carne de carneiro. Temperar com vinagre, caldo de limão, sal, pimenta-do-reino, orégano, alho, cebola ralada e deixar repousar por meia hora. Pode ser também temperado na véspera, assim o tempero penetra melhor. Na hora de cozinhar, escorrer o tempero do carneiro, deixando-o reservado na vasilha da qual o carneiro foi retirado. Numa panela, derreter a manteiga; escorrer o tempero do carneiro e refogar a carne mexendo de todos os lados por uns 10 minutos. Acrescentar, mexendo, o vinho, o *curry* e os tomates. Juntar uma xícara de água fervente, tampar a panela e deixar cozinhar por 1 hora e meia (provar com o garfo e, se não estiver macio, deixar cozinhar por mais meia hora).

Enquanto a carne cozinha, numa panela à parte, colocar água para ferver com um pouco de sal e nela cozinhar as batatinhas descascadas.

Escorrer as batatas e juntá-las à carne. À parte derreter 1 colher de manteiga e despejar sobre ela o tempero da carne, que estava reservado depois que o carneiro havia sido retirado. Deixar ferver.

Recebendo com muita cerimônia

Aves e carnes

349

Recebendo com muita cerimônia

Aves e carnes

Despejar esse molho quente sobre a carne e as batatas. Misturar bem e esperar secar um pouco. Apagar o fogo. Numa frigideira, dar uma leve torrada no *snubar*. Colocar numa travessa o peito de carneiro com as batatas e salpicado com o *snubar* torrado.

Arroz com cordeiro

INGREDIENTES E MEDIDAS (8 A 10 PORÇÕES)

2 kg de pernil de cordeiro
3 cebolas raladas
4 colheres de sopa de manteiga
4 dentes de alho amassados
sumo de 1 limão
sal e pimenta-do-reino a gosto
pimenta síria (se não tiver, pode usar pimenta-do-reino misturada com um pouco de canela em pó)
2 xícaras de chá de arroz
snubar (a semente seca árabe)
100 g de castanhas de caju
100 g de nozes picadas
100 g de uvas passas escuras sem sementes
100 g de amêndoas
4 colheres de sopa de suco de tomate
5 folhas de hortelã fresca

PREPARO

Ao comprar o pernil de cordeiro, pedir que o cortem em pedaços de tamanho médio, conservando os ossos. Temperar com sal, pimenta-do-reino, pimenta síria, limão e hortelã. Numa panela (pode ser a de pressão), esquentar 2 colheres de sopa de manteiga, dourar 2 cebolas e o alho e fritar os pedaços de cordeiro por alguns minutos. Juntar o suco de tomate e 2 copos de água. Tampar a panela e cozinhar até a carne ficar bem macia. Os ossos se soltarão e você deve retirá-los. Cozido e desossado o cordeiro, reservar.

Lavar o arroz. Numa panela, esquentar 2 colheres de sopa de manteiga, dourar a cebola, refogar o arroz e colocar sal, *snubar*, castanhas de caju e nozes. Dar uma fritada. Acrescentar 4 xícaras de água, tampar a panela, baixar o fogo e deixar cozinhar. Quando o arroz começar a amolecer e a água começar a secar, acrescentar o cordeiro com o molho e misturar bem. Acrescentar as passas e as amêndoas, tampar a panela e deixar secar.

No momento de servir, separar um pouco das frutas secas que cozinharam na mistura e usá-las para enfeitar a travessa em que será servido o prato.

Recebendo com muita cerimônia

Aves e carnes

Arroz marroquino

Ingredientes e medidas (6 a 8 porções)

2 xícaras de chá de arroz
6 xícaras de chá de água
2 colheres de sopa de manteiga
2 cebolas grandes picadas
½ xícara de chá de castanhas de caju picadas
½ xícara de chá de caldo de carne
¼ de xícara de chá de nozes picadas
1 colher de chá de açafrão
1 colher de café de gengibre picadinho
250 g de carne de carneiro
½ xícara de chá de *snubar*
cheiro-verde e sal a gosto

Recebendo com muita cerimônia

Aves e carnes

PREPARO

Numa panela, derreter e esquentar 1 colher de sopa de manteiga. Dourar uma cebola picada com pedacinhos de gengibre e sal a gosto. Refogar a carne de carneiro cortada em tiras. Depois de bem refogado, despejar sobre o carneiro 2 xícaras de água fervente. Mexer, provar o sal e tampar a panela, mexendo de vez em quando. Cozinhar por 20 minutos. Cozida a carne, apagar o fogo e deixar reservada. Noutra panela, derreter o resto da manteiga, dourar a outra cebola picada, juntar as castanhas de caju, as nozes, misturar o açafrão e acrescentar o arroz (que já deve estar lavado e escorrido). Depois de refogado, acrescentar 4 xícaras de chá de água fervente, provar o sal e o tempero e juntar a carne já cozida e o *snubar*. Mexer bem. Tampar a panela e baixar o fogo. Esperar o arroz cozinhar (uns 15 minutos). Servir. *Lembrete*: na hora de servir, separe um pouco das nozes e do *snubar*, que estão na mistura cozida, para com eles e o cheiro-verde picado enfeitar o arroz.

Bœuf à Bourguignon (diga "bêf a burguinhon")

INGREDIENTES E MEDIDAS (6 A 8 PORÇÕES)

3 kg de músculo
2 colheres de sopa de azeite
2 colheres de sopa de manteiga
1 xícara de chá de caldo de carne
15 cebolinhas
6 tiras de *bacon* em cubinhos
½ xícara de chá de salsinha
½ colher de sopa de manjerona (ou tomilho)
2 xícaras de chá de cenoura picada
3 dentes de alho amassados
1 ½ xícara de chá de cebola ralada
250 g de cogumelos picados

½ garrafa de vinho tinto
sal e pimenta-do-reino a gosto

Preparo

Cortar o músculo em cubos pequenos, temperar com um pouco de cebola, alho, sal e pimenta. Numa panela, colocar a manteiga e 3 tiras de *bacon*. Sobre o *bacon*, colocar uma xícara de cenoura e metade dos cogumelos, salpicar com sal e pimenta-do-reino. Sobre esses ingredientes, colocar metade dos cubos de músculo, cobrir com cebola e alho. Fazer novas camadas com o restante do *bacon*, da cenoura, do cogumelo e do músculo, salpicando com manjerona ou tomilho. Misturar o vinho tinto com ½ garrafa de água e com o azeite, despejar essa mistura na panela e tampá-la. Deixar cozinhar por 1 hora em fogo alto; verificar se há bastante caldo e, se não houver, acrescentar 1 xícara de água e as cebolinhas. Tampar a panela e deixar cozinhar até que a carne esteja bem macia.

Rosbife com aspargos gratinados

Ingredientes e medidas (6 a 8 porções)

1 peça de filé *mignon*
mostarda a gosto
manteiga a gosto
½ copo de vinho branco
300 g de cogumelos

Preparo

O filé *mignon* já deve estar limpo e preparado para ir ao forno. Encha suas mãos de mostarda e vá passando pela carne até que ela fique toda besuntada (o mais gostoso é usar uma mostarda

Recebendo com muita cerimônia

Aves e carnes

francesa, mas se não tiver, use a mostarda comum). Unte com bastante manteiga uma assadeira ou uma vasilha refratária. Coloque a carne besuntada e sobre ela disponha pedaços ou porções de manteiga em todo o comprimento. Despeje sobre ela o vinho branco. Enquanto está preparando a carne, esquente o forno. Coloque a carne no forno preaquecido. Deixe por 15 minutos. Vire a carne e regue-a com o molho que se formou na assadeira ou na vasilha. Coloque os cogumelos. A carne ficará malpassada. Se você não gosta de carne malpassada, terá que alongar o tempo de assar (e aí a receita já não levará apenas meia hora). Nesse caso, você pode deixar a carne assar 20 minutos de um lado e 20 minutos de outro. Mais do que 40 minutos, não, pois então você terá uma carne bem-passada e não um rosbife.

GRATINANDO OS ASPARGOS

Escorra a água em que estavam conservados os aspargos, mas guarde ½ xícara de café dela. Numa frigideira, coloque uma colher de sopa de manteiga, espere esquentar e passe os aspargos, acrescentando a ½ xícara de café da água. Deixe dar uma fervura. Retire os aspargos e passe um a um em queijo permesão ralado, colocando-os no forno para gratinar. Se quiser (sobretudo se seu forno não for muito grande e já estiver cheio com a vasilha da carne), pode colocá-los na mesma vasilha em que está a carne, esperando apenas que o queijo derreta e os aspargos fiquem dourados.

MOLHO PARA ACOMPANHAR O ROSBIFE

Enquanto a carne está assando, você pode preparar um molho sofisticado e simples. Rale uma cebola, amasse 4 dentes de alho. Misture numa vasilha, ½ copo de água, 1 lata ou 1 caixinha de creme de leite, 1 colher de sopa de mostarda, pimenta-do-reino, ervas finas, sal a gosto. Numa panelinha, esquente 2 colheres de sopa de manteiga. Doure o alho e a cebola e acrescente a mistura de água, creme de leite e ervas. Deixe ferver. Coloque 1 colher de sopa de conhaque ou de algum vinho aberto que você tiver em casa. Coloque numa molheira e sirva com a carne.

Recebendo com muita cerimônia

Aves e carnes

Tender

INGREDIENTES E MEDIDAS (10 A 12 PORÇÕES)

1 tender de 3 kg
½ copo de vinho branco
1 copo de suco de abacaxi
½ copo de gim
1 abacaxi fatiado
2 paus de canela
3 cebolas picadas (ou raladas)
3 dentes de alho amassados
1 xícara de chá de uvas passas brancas
1 xícara de chá de melado (ou 2 xícaras de chá de açúcar mascavo)
10 ameixas-pretas
10 cravos-da-índia

PREPARO

Retire o couro e a gordura do tender e com eles forre a assadeira.

À parte, tempere o presunto com o vinho, o gim, o suco de abacaxi, a cebola picada, o alho amassado, as passas picadas e os paus de canela. Coloque numa assadeira e cubra com papel laminado, levando ao forno por 30 minutos. Quando estiver assado e macio, retire o papel, regue com o próprio molho que está na assadeira e espalhe sobre o presunto o melado ou o açúcar mascavo, voltando ao forno para dourar. Retire do forno e coloque o tender sobre uma travessa. Com uma faca bem afiada, risque (cor-

Recebendo com muita cerimônia

Saladas

tando levemente) a parte superior do tender em linhas transversais formando losangos e decore os pontos de encontro das linhas espetando em cada ponto um cravo-da-índia. Enfeite à volta com o abacaxi fatiado, as ameixas-pretas e com fios de ovos, que você compra em confeitarias.

Saladas

Salada de alface com nozes

Veja a receita no Capítulo 4.

Salada Waldorf

INGREDIENTES E MEDIDAS (4 A 6 PORÇÕES)

3 talos de salsão
1 pé de alface
3 maçãs verdes
½ xícara de chá de nozes picadas
½ xícara de chá de maionese
½ xícara de chá de iogurte natural
2 colheres de chá de suco de limão
sal a gosto

PREPARO

Lavar a alface e o salsão. Limpar o salsão, tirando os fios, e cortar em pedaços. Lavar as maçãs e, sem descascá-las, cortá-las em lâminas finas. Misturar numa vasilha a maionese e as nozes. Misturar noutra vasilha o suco de limão e o iogurte. Dispor num prato ou numa travessa, as folhas de alface, os pedaços de salsão e as lâminas de maçã (fica bonito colocar a alface com as folhas inteiras à volta do prato ou da travessa e no centro colocar o salsão e as maçãs). Temperar com a mistura de iogurte e limão. Enfeitar com a mistura de nozes e maionese.

Recebendo com muita cerimônia

Saladas

Recebendo com muita cerimônia

Arroz

Arroz

Sofisticando o arroz

Você observou que sugerimos acompanhamentos para os serviços de peixes, aves e carnes. De um modo geral, sugerimos arroz branco e cremes (de espinafre, de milho), purês e suflês, legumes no vapor, cujas receitas estão nos Capítulos 3 e 4.

Mas você pode sofisticar o arroz. Eis aqui nossas sugestões.

Arroz à grega

INGREDIENTES E MEDIDAS (4 PORÇÕES)

2 xícaras de chá de arroz
4 xícaras de chá de água fervente
3 xícaras de chá de água
1 colher de sopa de azeite de oliva
2 cebolas
1 pimentão verde
1 pimentão vermelho
2 cenouras
1 pacote médio de ervilha debulhada
100 g de uvas passas sem sementes
100 g de azeitonas pretas sem caroço
1 maço de cebolinha verde
100 g de *bacon* em fatia
100 g de presunto em fatia

PREPARO

Lavar bem o arroz e escorrer. Raspar as cenouras e cortar em cubinhos. Lavar os pimentões, tirar as sementes e cortar em tirinhas curtas. Numa panela, esquentar o azeite, refogar a cebola, juntar o arroz e colocar a água fervente. Sal a gosto. Quando começar a ferver, baixar o fogo e tampar a panela. Enquanto o arroz vai cozinhando, ferver 3 xícaras de água com uma colherzinha de café de sal. Quando a água ferver, dar uma rápida fervura nas cenouras, nos pimentões e nas ervilhas. Cozido o arroz (em 20 minutos), apagar o fogo. Cortar em pedaços as fatias de *bacon* e fritá-las numa frigideira. Retirar o *bacon* da frigideira e passar os legumes fervidos na gordura, acrescentando as uvas passas. Misturar tudo ao arroz: os legumes e as passas, as azeitonas, o presunto picado em pedacinhos e a cebolinha verde picada. Mexer muito bem. Servir com carnes, peixes e aves.

Recebendo com muita cerimônia

Arroz

359

Recebendo com muita cerimônia

Arroz

Arroz colorido

INGREDIENTES E MEDIDAS (10 A 12 PORÇÕES)

6 xícaras de chá de arroz
10 copos de água
2 cebolas grandes raladas
3 colheres de sopa bem cheias de óleo
3 colheres de sopa de manteiga
1 maço de espinafre
6 cenouras
2 beterrabas grandes
2 gemas de ovo
sal a gosto

PREPARO

Lave o espinafre e retire a parte mais grossa dos talos. Bata no liquidificador com 4 colheres de sopa de água, 1 colher de sopa de manteiga e uma pitada de sal. Reserve numa panela.

Lave as cenouras, corte em pedaços, bata no liquidificador com 5 colheres de sopa de água, as gemas, 1 colher de sopa de manteiga e uma pitada de sal. Reserve numa panela.

Lave as beterrabas, corte em pedaços, bata no liquidificador com 5 colheres de sopa de água, 1 colher de sopa de manteiga e 1 pitada de sal. Reserve numa panela.

Lave o arroz e o prepare como se fosse fazer o clássico arroz branco: refogue as cebolas, refogue o arroz, ponha sal e água, tampe a panela e deixe cozinhar. Quando o arroz tiver amolecido e a água começar a secar, divida-o em 4 porções: com uma colher grande, coloque uma porção na panela do espinafre, outra porção na panela da cenoura, outra porção na panela da beterraba e deixe a quarta porção na panela onde está cozinhando o arroz branco. Misture cada vegetal com a sua porção de arroz, tampe a panela e, em fogo baixo, deixe acabar de secar, sem mexer mais. E deixe o arroz branco acabar de secar, verificando se ele precisará de um pouquinho mais de água.

Cozidas as 4 porções, prepare a vasilha em que será servido: faça uma camada de cada cor, na seqüência de cores que você quiser. Pode servir quente. Mas também pode deixar esfriar e servir frio (frio é mais fácil para cortar fatias; quente é mais gostoso. A escolha é sua.).

Recebendo com muita cerimônia

Arroz

Como o arroz à grega, o arroz colorido substitui o arroz branco, mas, cuidado! Se você planejou servi-lo, lembre-se de que o prato principal deverá dispensar os acompanhamentos de legumes e de cremes de legumes.

Recebendo com muita cerimônia

Batatas

Batatas

Também sofisticando a batata

Quando bem feito, o purê de batatas e a batatinha frita são imbatíveis. Porém, há maneiras mais sofisticadas de fritar a batata. Eis aqui as nossas sugestões.

Batatas *sautées* (diga "sôtê)

MEDIDA (8 PORÇÕES)

1 kg de batatas pequenas ou médias

PREPARO

Descasque as batatas e corte cada uma em 4 pedaços. Coloque água para ferver com uma colher de sopa de sal. Coloque os pedaços de batata na água fervente e deixe cozinhar, sem que fiquem muito moles (se ficarem muito moles, irão desmanchar no momento de fritar).

Numa frigideira, esquente 3 colheres de sopa de manteiga. Despeje uma porção de batatas e frite, sem mexer nas batatas com garfo ou colher: você vai mexer a frigideira, fazendo as batatas saltar de um lado para o outro, até ficarem douradas. Repita a operação, colocando novamente manteiga na frigideira e saltando nova porção de batatas até dourar.

Sautée é uma palavra francesa que significa "saltada". A batata é saltada porque você a faz saltar na frigideira, sem tocar diretamente nela.

Batatas estufadas

A quantidade depende do número de convidados e do tamanho das batatas.

Devem ser preparadas 2 horas antes de fritar.

Descasque as batatas e corte em rodelas não muito fininhas. Lave-as. Enxugue-as bem. Embrulhe-as num pano de prato e coloque-as na geladeira por 2 horas.

Depois de 2 horas, esquente bem o óleo na frigideira (como para a batatinha frita comum). Desembrulhe as batatas, verificando se estão bem secas. Coloque uma porção de batatas no óleo e deixe dourar. Elas irão estufar, ficando ocas no meio. Repita a operação com cada porção de batatas. Não frite porções grandes de cada vez para que as batatas não grudem umas nas outras.

Recebendo com muita cerimônia

Batatas

Recebendo com muita cerimônia

Sobremesas

Sobremesas

Musse de maracujá

Veja a receita no Capítulo 4.

Musse de chocolate

Embora nós lhe tenhamos dado uma receita de musse de chocolate no Capítulo 4, agora vamos dar-lhe outra, muito sofisticada, à altura de sua recepção de muita cerimônia.

INGREDIENTES E MEDIDAS (8 A 10 PORÇÕES)

4 ovos
200 g de açúcar fino de confeiteiro
250 g de chocolate em barra
200 g de manteiga
4 colheres de sopa de café coado forte
1 cálice pequeno de Grand Marnier (ou de Cointreau)
casca ralada de 1 laranja

PREPARO

Bater as gemas de ovo até espumar e ficarem amarelo-claras. Acrescentar o cálice de Grand Marnier (ou Cointreau) e continuar batendo até que fique um creme grosso (como se fosse maionese). Em banho-maria, misturar a barra de chocolate e o café e deixar derreter. Depois de derretido, retirar do fogo e misturar, pouco a pouco, a manteiga. Bater para que fique um creme aveludado. Misturar esse creme com as gemas batidas, acrescentar o açúcar, as raspas de casca de laranja e voltar a bater por alguns minutos.

À parte, bater as claras em neve, adicionando aos poucos uma colher de sopa de açúcar. Quando as claras estiverem em neve, misturá-las vagarosamente ao creme de chocolate sem bater. Colocar na vasilha em que irá à mesa e levar à geladeira por 2 horas, pelo menos.

Recebendo com muita cerimônia

Sobremesas

Recebendo com muita cerimônia

Sobremesas

Pudim de claras da dona Laura

INGREDIENTES E MEDIDAS (6 A 8 PORÇÕES)

6 ovos
8 colheres de sopa de açúcar
1 xícara de chá de açúcar
1 xícara de chá de leite

PREPARO

Separar as claras das gemas. Reservar as gemas. Bater as claras em neve em uma vasilha funda. Depois de batidas, adicionar 6 colheres do açúcar peneirado, uma de cada vez. Depois de cada colher de açúcar, bater bem antes de colocar a seguinte. Depois de todas as colheres de açúcar, bater mais um pouco até que se forme um suspiro bem firme.

Caramelar uma fôrma de anel de tamanho médio ou grande usando para isso a xícara de açúcar. Despejar nela o suspiro que está bem firme. Despejá-lo com cuidado para que fique bem distribuído no fundo da fôrma. Levar ao forno em banho-maria numa vasilha funda ou alta (não colocar a água do banho-maria numa assadeira rasa) e numa temperatura acima da média, mas não muito elevada. Coloque para assar por 25 minutos. Não abra o forno durante esse tempo. Após os 25 minutos, abrir levemente a porta do forno (ou olhar pelo visor, se o seu fogão tiver um) para verificar se o pudim cresceu e corou. Se estiver crescido e corado, apagar o forno. Caso contrário, deixar mais uns minutos. Esperar esfriar para retirar da fôrma. Vire-o num prato redondo de louça, cristal, vidro ou porcelana.

CALDA

À parte, numa panela, colocar a xícara de chá de leite, as colheres de açúcar peneirado que restaram e as 6 gemas que ficaram reservadas. Mexer bem. Levar ao fogo baixo mexendo sempre. Quando começar a ferver, apagar o fogo. Deixar esfriar. Quando esse creme estiver frio, despejá-lo em volta do pudim de claras e colocar um pouco no centro (ali onde há o "buraco" do anel). Ao servir, coloque essa calda sobre o pedaço de pudim. Servir gelado.

Recebendo com muita cerimônia

Sobremesas

Recebendo com muita cerimônia

Sobremesas

Tarte tatin (diga "tatân") de maçã

Para esta torta você vai precisar de uma frigideira de mais ou menos 26 cm de diâmetro e com cabo de metal, de preferência antiaderente.

MASSA (PARA 2 TORTAS)
INGREDIENTES E MEDIDAS

2 ½ xícaras de chá de farinha de trigo
100 g de manteiga gelada e picada em pedacinhos
2 colheres de sopa de margarina
½ xícara de chá de água gelada

PREPARO

Numa tigela média, coloque a farinha, a manteiga picada e a margarina. Vá amassando com as pontas dos dedos até obter uma farinha granulosa. Acrescente a água aos poucos e vá amassando até obter uma massa nem muito seca nem muito úmida. Deixe descansar na geladeira por pelo menos uma hora. *Lembrete*: Não demore muito para manusear a massa pois a manteiga deve ser mantida gelada.

RECHEIO
INGREDIENTES E MEDIDAS

6 maçãs verdes descascadas e cortadas em gomos (corte-as ao meio, tire a semente e divida cada metade em 6 gomos)
1 xícara de chá de açúcar
70 g de manteiga
suco de 1 ou 2 limões
casca de ½ limão picadinha

PREPARO

À medida que for descascando e cortando as maçãs, coloque-as numa tigela e regue com o suco de limão. Acrescente a casca de limão e deixe descansar.

Enquanto isso, deixe o açúcar e a manteiga caramelarem na frigideira, até obter uma cor dourada. Quando isso acontecer, acrescente as fatias de maçã e vá virando-as com cuidado até ficarem parcialmente cozidas e de cor dourada. Retire do fogo.

Preparo da torta: Espalhe um pouco de farinha sobre uma superfície de pedra ou madeira e abra a massa. Se estiver muito dura, espere alguns minutos antes de manuseá-la. Abra metade da massa com um rolo até obter mais ou menos 0,5 cm de espessura. Coloque sobre a frigideira onde estão as maçãs e recorte a beirada com uma tesoura. Leve ao forno médio preaquecido até a massa dourar. Espere esfriar um pouco, coloque um prato sobre a frigideira e vire a torta para servir.

Recebendo com muita cerimônia

Sobremesas

Recebendo com muita cerimônia

Sobremesas

Tarte tatin (diga "tatân") de manga

INGREDIENTES E MEDIDAS

250 g de massa folhada (comprada pronta)
1 xícara de chá de farinha de trigo
6 mangas maduras
1 colher de sopa de manteiga
5 colheres de sopa de açúcar
sorvete de creme

PREPARO

Estender com um rolo e sobre uma mesa polvilhada com farinha de trigo, a massa folhada comprada pronta. Formar um círculo. Furar a massa com a ponta de um garfo e colocar sobre uma chapa. Cobrir e deixar descansar por 30 minutos.

Descascar as mangas maduras e cortar em fatias.

Untar uma fôrma redonda com manteiga, polvilhando-a com 2 colheres de açúcar. Colocar as fatias de manga e polvilhar com o resto do açúcar. Por cima colocar a massa, firmar, e levar por 30 minutos ao forno preaquecido. Retirar do forno, deixar esfriar por 5 minutos e virar no prato.

Servir ainda morna com sorvete de creme.

Figos à Laura

INGREDIENTES E MEDIDAS (10 A 12 PORÇÕES)

2 dúzias de figos bem maduros
1 lata de leite condensado
água

PREPARO

Fazer na véspera (se a recepção for um almoço) ou pela manhã (se a recepção for um jantar). Descascar os figos e cortá-los em fatias em sentido vertical (um figo médio dá 3 fatias e um 1 figo grande dá 4 fatias; mas um figo pequeno deve ser cortado apenas pela metade). Colocar as fatias numa fôrma redonda (sem anel), com o corte virado para baixo, em camadas, prensando uma camada sobre a outra para ligar bem. Encher a fôrma até a borda. Levar à geladeira por, no mínimo, 5 horas.

Numa panelinha, preparar uma calda fina. Misturar 1 lata de leite condensado com ½ lata de água fria. Mexer bem e levar ao fogo brando para ferver. Colocar para gelar.

No momento de servir, virar a fôrma de figos num prato grande raso. Sairá como um bolo (vermelho rosado e brilhante). Sobre eles, despejar a calda. Servir.

Recebendo com muita cerimônia

Sobremesas

Savarin (diga "savarran") à Hubert e Enydes Dubois

INGREDIENTES E MEDIDAS (10 A 12 PORÇÕES)

½ kg de farinha de trigo
2 tabletes de fermento Fleishman
⅓ de xícara de chá de leite morno
8 colheres de sopa de manteiga
7 ovos
50 g de uvas passas escuras
50 g de uvas passas claras
1 colher de chá de sal
1 colher de sopa de açúcar

PREPARO

Numa tigela grande dissolver o fermento no leite morno. No centro do fermento, colocar a colherzinha de sal. Deixar essa mistura descansar até fazer uma espuma esbranquiçada. Numa outra vasilha, quebrar os ovos, misturar gemas e claras e dar uma batida. Sobre os ovos batidos, peneirar a farinha e misturar. Com a mão, amolecer a manteiga e misturar à massa até que esta fique cremosa. Quando o fermento já estiver bom, misturá-lo, com as mãos, à massa cremosa. Juntar o açúcar e as passas. Com as mãos, misturar bem para ficar homogênea. Cobrir com um pano de prato, ou mesmo com uma toalha de mesa, a tigela com a massa. Colocar tudo dentro de um saco plástico, deixando a tigela num lugar onde não haja corrente de ar (pode ser numa despensa, num quartinho de despejo) para aumentar o volume da massa (deixe por uns 15 minutos). Untar com manteiga uma fôrma de anel e nela despejar a massa crescida, mas não encher até a borda porque a massa ainda vai crescer ao assar. Levar ao forno moderado ou médio por 30 minutos.

Enquanto o *savarin* está assando, preparar o molho ou o xarope.

O *savarin* pode ser feito na véspera. No dia, faz-se o xarope e despeja-se morno no *savarin* em duas metades, como indicado.

Molho ou xarope

INGREDIENTES E MEDIDAS

250 ml de rum (ou *kirsch*)
1 kg de açúcar
1 litro de água
cerejas em calda
amêndoas descascadas e peladas

PREPARO

Numa panelinha, dissolver bem o açúcar na água e colocar para ferver deixando engrossar e evaporar até chegar à metade do que havia de líquido. Retirar do fogo. Na calda fora do fogo e ainda morna, acrescentar o rum ou o *kirsch*.

DESPEJANDO O XAROPE NO *SAVARIN*

Quando o *savarin* estiver assado, retirar do forno e esperar esfriar. Depois de frio, virar a fôrma no prato em que vai ser servido. Vagarosamente, com uma colher de sopa, vá despejando metade do xarope ainda morno sobre o *savarin*, umedecendo-o por inteiro. Na outra metade do xarope, colocar as cerejas e amêndoas. Reservar. No momento de servir, amornar essa metade de xarope com frutas e com ele decorar o *savarin*.

Recebendo com muita cerimônia

Sobremesas

Recebendo com muita cerimônia

Frutas

Frutas

Na recepção de meia cerimônia, as frutas podem ser a sobreme-sa, sem doces. Mas nada impede que você ofereça frutas e doces. Na recepção de cerimônia, as frutas são obrigatórias. Sirva-as de uma maneira elegante. Faça arranjos com elas em uma ou duas fruteiras, separando as que vierem com casca (como a uva, o caqui, a banana, o pêssego, etc.), das que devem vir descascadas (como a manga, o melão, a melancia, o figo, o abacaxi, etc.). Sua opção também pode ser pelos morangos, servindo-os com sorvete ou com *chantilly* em taças de cristal apropriadas.

Referências bibliográficas

AZEVEDO, Ligia. *Caloria limitada*. Rio de Janeiro: Record, 1998.

BARBOSA, Luiz Rodrigues. *Sabor e saber – o gourmet moderno*. Rio de Janeiro: Livros TwoCan, 1997.

CONTI, Laura. *Almanaque de cozinha*. São Paulo: Nova Cultural, 1994.

COURTINE, Robert. *La cuisine française classique et nouvelle*. Marabout, Verviers, 1977.

LANCELLOTTI, Silvio. *O livro dos molhos*. São Paulo: Art, 1984.

MACHADO SALLES, Nenzinha. *Sebastiana quebra-galho*. Rio de Janeiro: Civilização Brasileira, 1997.

Índice de receitas

Índice geral

Este livro foi impresso na
LIS GRÁFICA E EDITORA LTDA.
Rua Felício Antonio Alves, 370 – Jd. Triunfo – Bonsucesso
CEP 07175-450 – Guarulhos – SP – Fone. (0xx11) 6436-1000
Fax.: (0xx11) 6436-1538 – E-Mail: lisgraf@uninet.com.br